FAWZIA KOOFI

LISTY DO MOICH CÓREK

MIĘDZY TERROREM A NADZIEJĄ

Współpraca
Nadene Ghouri

Tłumaczenie
Mariusz Gądek

:: carta blanca

© CARTA BLANCA Sp. z o.o.
Grupa Wydawnicza PWN
ul. Postępu 18
02-676 Warszawa
tel. 22 695 45 55
cb@cartablanca.pl
www.cartablanca.pl

Wydanie pierwsze, 2011

Redaktor prowadzący: Marcin Kicki
Tłumaczenie: Mariusz Gądek
Redakcja: Joanna Ginter
Korekta: Renata Pizior-Krymska, Anna Początek
Layout: Ewa Modlińska
Skład i łamanie: Justyna Cwalina, Ewa Modlińska
Współpraca: Maria Białek, Aleksandra Zimoch
Projekt okładki: Ewa Modlińska
Zdjęcie na okładce: Mikhail Galutov
Zdjęcia na kolorowej wklejce: archiwum autorki, z wyjątkiem BEZH
creations Ltd (12, 19), Mikhail Galutov (21, 22), Reza (23)
Tytuł oryginału: *Letters to My Daughters*
Copyright: © Michel Lafon Publishing 2011, *Lettres à mes filles*

Druk i oprawa: Rzeszowskie Zakłady Graficzne S.A.

ISBN 978-83-7705-143-6

Mojej mamie,
która była najżyczliwszą i najlepszą nauczycielką na świecie.
Obu moim córkom,
które niczym gwiazdy rozświetlają moje życie.

I wszystkim kobietom Afganistanu.

SPIS TREŚCI

CZĘŚĆ DRUGA

PROLOG

Pierwszy list do swoich córek napisałam ze względu na wiec polityczny w Badachszanie – prowincji, którą reprezentuję jako członek afgańskiego parlamentu. Badachszan jest najbardziej wysuniętą na północ prowincją Afganistanu; graniczy z Chinami, Pakistanem i Tadżykistanem. To jeden z najbiedniejszych, najdzikszych oraz najmniej dostępnych obszarów kraju, a jego mieszkańcy wyróżniają się wyjątkowo konserwatywną obyczajowością.

Badachszan ma najwyższy na całym świecie wskaźnik śmiertelności wśród kobiet w ciąży, młodych matek oraz małych dzieci. Częściowo jest to spowodowane warunkami życia na nieprzystępnym terenie i w zatrważającej nędzy, a częściowo – względami kulturowymi, które nakazują przedkładać tradycję nad zdrowie kobiety. Zazwyczaj mężczyzna nie stara się zapewnić żonie leczenia; na wyprawę do szpitala decyduje się dopiero wtedy, gdy jej życie jest wyraźnie zagrożone. Kiedy wreszcie udaje im się dotrzeć do kliniki – często po trwającej wiele dni morderczej podróży na grzbiecie osła przez skaliste, górskie szlaki – przeważnie jest już zbyt późno, by uratować i matkę, i dziecko.

Tamtego dnia ostrzeżono mnie, bym nie jechała do Badachszanu. Istniało niebezpieczeństwo, że talibowie podłożą pod mój samochód ładunek wybuchowy. Talibowie nie przepadają bowiem za kobietami mającymi mocną pozycję w rządzie. Jeszcze bardziej nie znoszą wystąpień krytykujących ich działania. Nieraz próbowali mnie zabić.

Ostatnio starali się o to nawet bardziej niż kiedykolwiek wcześniej, zagrażając moim bliskim, śledząc mnie w drodze do pracy, by w najdogodniejszym momencie zdetonować bombę, a nawet ostrzeliwując policyjny konwój przydzielony mi do ochrony. Jeden z takich ataków trwał pół godziny. Zginęło w nim dwóch policjantów. Ja siedziałam ukryta w samochodzie, nie wiedząc, czy wyjdę z tego żywa.

Talibowie i ci, którzy chcą mnie uciszyć za otwarte wystąpienia przeciwko korupcji i złym rządom, nie spoczną, póki nie ujrzą mnie martwej. Tamtego dnia jednak zignorowałam groźbę zamachu – zresztą nie pierwszy raz. Gdybym przejmowała się każdym niebezpiecznym sygnałem, musiałabym zrezygnować ze swojej pracy. Przerażona jednak byłam. Jak zawsze. Na tym właśnie polega taktyka strachu, i doskonale wiedzą to ci, którzy ją stosują.

O szóstej rano obudziłam starszą córkę, dwunastoletnią Szaharzad, i powiedziałam jej, że jeśli za kilka dni nie wrócę z podróży, ma przeczytać ten list swojej dwa lata młodszej siostrze, Szuhrze. Szaharzad spojrzała na mnie pytająco. Położyłam palec na jej ustach, pocałowałam w czoło obie dziewczynki, po czym cicho wyszłam z pokoju, zamykając za sobą drzwi.

Za każdym razem, gdy rozstaję się z dziećmi, mam poczucie, że być może widzimy się po raz ostatni. I choć sensem mojego życia jest wychowanie dwóch pięknych córek, mam do spełnienia jeszcze jedną, równie ważną misję – muszę reprezentować najbiedniejszych Afgańczyków. Nie mogłam tego dnia zawieść moich ludzi. Nigdy ich nie zawiodę.

CZĘŚĆ PIERWSZA

Kochane Szuhro i Szaharzad,

*wyjeżdżam dzisiaj w politycznych interesach do Fajzabadu
i Darwazu. Mam nadzieję, że za kilka dni znów się zoba-
czymy, ale muszę Was o czymś uprzedzić. Dotarły do mnie
groźby; jeśli im wierzyć, podczas tej podróży mam zostać
zabita.*

*Mówienie Wam o tym, moje najukochańsze Córeczki,
sprawia mi niewypowiedziany ból. Proszę Was jednak, zro-
zumcie, że bez wahania poświęciłabym życie, gdyby miało to
przynieść pokój Afganistanowi, a jego dzieciom lepszą przyszłość. Udaję się więc w tę podróż, abyście Wy – najdroższe
Dziewczynki – mogły zaznać wolności, niezależności, abyście
mogły marzyć.*

*Jeśli zginę i nie zobaczę Was więcej, chcę, żebyście zapa-
miętały kilka rzeczy.*

Przede wszystkim: nie zapominajcie o mnie.

*Ponieważ jesteście bardzo młode i musicie skończyć szkołę,
proszę, żebyście zamieszkały z ciocią Khadidżą. Ona bardzo
Was kocha i zaopiekuje się Wami, jeśli mnie zabraknie.*

*Macie moje pozwolenie na wypłacenie wszystkich pie-
niędzy z konta. Korzystajcie z nich mądrze – a najlepiej,
wydajcie je na studia. Skupcie się na swojej edukacji. Jeśli*

dziewczyna ma sobie dać radę w świecie zdominowanym przez mężczyzn, musi zdobyć wykształcenie. Gdy ukończycie szkołę, chcę, byście kontynuowały naukę, studiując za granicą. Zależy mi, abyście poznały uniwersalne wartości. Świat jest wielkim, pięknym, cudownym miejscem i czeka, aż go odkryjecie.

Bądźcie odważne. Nie bójcie się w życiu niczego.

Wszyscy pewnego dnia umrą. Dziś może przyjść kolej na mnie. Ale jeśli tak się stanie, wiedzcie, że moja śmierć nie poszła na marne. Wy też starajcie się coś po sobie zostawić. Bądźcie dumne z tego, że próbujecie nieść pomoc innym, że staracie się uczynić nasz kraj – nasz świat – lepszym miejscem.

Kocham Was bardzo.
Całuję,
mama

TYLKO DZIEWCZYNKA

1975

Miałam umrzeć w dniu moich narodzin.

W ciągu trzydziestu pięciu lat życia patrzyłam śmierci w twarz niezliczoną ilość razy. Mimo to wciąż żyję. Wiem, że Bóg ma wobec mnie jakiś plan. Być może jest mi pisane, bym znalazła się w rządzie i wyprowadziła swój kraj z otchłani korupcji i przemocy. A może mam po prostu być dobrą matką dla swoich córek.

Dla ojca jestem dziewiętnastym dzieckiem (po mnie przyszło na świat jeszcze czworo przyrodniego rodzeństwa), dla matki zaś – ostatnim. Zanim się urodziłam, mama czuła się źle zarówno fizycznie (wycieńczyły ją narodziny siedmiorga dzieci), jak i psychicznie – ojciec przelał bowiem wszystkie uczucia na swoją nową, najmłodszą żonę. To dlatego matka chciała, bym umarła.

Na świat przyszłam w szczerym polu. Każdego lata matka wraz z grupą służących udawała się na wypas bydła i owiec w najwyższe partie gór, gdzie rośnie słodka i soczysta trawa. Dzięki temu mogła się wyrwać z domu na kilka tygodni. Dowodziła całą operacją, robiąc zapasy suszonych owoców, orzechów, ryżu i oliwy na trzy miesiące wędrówki. Przygotowaniom do tej wyprawy zawsze towarzyszyło wielkie poruszenie. Zanim złożona z koni i osłów karawana wyruszała przez górskie przełęcze w poszukiwaniu wyżej położonych pastwisk, wszystko było zapięte na ostatni guzik.

Matka uwielbiała te wyprawy. Przejeżdżając przez kolejne wioski, czuła nieskrywaną radość, gdyż mogła choć na chwilę wyzwolić się z okowów codzienności i domowej pracy, odetchnąć świeżym, górskim powietrzem.

Zgodnie z miejscowym powiedzeniem, im kobieta bardziej władcza i namiętna, tym się lepiej prezentuje, siedząc w burce na koniu. Podobno nikt, jadąc konno, nie wyglądał piękniej od mojej matki. W jej postawie, wyprostowanych plecach i dostojeństwie było coś ujmującego.

Jednakże w 1975 roku, kiedy przyszłam na świat, matka nie była tą samą energiczną kobietą. Trzynaście miesięcy wcześniej stała w dużej, żółtej bramie *hooli* – obszernego, parterowego domu z glinianymi ścianami – patrząc na orszak weselny zmierzający ku niej krętą, górską ścieżką wiodącą przez sam środek wioski. Panem młodym był jej mąż, który postanowił wziąć sobie za siódmą żonę zaledwie czternastoletnią dziewczynkę.

Za każdym razem, gdy ojciec się żenił, matka czuła się zdruzgotana – choć ojciec lubił żartować, że staje się ona coraz piękniejsza z każdym jego kolejnym ożenkiem. Spośród wszystkich żon najbardziej kochał właśnie moją matkę – Bibi Jan (co znaczy dosłownie „piękna pani"). W wiosce rodziców miłość i małżeństwo rzadko szły ze sobą w parze. Małżeństwo zawierano ze względu na rodzinę, tradycje i kulturę. Wierność tym wartościom uznawano za znacznie ważniejszą od osobistego szczęścia. Poza tym uważano, że szczęście daje tylko bezwarunkowe wypełnianie obowiązków. Miłość nie była czymś oczekiwanym ani potrzebnym. Sprawiała jedynie kłopoty. Mój ojciec naprawdę wierzył, że mężczyzna o jego pozycji społecznej ma obowiązek poślubić więcej kobiet niż tylko jedną.

Matka stała na szerokim kamiennym tarasie, ukryta bezpiecznie za bramą, podczas gdy około dwunastu mężczyzn na koniach zjeżdżało ze zbocza góry z ojcem wystrojonym w swoje najlepsze białe *szalwar kamiz* (czyli w długą tunikę oraz zebrane przy kostkach spodnie), brązową kamizelkę i czapkę z jagnięcej skórki. Za jego białym koniem, z którego ozdobnej uzdy zwisały jasnoróżowe, zielone i czerwone frędzle z wełny, szły mniejsze konie. Niosły ubrane w białe burki kobiety: pannę młodą oraz krewne towarzyszące jej w drodze do nowego domu – który będzie dzielić z moją matką i pozostałymi żonami. Ojciec, niski mężczyzna z blisko siebie osadzonymi oczyma i starannie przystrzyżoną brodą, z łaskawym uśmiechem uścisnął dłonie wszystkim mieszkańcom wioski, którzy przyszli mu pogratulować i podziwiać ceremonię. Zewsząd dobiegały okrzyki: „Wakil Abdul Rahman już tu jest", „Wakil Abdul Rahman wrócił do domu z nową, śliczną żoną". Ludzie go kochali i od niego oczekiwali tego samego.

Abdul Rahman był wakilem – posłem w afgańskim parlamencie reprezentującym ludność Badachszanu. Jak dziś ja. Wcześniej Azamszah, ojciec mojego ojca, był lokalnym przywódcą i należał do starszyzny plemiennej. Tak daleko, jak tylko sięgam pamięcią wstecz, lokalna polityka i służba publiczna należały do rodzinnej tradycji. Traktowaliśmy je jako zaszczyt. Można powiedzieć, że politykę mam we krwi.

Koof i Darwaz, dwa badachszańskie dystrykty, z których pochodzi nasza rodzina i od których wzięło się nasze nazwisko, są tak górzyste i niedostępne, że nawet obecnie dotarcie tam ze stolicy prowincji, Fajzabadu, zajmuje przy sprzyjającej pogodzie trzy dni jazdy samochodem terenowym. Zimą wąskie przełęcze są zupełnie nieprzejezdne.

Do zadań mojego dziadka należały: pomaganie ludziom w rozwiązywaniu codziennych i społecznych problemów, kontaktowanie się z urzędnikami państwowymi w Fajzabadzie oraz współpraca z władzami dystryktu w celu zapewnienia wiosce usług publicznych. Dziadek nigdy w życiu nie leciał samolotem ani nie jechał samochodem. Do stolicy prowincji z górzystego Darwazu udawał się konno lub na ośle. Taka podróż trwała zwykle od siedmiu do dziesięciu dni.

Oczywiście, nie tylko mój dziadek podróżował tak pierwotnymi środkami transportu. Mieszkańcy wioski mogli dotrzeć do większych miast jedynie konno lub na piechotę. W ten sposób rolnicy dostawali się na targ, by sprzedać bydło i zaopatrzyć się w nasiona, chorzy udawali się do szpitala, a krewni składali sobie wizyty. Podróżowało się tylko wówczas, gdy było ciepło – wiosną i latem – choć nawet wtedy było to dość niebezpieczne.

Największe zagrożenie stanowiło pokonanie Atangi. Tę wysoką górę opływa Amu-daria. Jedynie przejrzyste, zielone wody tej rzeki oddzielają Afganistan od Tadżykistanu. Są one tak samo piękne jak zdradliwe. Wiosną, gdy topnieje śnieg i zaczynają padać deszcze, brzegi rzeki pęcznieją, pojawiają się również groźne bystrza. Aby się przeprawić, trzeba było skorzystać z koślawych, drewnianych schodków, przymocowanych do obu zboczy góry – należało się po nich wspiąć, a następnie zejść z drugiej strony.

Stopnie były wąskie, chybotliwe i śliskie. Wystarczył jeden nieostrożny krok, by wpaść do rzeki i zostać porwanym przez nurt, co oznaczało śmierć. Wyobraźcie sobie powrót z Fajzabadu z dopiero co kupionymi zapasami, na przykład siedmiokilowym workiem ryżu, soli albo beczką oliwy – cennym ładunkiem, który musi wystarczyć waszej rodzinie na całą zimę. Mimo że po tygodniowym marszu słaniacie się już z wyczerpania, musicie pokonać jeszcze niebezpieczne przejście, na którym wielu waszych krewnych i przyjaciół spotkała śmierć.

Dziadek nie mógł bezczynnie przyglądać się temu, jak rok po roku giną w tym miejscu jego ludzie, dlatego też robił, co tylko mógł, by wymóc na władzach wybudowanie porządnej drogi. Niestety, chociaż był zamożniejszy niż większość mieszkańców Badachszanu, wciąż traktowano go jak lokalnego urzędnika z pierwszej lepszej wioski. Wyprawy do Fajzabadu to wszystko, co mógł zrobić. Nie miał ani środków, ani możliwości, by udać się do Kabulu, gdzie rezydował król i znajdowała się siedziba rządu.

Dziadek zdał sobie sprawę, że za jego życia nie nastąpią żadne zmiany, dlatego postanowił, że prowadzenie tej kampanii przejmie po nim jego najmłodszy syn. Mój ojciec był małym chłopcem, gdy dziadek zaczął go przygotowywać do roli polityka. Wiele lat później, po długich miesiącach nieustępliwych starań, ojciec odniósł jeden z największych swoich sukcesów w parlamencie – udało mu się zrealizować marzenie dziadka i doprowadzić do wybudowania drogi przez przełęcz Atanga.

Wiąże się z tym pewna anegdota. Otóż mój ojciec stanął przed królem Mohammadem Zahirem Szahem, by przedyskutować projekt. Rzekł:

– Panie, budowa tej drogi znajduje się w planach od lat, ale nic w tej sprawie się nie dzieje. Wraz z rządem wciąż tylko planujecie i wiele mówicie, ale nie dotrzymujecie obietnic.

Choć w tamtych czasach parlament składał się z wybieranych posłów, państwem wciąż rządził król ze swym dworem. Z otwartą krytyką władcy nie spotykano się zbyt często. Tylko ktoś wyjątkowo odważny lub lekkomyślny mógł ośmielić się na taki krok. Król zdjął okulary, posłał memu ojcu długie, surowe spojrzenie i oznajmił groźnie:

– Drogi wakilu, pamiętaj, że znajdujesz się w moim pałacu.

Ojciec wpadł w popłoch, sądząc, że posunął się za daleko. W pośpiechu opuścił gmach, bojąc się, że może zostać aresztowany. Tymczasem miesiąc później Zahir Szah wysłał do Badachszanu ministra robót publicznych, aby wraz z moim ojcem opracowali plan budowy drogi. Urzędnik rzucił tylko spojrzenie na górę i oznajmił, że zadanie jest niewykonalne. Nie miał nic więcej do powiedzenia. Natychmiast chciał wracać do stolicy. Ojciec zgodził się, ale poprosił go, by najpierw wybrał się z nim na krótką konną przejażdżkę. Razem pojechali więc na najwyższe miejsce przełęczy i zatrzymali się tam na postój. Gdy minister zsiadł z konia, ojciec chwycił zwierzę za uzdę i wiodąc je za sobą, pogalopował z powrotem do wioski, zostawiając nieszczęśnika w górach samego na całą noc. W ten sposób mężczyzna mógł się przekonać na własnej skórze, co znaczy utknąć na przełęczy.

Ojciec wrócił dopiero rankiem. Urzędnik był wściekły. Niemal na śmierć pogryziony przez komary, całą noc nie zmrużył oka, bojąc się, że pożrą go dzikie psy lub wilki. Ale dzięki temu zrozumiał, jak ciężkie bywa życie mieszkających tu ludzi. Zgodził się przysłać inżynierów, aby droga mogła jednak powstać. Stanowi ona wielkie osiągnięcie sztuki inżynierskiej i przez lata ocaliła tysiące mieszkańców Badachszanu.

Jednak na długo przed budową drogi przez Atangę, zanim mój ojciec został posłem, dziadek wyznaczył go na przywódcę wspólnoty. To dało dwunastolatkowi władzę przysługującą starszyźnie plemiennej. *Arbab* Abdul Rahman był proszony o rozstrzyganie sporów o ziemię oraz kłótni rodzinnych i małżeńskich. Szukający dobrej partii dla swych córek przychodzili do niego, by zasięgnąć rady w kwestii wyboru właściwego męża. Wkrótce chłopiec opracowywał też projekty dotyczące służby zdrowia i edukacji, zbierał fundusze i spotykał się z urzędnikami w Fajzabadzie. Choć ojciec był wtedy jeszcze dzieckiem, urzędnicy zdawali sobie sprawę, że jako *arbab* ma poparcie miejscowych i to właśnie z nim mają rozmawiać.

Te wczesne lata dały ojcu tak duże rozeznanie w problemach nękających naszą społeczność, że gdy stał się dorosły, był już w pełni ukształtowanym politykiem. Trafił na idealny moment – w Afganistanie nadszedł właśnie czas prawdziwej demokracji. W 1965 roku król ustanowił demokratyczny parlament. Dzięki temu obywatele mogli głosować na lokalnych przedstawicieli i tym samym wpływać na podejmowanie decyzji w państwie.

Ludzie w Badachszanie od lat czuli się zaniedbywani przez rząd; wiadomość o tym, że ich głos zostanie wreszcie usłyszany, przyjęli zatem z wielkim przejęciem. Ojciec został pierwszym członkiem parlamentu z Darwazu. Reprezentował najbiedniejszych – i to nie tylko najbiedniejszych w Afganistanie, lecz także na całym świecie.

Mimo ubóstwa mieszkańcy Badachszanu są ludźmi dumnymi i przywiązanymi do wyznawanych wartości. Potrafią być tak dzicy i groźni jak nieustannie zmieniająca się górska pogoda, a zarazem delikatni i wytrzymali niczym dzikie kwiaty na skalistych brzegach rzeki.

Abdul Rahman również mieszkał w Badachszanie, dlatego lepiej niż jakikolwiek inny polityk znał zalety pobratymców. Swojego nowego zadania podjął się z bezgranicznym poświęceniem.

W tamtych czasach wyłączny kontakt mieszkańców Badachszanu ze światem zewnętrznym stanowiło radio. Ojciec odziedziczył po dziadku jedyne radio w wiosce – masywny, drewniany, rosyjski odbiornik z mosiężnymi pokrętłami. W dniu, w którym ojciec miał po raz pierwszy przemawiać w parlamencie w Kabulu, wszyscy mieszkańcy wioski zgromadzili się w naszym domu w Koof, by słuchać transmisji.

Nikt poza moim starszym bratem Dżamalszachem nie potrafił włączyć radia ani ustawić głośności. Matka, pękając z dumy, że jej mąż został członkiem parlamentu, otworzyła bramy *hooli*, by ludzie mogli posłuchać przemówienia. Niestety, Dżamalszacha nie było w domu.

Matka w panice przebiegła przez wioskę, lecz nigdzie nie mogła znaleźć mojego brata. Tymczasem przemówienie miało już się rozpocząć i w domu zgromadził się niemały tłum: przyszli kuzyni, wioskowa starszyzna, kobiety, dzieci. Niektórzy nigdy wcześniej nie słyszeli radia. Teraz chcieli być świadkami, jak ich nowy poseł przemawia w parlamencie. Matka nie mogła zawieść ojca, ale nie miała pojęcia, jak działa to urządzenie.

Podeszła niepewnie do radia i zaczęła kręcić gałkami – bez skutku. Wreszcie rozpłakała się na oczach tłumu obserwującego ją w oczekiwaniu. Jej męża spotka zaraz upokorzenie – i to będzie wyłącznie jej wina. „Gdyby tylko był tu Dżamalszach! Gdzie się podział ten chłopak?". Z bezsilności uderzyła pięścią w radio i stała się rzecz zdumiewająca: charcząc i trzeszcząc, piekielne ustrojstwo ożyło.

Matka wprost nie mogła uwierzyć we własne szczęście, ale wciąż nikt nie mógł niczego usłyszeć, ponieważ głos był ściszony. Nie miała pojęcia, co począć dalej. Czwarta żona ojca zaproponowała, by przynieść głośniki. Kobiety nie bardzo wiedziały, do czego one służą ani jak działają, lecz widziały wcześniej, że używali ich mężczyźni. Przysunęły więc kolumny do radia i próbowały wszelkimi sposobami je podłączyć. Wreszcie się udało. Cała wioska usłyszała na żywo przemówienie ojca podczas obrad parlamentu. Matka promieniała ze szczęścia. Była kobietą, która żyła wyłącznie dla męża. Później opisywała mi ten dzień jako jeden z najszczęśliwszych w jej życiu.

Ojciec szybko zdobył reputację jednego z ciężej pracujących posłów. Choć Badachszan dalej pozostawał rozpaczliwie biedny, to, ogólnie rzecz biorąc, dla Afganistanu nastały dobre czasy: bezpieczeństwo narodowe, nastroje społeczne i gospodarka zyskały stabilność. Nasi sąsiedzi akceptowali to z trudem. W Afganistanie jest zresztą takie powiedzenie, że położenie geograficzne – między ścierającymi się siłami Europy, Chin, Iranu i Rosji – jest fatalne dla naszego kraju, ale dobre dla świata. Każdy, kto gra w ryzyko (grę planszową, której celem jest zdobycie kontroli nad światem) stara się zdobyć Afganistan. Gdy mu się to uda, reszta globu staje przed nim otworem. Tak było zawsze. W tamtych czasach, w środku zimnej wojny, strategiczne i geograficzne znaczenie mojego kraju przypieczętowało tragiczny los mający go niebawem spotkać.

Ojciec był szczery, bezpośredni i pracowity. Za jego hojność, uczciwość, religijność i głęboką wiarę w tradycyjne islamskie wartości szanowano go nie tylko w Badachszanie, lecz także w całym kraju. Nie cieszył się jednak popularnością na królewskim dworze, ponieważ nikomu nie starał się przypodobać i nie brał udziału w tak lubianych przez niektórych rozgrywkach o posadę i urząd. Nade wszystko zaś był politykiem starej daty, wierzącym w szlachetność służby publicznej i w sens niesienia pomocy ubogim.

Ojciec spędzał w Kabulu długie miesiące, próbując przekonać tamtejszych urzędników do budowy dróg, szpitali oraz szkół, lecz tylko na część z tych przedsięwzięć udało mu się zebrać fundusze. Z trudem przychodziło mu pozyskiwanie dotacji państwowych, ponieważ niewyściubiający nosa poza Kabul oficjele nie uważali naszej prowincji za obszar szczególnie ważny. To nieustannie doprowadzało ojca do furii.

Matka wspominała, że przygotowania do powrotu ojca do domu rozpoczynała już na miesiąc przed coroczną przerwą parlamentarną. Szykowała dla niego wszelkiego rodzaju słodycze i suszone owoce, sprzątała dom i posyłała służących w góry po drewno potrzebne do przygotowania potraw na jego przyjazd. Wieczorami przed bramą *hooli* ustawiała się długa kolejka osłów objuczonych drewnem, które matka kierowała od razu do drewutni w ogrodzie. Na swój sposób pracowała równie ciężko jak ojciec, nie zadawalając się byle czym i zawsze dążąc do doskonałości. Tylko że ojciec wydawał się tego nie zauważać. W domu potrafił być straszliwym despotą, o czym najlepiej świadczyły sińce na ciele matki.

Sześć spośród siedmiu małżeństw ojciec zawarł z powodów politycznych. Dzięki poślubieniu ulubionej córki miejscowego przywódcy plemiennego lub wpływowego członka starszyzny strategicznie umacniał i zabezpieczał polityczne zaplecze swego lokalnego imperium. Ojciec mojej matki był ważnym członkiem starszyzny z sąsiedniego dystryktu, który niegdyś toczył boje z wioską ojca. Biorąc zatem moją matkę za żonę, w gruncie rzeczy ojciec zawarł traktat pokojowy.

Niektóre z żon ojciec kochał, z dwiema się rozwiódł, a większość ignorował. Moja matka była bez wątpienia jego ulubienicą. Była filigranowa, miała ładną, owalną twarz, jasną cerę, duże, brązowe oczy, długie, lśniąco czarne włosy i kształtne brwi.

To jej ufał najbardziej i to ona trzymała klucze do sejfu oraz spiżarni. Jej powierzał organizację wystawnych politycznych przyjęć. Ona dowodziła służącymi i pozostałymi żonami przyrządzającymi aromatyczny pilaw, *gosht* z jagnięciny i *naan* – świeży gorący chleb drożdżowy z białej mąki.

Stojący w rzędzie służący i moi bracia podawali gorące garnki z kuchni do stojącego obok pawilonu, w którym ojciec podejmował gości. Mogli w nim przebywać wyłącznie mężczyźni, kobiety nie miały tam wstępu. W naszej kulturze mężatka nie powinna pokazywać się mężczyznom, którzy nie są jej krewnymi. Przy takich okazjach musieli więc pomagać moi bracia, od których poza tym nigdy nie oczekiwano wykonywania jakichkolwiek prac domowych.

Podczas przyjęć wszystko musiało być doskonałe. Gdy ryż był puszysty i sypki, ojciec uśmiechał się z zadowoleniem z powodu sprzyjającego mu szczęścia i doskonałego wyboru żony. Jeśli jednak ojciec znalazł sklejone ze sobą ziarna, jego twarz pochmurniała. Grzecznie przepraszał wówczas gości i szedł do kuchni, gdzie bez słowa chwytał matkę za włosy, wyrywał jej z rąk metalową chochlę, a następnie bił ją tą łyżką po głowie. Matka próbowała się zasłonić pokrytymi bliznami i zniekształconymi po poprzednich razach rękoma. Zdarzało się, że traciła nawet przytomność, lecz po pewnym czasie podnosiła się i nie zwracając uwagi na przerażone spojrzenia służby, wcierała gorący popiół w skórę głowy, by powstrzymać krwawienie. Już po chwili przejmowała dowodzenie w kuchni, upewniając się, że w następnej porcji ryżu żadne ziarenka nie są ze sobą sklejone.

Znosiła takie traktowanie, ponieważ w jej świecie bicie stanowiło przejaw miłości.

– Jeśli mężczyzna nie bije żony, to znaczy, że jej nie kocha – tłumaczyła mi. – Ojciec ma wobec mnie pewne wymagania. Bije mnie tylko wtedy, gdy go zawiodę.

Choć dziś dla wielu słowa te mogą brzmieć dziwnie, ona w nie szczerze wierzyła. I to przekonanie pozwalało jej przetrwać niejedno. Była zdecydowana spełniać życzenia ojca nie tylko z obowiązku czy ze strachu, lecz także z miłości. Wielbiła go bowiem bezgranicznie.

A zatem tego dnia, gdy w domu zjawiła się żona numer siedem, matka przyglądała się ze smutkiem wijącemu się przez wioskę orszakowi weselnemu. Stała na tarasie obok służącej, która tłuczkiem mełła ziarno na mąkę w wielkim kamiennym moździerzu. Powstrzymując łzy, matka zabrała jej tłuczek i z wściekłością zaczęła ubijać nim w moździerzu, mimo że jako pani domu zazwyczaj się tym nie zajmowała.

Nawet jednak w taki dzień nie mogła sobie pozwolić na użalanie się nad sobą. Odpowiadała przecież za przyjęcie weselne i musiała zadbać o to, by pierwszy posiłek, jaki nowa panna młoda zje w domu Abdula Rahmana, składał się z najdoskonalszych przysmaków odpowiadających statusowi gospodarza. Ojciec by się wściekł, gdyby matka nie przygotowała prawdziwie królewskiej uczty dla swojej nowej rywalki.

Część ceremonii przeznaczona była tylko dla niej. Jako główna żona miała powitać weselników i położyć z naciskiem pięść na głowie panny młodej na znak swego starszeństwa i poddaństwa tej drugiej – znajdującej się niżej w hierarchii żon. Matka patrzyła, jak przy pomocy innych panna młoda wraz ze swą matką oraz siostrą zsiadły z koni. Młode kobiety zdjęły burki i oczom wszystkich objawiła się ich uroda. Miały kruczoczarne, sięgające do pasa włosy. Jedna z nich, wydymając usta, wyzywająco wpatrywała się w moją matkę zielonymi oczami. Bibi Jan z naciskiem i spokojem położyła na jej głowie swoją pięść. Kobieta spojrzała zdumiona, ojciec kaszlnął i zaśmiał się, a druga dziewczyna oblała się ze wstydu rumieńcem. Matka zamiast na głowie panny młodej położyła pięść na głowie jej siostry. Zakłopotana, zakryła dłońmi usta, ale było już za późno. Goście weselni weszli do środka, by rozpocząć ucztę. Bibi Jan straciła jedyną szansę, by publicznie pokazać nowej żonie, kto naprawdę rządzi w domu.

Trzynaście miesięcy później moja matka leżała w połogu w odległej górskiej chacie. Pozbawiona względów ukochanego mężczyzny, czuła się osamotniona i nieszczęśliwa. Trzy miesiące wcześniej młoda żona urodziła Ennajata, zdrowego chłopca z rumianymi policzkami i pięknymi, wielkimi jak spodki oczami. Bibi Jan nie chciała mieć więcej dzieci. Wiedziała, że to będzie ostatnie. Przez całą ciążę miała nudności, była blada i wyczerpana, jej ciało nie mogło sprostać trudowi noszenia kolejnego potomka. Tymczasem najmłodsza żona wyglądała piękniej niż kiedykolwiek, promieniała radością pierwszej ciąży, jej piersi były jędrne, a policzki zaróżowione.

Bibi Jan, sama będąc w szóstym miesiącu ciąży, pomagała przy narodzinach Ennajata. Kiedy jego płuca po raz pierwszy napełniły się powietrzem i chłopiec krzykiem oznajmił swoje przyjście na świat, przyłożyła ręce do swego brzucha i modliła się w myślach, by jej dziecko również było płci męskiej. Tylko to da jej szansę na odzyskanie względów męża. Dziewczynek w naszej wsi nie uważano za wartościowych członków wspólnoty. Nawet dziś kobiety modlą się o synów, ponieważ jedynie synowie dodają im prestiżu i uszczęśliwiają ich małżonków.

Poród trwał trzydzieści godzin, a matka cierpiała okropne męczarnie. Kiedy przyszłam na świat, była ledwo przytomna. Nie miała nawet sił, by wyrazić rozczarowanie, że jestem dziewczynką. Na mój widok po prostu odwróciła głowę, odmawiając wzięcia mnie na ręce. Byłam maleńka i zsiniała – stanowiłam całkowite przeciwieństwo okazu zdrowia, jakim był Ennajat. Tuż po porodzie matka znalazła się na skraju śmierci. Nikt nie dbał o to, czy noworodek przeżyje. Gdy wszyscy skupili się na ratowaniu życia matki, zawinięto mnie w bawełniane powijaki i zostawiono na zewnątrz w piekącym słońcu.

Leżałam tak prawie cały dzień, krzycząc, ile sił w małych płucach. Nikt się nie zjawił. Wszyscy byli pewni, że natura zrobi swoje i po prostu umrę. Moja twarz została wówczas tak mocno poparzona przez słońce, że jeszcze w okresie dojrzewania miałam na policzkach blizny.

Gdy wreszcie zlitowano się nade mną i z powrotem wniesiono do środka, matka czuła się już o wiele lepiej. Zdumiona tym, że przeżyłam, krzyknęła przerażona na widok mojej poparzonej twarzy. Wzięła mnie na ręce i przytuliła. Jej początkowa oziębłość zaczęła topnieć pod wpływem budzącego się instynktu macierzyńskiego. Kiedy wreszcie przestałam płakać, matka sama zaczęła cicho szlochać, przyrzekając sobie, że nie dopuści, by spotkała mnie jeszcze jakaś krzywda. Wiedziała, że z jakiegoś powodu Bóg chciał, abym przeżyła, i powinna mnie kochać.

Nie mam pojęcia, dlaczego Bóg mnie oszczędził tego dnia. Albo dlaczego darował mi życie w kilku innych sytuacjach, kiedy powinnam umrzeć. Wiem tylko, że ma wobec mnie jakiś plan. Wiem też, że spotkało mnie prawdziwe błogosławieństwo, bo zostałam ulubionym dzieckiem Bibi Jan. Od tamtego momentu połączyła nas nierozerwalna więź.

Kochane Szuhro i Szaharzad,

bardzo wcześnie dowiedziałam się, jak trudno jest być dziewczynką w Afganistanie. Pierwsze słowa, jakie często słyszy
nowo narodzona córka, są wyrazami współczucia dla jej
matki: *„To tylko dziewczynka, biedactwo"*. Niezbyt to za-
chęcające powitanie na tym świecie.

A gdy dziewczynka osiąga wiek, w którym może iść do
szkoły, nie wie nawet, czy dostanie pozwolenie na naukę.
Czy jej rodzina będzie wystarczająco odważna i bogata, by
posłać ją do szkoły? Co innego, gdy dorasta chłopiec, który
w przyszłości ma reprezentować i utrzymywać rodzinę.
Każdy pragnie, aby jego syn zdobył wykształcenie. Jedyną
zaś przyszłość dla dziewczynek zwykle stanowi w naszym
społeczeństwie małżeństwo. Córki nie powiększają majątku rodziny, więc wielu uważa, że kształcenie ich nie
ma sensu.

Gdy dziewczynka kończy dwunasty rok życia, krewni i sąsiedzi zaczynają się zastanawiać, dlaczego jeszcze nie wyszła
za mąż. Ludzie pytają: *„Czy ktoś już poprosił ją o rękę?"*, *„Czy
ktokolwiek chce ją poślubić?"*. Jeśli nie zanosi się na żadne
oświadczyny, mało życzliwi rozsiewają plotki, że winę za
brak zainteresowania ponosi sama dziewczyna.

Jeżeli członkowie rodziny nie poddadzą się presji społecznej i pozwolą dziewczynie ukończyć w panieństwie szesnaście lat – legalny wiek na zawarcie małżeństwa – i jeśli zezwolą jej na wybranie sobie męża albo przynajmniej dopuszczą do tego, by nie zgodziła się z wyborem rodziców, być może spotka ją w życiu odrobina szczęścia. Jeśli jednak rodzina znajduje się w niekorzystnej sytuacji finansowej albo ulegnie presji otoczenia, córka zostanie wydana za mąż, zanim jeszcze skończy piętnaście lat. Małe dziecko, które przy swoich narodzinach usłyszało: „to tylko dziewczynka", wkrótce samo stanie się matką. Jeśli urodzi córeczkę, wypowie te same słowa: „to tylko dziewczynka" – powtarzane z pokolenia na pokolenie. Taki był również i mój początek. „Tylko dziewczynka" urodzona przez niepiśmienną kobietę.

Słowa te usłyszałybyście pewnie i Wy, gdyby nie odwaga mojej Matki, Waszej Babci, która wytyczyła nam nową drogę i która na zawsze pozostanie dla mnie bohaterką.

Ściskam Was,
mama

OPOWIEŚCI
KOBIET
1977

Moje wczesne dzieciństwo było równie piękne jak górski świt, gdy światło rozpływa się po szczytach Pamiru, a następnie po całej dolinie i dachach glinianych domów w naszej wiosce. Wspomnienia, jakie mam z tamtego czasu, są dość mgliste, jak kadry z filmu. To obrazy skąpane w pomarańczowym letnim słońcu oraz śnieżnej bieli zimy, przesycone aromatem jabłoni i śliw rosnących obok domu, zapachem zaplecionych w długie warkocze ciemnych włosów matki, której promienny uśmiech rozświetlał moje dni.

Dolina Koof, na terenie której mieszkaliśmy, nazywana jest Szwajcarią Afganistanu. To kraina niezwykle żyzna i otoczona drzewami – tak soczystych zieleni i żółci nigdzie indziej nie widziałam. Z naszego domu rozpościerał się widok na krystalicznie czystą, błękitną rzekę oraz wysokie sosny i wiązy rosnące wzdłuż jej trawiastych brzegów, zmieniających się gwałtownie w górskie zbocza.

Dźwięki, jakie pamiętam z wczesnego dzieciństwa, to ryk osła, szelest koszonego siana, szmer płynącej rzeki, wybuchy dziecięcego śmiechu. Wioska rozbrzmiewa nimi i dziś. Koof wciąż jest jedynym miejscem na świecie, w którym mogę zamknąć oczy i w sekundę zapaść w błogi, spokojny sen.

Przed naszym domem rozciągał się ogród. Zarządzała nim z wielkim poświęceniem moja matka. Rosło tam wszystko, czego potrzebowaliśmy, między innymi papryka, oliwki, morwy, brzoskwinie, morele, jabłka i ogromne żółte dynie. Hodowaliśmy nawet jedwabniki, których włókno służyło nam do tkania dywanów. Ojcu sprawiało ogromną przyjemność importowanie z zagranicy drzew i nasion, dlatego też nasz ogród stał się jednym z niewielu miejsc w Afganistanie, gdzie można było zobaczyć czeremchę amerykańską. Pamiętam dzień, w którym przywieziono drzewko. Jego sadzeniu towarzyszył uroczysty nastrój.

Podczas cieplejszych miesięcy kobiety siadywały późnym popołudniem na jakieś pół godziny pod morwami – to jedyna pora w ciągu dnia, kiedy mogły nieco odpocząć. Przynosiły ze sobą coś do jedzenia, gawędziły i plotkowały, a wokół nich bawiły się dzieci.

W tamtych czasach większość mieszkańców wioski nosiła ciężkie drewniane chodaki, gdyż wyprawa do Fajzabadu po zwykłe buty stanowiła zbyt duże wyzwanie. Wytwarzał je pewien starzec. Przypominały nieco wystrugane weneckie gondole i były nie do zdarcia. W podeszwy miały wbite gwoździe, dzięki czemu kobiety mogły wychodzić zimą na zewnątrz po wodę i nie ślizgały się na lodzie. Zawsze marzyłam, by mieć parę takich chodaków. Nie robiono ich dla dzieci. Gdy kobiety przychodziły do nas z wizytą, zostawiały drewniaki przy drzwiach, a ja zakładałam je i biegłam się w nich bawić. Pewnego razu miałam na sobie pięknie haftowaną sukienkę, uszytą dla mnie przez przyjaciółkę matki. Nie wolno mi było w niej wychodzić, ale za nic nie chciałam jej zdjąć. Włożyłam chodaki i poszłam bawić się z dzieciakami nad źródełkiem. Jak było do przewidzenia, przewróciłam się w za dużych butach i rozdarłam sukienkę.

Moim światem była kuchnia – izba ze ścianami pokrytymi gliną. Na jednym końcu pomieszczenia znajdowały się trzy duże piece opalane drewnem (pośrodku stał *tanur*, czyli głęboki piec chlebowy), a na drugim mieściło się wysokie okienko.

Jak większość afgańskich kobiet ze swojego pokolenia matka spędziła ponad połowę życia w kuchni, gotując, śpiąc i zajmując się małymi dziećmi. Tam panowała niepodzielnie. Pomieszczenie zawsze wypełniał dym. Kobiety piekły chleb trzy razy dziennie – niekiedy nawet pięćdziesiąt lub sześćdziesiąt bochenków. Między wyrabianiem kolejnych partii chleba musiały przygotować obiad i kolację. Gdy ojciec przyjmował gości, żar bijący od czterech pieców był nie do zniesienia. Czuliśmy wtedy niesamowitą ekscytację, a moja popularność – gdy sprowadzałam znajomych do kuchni, by spróbować przyrządzanych tam przysmaków – sięgała szczytów. Większość mieszkańców wioski była od nas znacznie biedniejsza i żaden z moich przyjaciół nie mógł przepuścić okazji, by skosztować nieznanych specjałów. Dzieciom nie pozwalano zbliżać się do domku gościnnego, a gdyby jednak przyszło nam do głowy tam zajrzeć, jedno spojrzenie strzegącego drzwi ochroniarza wystarczało, byśmy zaczęli szukać jakiejś kryjówki.

Kuchnia, usytuowana z dala od męskich oczu, stanowiła enklawę, na terenie której kobiety mogły się śmiać i gawędzić, a dzieci – wcinać smakołyki, czyli poukrywane na półkach suszone owoce albo cukierki. W chłodne zimowe noce, gdy już upieczono cały chleb, siadywaliśmy przy piecu z nogami okrytymi dywanem i stopami wyciągniętymi w stronę dogasającego żaru.

Nocą rozwijaliśmy nasze materace na kuchennej podłodze i tam zasypialiśmy. Żony i córki nie miały własnych sypialni, tylko własne materace. Mali chłopcy też żyli i spali w tym kobiecym świecie; potem przenosili się do wspólnej sypialni. Matka opowiadała nam różne historie. Snuła opowieści związane z domem. Otwarcie mówiła o swoim małżeństwie, o tym, co czuła, kiedy po raz pierwszy spotkała ojca, i jak trudno było się jej rozstać z dzieciństwem, aby przyjąć rolę żony oraz wszystkie wiążące się z tym obowiązki. Snuła historie o królowych, królach, zamkach i wojownikach, którzy dla honoru poświęciliby wszystko. Opowiadała historie miłosne i bajki o olbrzymich wilkach, które sprawiały, że krzyczeliśmy z przerażenia. Słuchałam i patrzyłam przez okno na księżyc i gwiazdy. Wydawało mi się, że mogę objąć wzrokiem całe niebo.

Nie zdawałam sobie sprawy z istnienia świata za wysokimi górami, poza doliną. Nie myślałam o tym. Kochałam matkę, a ona kochała mnie – byłyśmy nierozłączne. Czułam się, jakby ktoś zebrał całą miłość, jaką matka darzyła ojca, i przelał ją na mnie z nawiązką. Bibi Jan otrząsnęła się z początkowego rozczarowania faktem, że urodziła dziewczynkę, po tym jak usłyszała opowieść Gady, najstarszej siostry ojca.

Informując go o moich narodzinach, kiedy wrócił do wioski, ciotka oznajmiła:

– Abdulu Rahmanie, twoja żona urodziła myszkę, maleńką czerwoną myszkę.

Ojciec roześmiał się i powiedział, że chce mnie zobaczyć. Nigdy wcześniej nie prosił o pokazanie mu nowo narodzonej dziewczynki. Na widok mojej oszpeconej buzi oraz oparzeń słonecznych trzeciego stopnia odrzucił głowę do tyłu, śmiejąc się nietypowo.

– Nie martw się, siostro – rzekł. – Ta mała mysz ma dobre geny. Jestem przekonany, że pewnego dnia wyrośnie na równie piękną kobietę jak jej matka.

Gdy Bibi Jan poznała zdanie męża, rozpłakała się z radości. Dla niej stanowiło to rodzaj zapewnienia, że on wciąż ją kocha i że nie powinna się czuć jak nieudacznica, dając mu córkę zamiast syna. Matka często powtarzała słowa ojca. Słyszałam je chyba setki razy.

W tamtych czasach ojciec był wiecznie nieobecny. Afgańska polityka stawała się bardzo niebezpieczną grą. Gdy Zahir Szah wyjechał w 1973 roku za granicę, Mohammad Daud Chan przeprowadził bezkrwawy zamach stanu. Obalił króla, ogłosił się pierwszym prezydentem Afganistanu, zawiesił przy tym konstytucję i zniósł parlament.

Wkrótce po tym ojciec został uwięziony za sprzeciwianie się prezydentowi. Otwarcie krytykował nową władzę, usilnie nawoływał do przywrócenia konstytucji i parlamentu. Głosy politycznego niezadowolenia niosły się po całym kraju. Rosło bezrobocie, mnożyły się problemy społeczne, a sąsiednie państwa, zwłaszcza Pakistan i ZSRR, znów zaczęły prowadzić na naszej ziemi swoje polityczne rozgrywki.

Ojciec większość czasu spędzał w Kabulu i rzadko bywał w domu. Gdy go nie było, w domu panowała swobodna atmosfera i rozbrzmiewał w nim dziecięcy śmiech. Lecz kiedy wracał, kobiety biegały nerwowo, przygotowując w pośpiechu posiłki dla jego gości i starając się uciszać dzieci, aby mu nie przeszkadzały. Czułam się wtedy szczęśliwa, ponieważ mogłam z rodzeństwem wykradać czekoladę z kuchennych szafek i być tak niegrzeczna, jak mi się tylko podobało – matka była zbyt zajęta ojcem, by w jakikolwiek sposób nam przeszkodzić.

Nie mam wielu wspomnień związanych z ojcem. Pamiętam, jak ubrany w białe *szalwar kamiz* z wełnianą, brązową kamizelką na wierzchu oraz czapkę z owczej skóry chodził w kółko napięty jak struna, z rękoma splecionymi za plecami.

Nasze *hooli* miało długi, płaski dach, po którym ojciec potrafił krążyć w tę i z powrotem godzinami. Zaczynał po południu i nie przestawał do wieczora – po prostu chodził i myślał w tej samej pozycji.

Już wtedy wiedziałam, że ojciec jest wielkim człowiekiem, a za stres i zmartwienia, jakie przynosił ze sobą do domu, za bicie i napady agresji odpowiadała przede wszystkim nieustanna presja. Wiązała się ona zarówno z utrzymaniem domu i ogromnej rodziny, jak i życiem politycznym, reprezentowaniem jednych z najuboższych ludzi w Afganistanie. Ojciec ledwo znajdował czas dla siebie. Gdy wracał do Koof, nasz domek gościnny, jednopiętrowy budynek z tyłu *hooli*, zawsze był pełen gości. Niektórzy z nich szukali u niego mądrej rady, inni chcieli rozstrzygnąć waśń rodową, jeszcze inni przynosili wieści na temat zbłąkanych plemion lub rozbojów, do których doszło w górach. Przybywali też ludzie znajdujący się w skrajnej nędzy, licząc po prostu na pomoc. Jego drzwi przed każdym stały otworem, a on sam nie miał ani chwili spokoju. Jak więc można go winić za to, że tak wiele wymagał od swojej rodziny?

Absolutnie nie akceptuję tego, że ojciec bił matkę, jednakże trzeba przyznać, że w tamtych czasach takie zachowanie nie było niczym nadzwyczajnym. Poza tym, zgodnie z tradycją, ojciec był dobrym mężem. Dzisiaj być może rozumiem go lepiej niż kiedykolwiek, zdaję sobie bowiem sprawę z tego, jaki był zapracowany. Rozumiem wywieraną na niego polityczną presję i to uczucie, gdy nie ma się czasu, by pobyć z samym sobą, by poczuć się wolnym od obowiązków i ciężaru odpowiedzialności. Myślę, że matka również to rozumiała i dlatego tak wiele potrafiła znieść.

Zgodnie z prawem szariatu, którego przestrzegał ojciec, mężczyzna powinien traktować wszystkie żony równo, nie faworyzować żadnej z nich. Ja też wierzę w zasady szariatu. W teorii – w swej najczystszej postaci – jest to sprawiedliwy system oparty na islamskiej etyce. Ludzkie namiętności nie kierują się jednak sztucznymi regułami prawa, a w małżeństwach poligamicznych równe traktowanie po prostu się nie zdarza. Co ma począć mężczyzna, jeśli pewnych żon pożąda bardziej niż innych?

Pokoje ojca, zwane Apartamentem Paryskim, były ozdobione malowidłami ściennymi wykonanymi przez artystę specjalnie sprowadzonego z Kabulu. Dwa okna wychodziły na ogród i latem pomieszczenia wypełniał zapach świeżych moreli. Żadna nowoczesna klimatyzacja nie może się równać z tym subtelnym aromatem.

Gdy ojciec przebywał w domu, każdą noc spędzał z inną żoną. Wyjątek stanowiła pierwsza żona. Aby móc poślubić więcej niż dopuszczane przez szariat cztery kobiety, ojciec rozwiódł się z dwiema, a pierwszą żonę uczynił kalifą. Oznacza to, że kobieta zachowuje tytuł żony i ma zapewnioną opiekę finansową, natomiast traci intymną, małżeńską więź i nigdy więcej nie może spać z mężem w jednym łóżku. Pamiętam smutek malujący się w oczach tej kobiety. Prestiż wynikający z faktu bycia pierwszą żoną odszedł w zapomnienie przez przymusowy status kobiety pozbawionej życia seksualnego. Tym samym główną żoną została druga w kolejności, czyli moja matka. Kalifa nigdy nie okazywała jej gniewu, nieposłuszeństwa, ale zastanawia mnie, czy ona też była zraniona i załamana, kiedy ojciec po raz pierwszy zjawił się w domu z moją matką albo kiedy musiała oddać jej pozycję głównej żony. Jak musiała się czuć, nieszczęsna, gdy władza i przywileje zostały jej odebrane przez nastolatkę?

Lubię myśleć, że ojciec z największą niecierpliwością oczekiwał tych nocy, które miał spędzić z moją matką. Wspominała bowiem, jak po wypełnieniu niezbędnych małżeńskich obowiązków po prostu leżeli i rozmawiali aż do białego rana. On opowiadał o swojej pracy, pełnym napięć życiu politycznym w Kabulu, udzielał jej wskazówek na temat uprawy ziemi, ostatnich zbiorów pszenicy czy sprzedaży bydła, którym powinna się zająć podczas jego nieobecności. Gdy przebywał poza domem, matka stawała się tak władcza i zdecydowana, że zyskała sobie wśród miejscowych miano Zastępcy Wakila.

Im trudniejsza robiła się sytuacja polityczna, tym bardziej ojciec polegał na mojej matce. Jeśli tylko w domu panował spokój i wszystko działało jak w zegarku, mógł się uporać z wszelkimi intrygami w parlamencie. To matka prowadziła gospodarstwo i interesy, ona też utrzymywała porządek w domu i rozstrzygała spory między żonami. Potrzebowała do tego nie lada talentów politycznych.

Niektóre żony, a zwłaszcza trzecia, Bibi Niaz, miały matce za złe jej wysoką pozycję i próbowały nastawić ojca przeciwko niej. Bibi Niaz była inteligentna i sfrustrowana codzienną harówką, więc nietrudno zrozumieć, skąd wzięła się u niej zazdrość o te nieliczne swobody i wąski zakres władzy, jakimi cieszyła się matka. Ale próby zdobycia w ten sposób względów ojca zawsze zawodziły, nie tylko dlatego że nie dawał on wiary tym pomówieniom, lecz także ze względu na to, że matka potrafiła przewidzieć kłopoty i wykonać manewr wymijający.

Jej strategia polegała na życzliwości. Mogła przecież bić młodsze żony i zmuszać je do wykonywania najcięższej pracy. Zamiast tego starała się stworzyć szczęśliwy dom, w którym wszystkie dzieci kochane są tak samo, kobiety zaś mogą wspólnie pracować, traktując się jak siostry i przyjaciółki. Kiedy jedną z młodszych żon przyłapano na kradzieży z domowej spiżarni – dużej, zamykanej na klucz piwnicy z tyłu kuchni – matka nie wspomniała o tym ojcu, wiedząc, że wymierzy złodziejce bolesną karę. Próbowała załatwić sprawę po cichu. Dzięki temu powoli zaskarbiła sobie wdzięczność i lojalność pozostałych towarzyszek życia ojca.

Tylko jedna żona, szósta z kolei, nie została wybrana ze względów politycznych, lecz z powodu praktycznych umiejętności. Była olśniewająco piękną Mongołką, która potrafiła tkać cudowne dywany. Nauczyła tej sztuki moją matkę. Często przyglądałam się, jak w niczym niezmąconej ciszy ich dłonie godzinami rytmicznie tworzyły bajecznie kolorowe wzory.

Najlepszą przyjaciółką matki była żona numer cztery, Bibi Khala, która nazywała ją *apa* – starszą siostrą. Pewnego razu matka nabawiła się poważnej infekcji oka. W wiosce nie było lekarza. Jedna ze starszych kobiet zasugerowała, żeby wykorzystać naturalny antybiotyk zawarty w ślinie. Oczywiście potrzebny był ktoś gotowy każdego ranka lizać matce oko. Bibi Khala bez wahania zgłosiła się na ochotnika, tak blisko były ze sobą związane. Codziennie, przez osiem tygodni, lizała spuchnięte, zaropiałe oko, aż stało się tak, jak obiecywała kobieta – Bibi Jan wyzdrowiała.

Tak dobrych relacji matka nigdy nie miała z trzecią żoną, Bibi Niaz. Pewnego razu, gdy jadły *naan* na śniadanie, wywiązała się między nimi kłótnia. Chociaż miałam wtedy zaledwie osiemnaście miesięcy, w jakiś sposób wyczułam narastającą wrogość. Przydreptałam do Bibi Niaz i mocno szarpnęłam ją za warkocze. Krzyknęła zaskoczona, lecz zaraz roześmiała się, wzięła mnie na ręce i przytuliła.

– Ta mała jest bardzo mądrą dziewczynką, Bibi Jan – chichotała Bibi Niaz, zasypując mnie pocałunkami. – Zupełnie jak jej matka.

Obie szybko zapomniały o kłótni.

Nawet w tak wczesnym wieku miałam poczucie niesprawiedliwości, z jaką w naszej kulturze spotykają się kobiety. Pamiętam, w jakiej desperacji żyły te żony, których ojciec nie kochał lub na które przestał zwracać uwagę. Pamiętam, jak bardzo zabiegały o jego względy te kobiety, które wciąż były przez niego kochane. Nie zapomnę też, z jakim przerażeniem patrzyłam na ojca ciągnącego korytarzem matkę, by ją zbić. Skoczyłam na niego, kopiąc go i próbując ją obronić. Odrzucił mnie na bok jednym ruchem ręki.

Zdarzyło się raz, że ojciec bił matkę z taką zaciekłością, aż wyrwał jej spory kłąb włosów. Tydzień później w odwiedziny przyjechał jej brat i, jak nakazuje zwyczaj, spędził czas z mężczyznami. Matka nie miała okazji porozmawiać z nim na osobności o tym, co się wydarzyło. Przed wyjazdem jednak przygotowała mu posiłek na długą podróż przez góry, a w zawiniątku przemyślnie ukryła wydarte włosy. Po całym poranku jazdy brat zatrzymał się na polanie, by coś zjeść, rozwinął pakunek i znalazł włosy swojej siostry. Od razu zrozumiał wiadomość, zawrócił konia i pogalopował prosto do naszego domu. Stanąwszy oko w oko z moim ojcem, powiedział, że jeśli matka tylko zechce, to jego rodzina zadba o to, by dostała pozwolenie na rozwód.

Wtedy rzadko spotykało się takie wsparcie ze strony rodziny. Większość kobiet żyła w przekonaniu, że nie należy się skarżyć, jeśli mąż je bije, lecz znosić cierpienie w milczeniu. Dziewczęta, które uciekały przed agresywnymi mężami do rodzinnych domów, często były zwracane przez własnych ojców tym samym, znęcającym się nad nimi brutalom. Bicie stanowiło normalną część życia małżeńskiego. Dziewczęta dorastały, wiedząc, że spotykało to ich matki oraz babki i niechybnie je również to spotka.

Bibi Jan była jednak bardzo zżyta ze swoimi rodzicami i odwiedzała ich co roku. Bracia ją kochali. Wuj, o którym wspomniałam, usiadł z nią w ogrodzie i zapewnił, że jeśli tylko sobie tego życzy, może odejść od mojego ojca i wrócić do domu rodzinnego. Matka czuła się już tak udręczona z powodu nieustającej depresji, okropnych bólów głowy i rąk po biciu metalową chochlą oraz kolejnych upokorzeń w związku z pojawianiem się nowych żon, że miała już dość i poważnie zastanawiała się nad rozwodem.

Jednocześnie wiedziała, że rozstanie z ojcem oznacza utratę ukochanych dzieci. Tak jak w większości islamskich krajów, w Afganistanie potomstwo po rozwodzie zostaje zazwyczaj z ojcem, a nie z matką. Bibi Jan poprosiła o przywołanie dzieci i spojrzała nam głęboko w oczy. Nie odezwała się ani słowem, ale wiele lat później powiedziała mi, że w naszych oczach zobaczyła swoje odbicie. Nie mogła nas opuścić. Rezygnacja z dzieci stanowiła zbyt wysoką cenę za możliwość położenia kresu własnym cierpieniom. Oświadczyła bratu, że zostanie przy mężu i dzieciach, i poprosiła, żeby wracał do domu sam. Wuj niezbyt chętnie wsiadł na konia i odjechał.

Nie mam pojęcia, jak po tym wszystkim zachował się ojciec. Czy znów zbił matkę za jej zuchwalstwo? Czy też zdawszy sobie sprawę, że omal nie utracił kobiety, której tak bardzo potrzebował, stał się czuły, dobry i pełen skruchy? Prawdopodobnie zrobił i jedno, i drugie.

Pamiętam, jak moje siostry jedna po drugiej wychodziły za mąż. Dla pierwszej wyprawę ślubną sprowadzano aż z Arabii Saudyjskiej. Do naszego *hooli* przywieziono skrzynie z najlepszymi strojami i złotą biżuterią, godnymi wesela córki Abdula Rahmana, i ostrożnie rozpakowano przy okrzykach zachwytu. Tego dnia moja siostra stała się cennym towarem, klejnotem, na którym można sporo zarobić. Potem już nigdy nie traktowano jej z taką uwagą.

Pamiętam również dzień, w którym do domu przybyła nasza bratowa. Poślubiła mojego brata, mając dwanaście lat – była w takim wieku, w jakim dziś jest Szaharzad. Brat zaś miał lat siedemnaście. Od obojga oczekiwano, że niezwłocznie rozpoczną współżycie seksualne. Nie mieści mi się to w głowie, by moja córka miała znosić tego rodzaju przymusowy kontakt fizyczny. Bratowa wciąż jeszcze była dzieckiem i każdego ranka moja matka musiała pomagać jej się kąpać i ubierać. Ciekawi mnie, co czuła, widząc, jaką krzywdę wyrządził tej nieszczęsnej dziewczynce jej rodzony syn. Czy ją to w ogóle oburzyło? Ale taki właśnie był los kobiet. Dziewczynki dorastały w oczekiwaniu, że wyjdą za mąż zaraz, jak tylko pojawi się odpowiedni kandydat, w przeciwnym wypadku przyniosą hańbę całej rodzinie. Być może więc jedyne, co matka mogła zrobić w tej sytuacji, to spróbować pocieszyć synową, przydzielać jej lżejsze prace i mieć nadzieję, że – podobnie jak starsze kobiety – pogodzi się ze swoim przeznaczeniem. To kulturowa zmowa milczenia krępowała wszystkie kobiety i zmuszała je do uległości. Żadna nie potrafiła się temu przeciwstawić, żadna nie próbowała tego zmienić.

Jednak ja, nie będąc nawet tego świadomą, sama przełamywałam ograniczenia i rzucałam wyzwanie obowiązującym normom. Działo się tak po części ze względu na bliską przyjaźń z Ennajatem, synem siódmej żony mojego ojca, starszym ode mnie o zaledwie kilka miesięcy. Mimo towarzyszącej naszym narodzinom rywalizacji szybko staliśmy się najlepszymi przyjaciółmi, a wyjątkowe siostrzano-braterskie uczucie przetrwało między nami do dziś. Ennajat był niesfornym i psotnym dzieckiem, lecz nie tak bardzo jak ja. Wiedząc, że jako dziewczynka podlegam liczniejszym zakazom, zawsze prowokowałam go do okazania jeszcze większego nieposłuszeństwa, które szło na wspólne konto. W psotach wspierał nas Mukim, starszy o trzy lata syn mojej matki. Byliśmy jak trójka małych muszkieterów.

Ennajat zawsze wpadał przeze mnie w kłopoty. Wymykaliśmy się razem do sadu, aby kraść jabłka. Namawiałam go też do podkradania zapasów ojca i rozdawania zdobytych łupów kolegom. Kiedyś napełniliśmy koszule suszonymi morelami podwędzonymi z kuchni. Tak ukryte owoce zawiązałam od spodu paskiem. Gdy uciekaliśmy do ogrodu, owoce jeden po drugim zaczęły mi się wysypywać na oczach kobiet przygotowujących posiłek na tarasie. Szłam dalej z plecami przyciśniętymi do ściany, desperacko licząc na to, że prześlizgnę się niezauważona, aż nagle wszystkie morele wypadły mi na ziemię. Stanęłam zażenowana, a Ennajat wściekł się na mnie za to, że spaliłam całą misję. Kobiety jednak tylko się z nas pobłażliwie śmiały. Kolejna z naszych ulubionych gier polegała na wykradaniu ciastek i wyjadaniu w nich dziur od spodu. Potem odkładaliśmy je z powrotem na półkę, aby nikt nie zauważył – oczywiście do czasu, aż ktoś nie próbował ich zjeść.

Ostatnio zapytałam Ennajata, jaka byłam jako dziewczynka. Odparł w prześmiewczy, typowy dla wszystkich starszych braci sposób:

– Brzydka i okropnie, wprost niewyobrażalnie wkurzająca.

Obecnie Ennajat i moi pozostali bracia są najwspanialszymi przyjaciółmi, jakich można sobie wymarzyć. Wspierają moją działalność polityczną, prowadzą kampanię i chronią mnie, kiedy tylko mogą. Gdy dorastaliśmy, doskonale sobie jednak zdawaliśmy sprawę, że oni są chłopcami, a ja tylko dziewczynką. W naszej rodzinie, jak zresztą w każdej innej w Koof, jedynie chłopcy liczyli się naprawdę. Tylko ich urodziny hucznie świętowano, dziewcząt – nie. Żadna z moich sióstr nie poszła też nigdy do szkoły. Dziewczęta uważano za gorsze, miałyśmy siedzieć w domu do zamążpójścia, a potem potulnie odejść do rodziny męża.

Chłopcy mieli też większą władzę w rodzinnej hierarchii, ich słowo często znaczyło więcej niż polecenie matki. Mukim zszedł kiedyś za matką do piwnicy, prosząc ją o słodycze. Nie dostał ich jednak za dużo – takie przysmaki trzymano zazwyczaj dla gości. Tupnął nogą i wybiegł stamtąd rozzłoszczony, a wtedy matka, nawet na mnie nie patrząc, bez słowa wsunęła mi do ręki kilka czekoladek. Gdyby zobaczył to Mukim, wpadłby w szał, a jeślibym je zjadła, zakazałby mi wychodzenia z domu. Jako chłopiec miał władzę pozwalającą mu rozkazywać, co mogę, a czego nie mogę robić, nawet jeśli matka się z nim nie zgadzała. Choć niechętnie, na pewno oddałabym mu słodycze, bo myśl o tym, że mam siedzieć w domu, zamiast bawić się na zewnątrz z przyjaciółmi, była dla mnie nie do zniesienia.

Jako dziecko dość często słyszałam słowo *dukhtarak*. To powszechne obraźliwe określenie dziewczyny, które z grubsza oznacza „jeszcze mniej niż dziewczyna". Podświadomie jakoś nigdy go nie lubiłam. Kiedyś – nie mogłam mieć wtedy więcej niż pięć lat – jeden ze starszych kuzynów nazwał mnie *dukhtarak*, a następnie kazał, bym zrobiła mu filiżankę herbaty. Stanęłam wówczas przed nim z ręką opartą na biodrze i w pokoju pełnym ludzi bez namysłu tak odparowałam:

– Kuzynie, zrobię ci herbaty pod warunkiem, że nigdy więcej mnie tak nie nazwiesz.

Wszyscy wybuchli gromkim śmiechem.

Słyszałam to określenie z ust ojca ten jeden raz, gdy zwrócił się do mnie bezpośrednio. Zorganizował wówczas w naszym ogrodzie polityczny wiec. Przemawiał do mikrofonu, a na drzewach umieścił duże głośniki – po raz pierwszy z innymi dzieciakami mieliśmy wtedy do czynienia ze sprzętem stereo. Zaintrygowani, przysunęliśmy się tak blisko ojca, jak tylko się dało. Szybko jednak mi się znudziło i zaczęłam hałasować. W pewnym momencie moje piski zaczęły ojcu przeszkadzać. Przerwał przemówienie i odwrócił się wprost do nas. Patrzył na mnie nieruchomo przez – jak mi się zdawało – długie minuty. A potem wrzasnął:

– *Dukhtarak!* Zmykajcie stąd!

Uciekałyśmy tak szybko, jak pozwoliły nam nogi. Po tym zajściu bałam się ojca tak bardzo, że nie chciałam go już więcej widzieć. Jeszcze wiele tygodni później cała truchlałam z grozy na myśl o tym, że na mój widok wpadnie w taki gniew, iż mnie zabije. Nie mogłam przypuszczać, że to mój ojciec niebawem straci życie, a moje radosne dzieciństwo szybko się zakończy.

Kochane Szuhro i Szaharzad,

dorastałam w latach siedemdziesiątych i osiemdziesiątych. Dla Was to bardzo odległa epoka. Był to czas, gdy na całym świecie dochodziło do ogromnych przemian politycznych. Czas, gdy Afgańczyków spotkały straszne cierpienia ze strony Sowietów i barbarzyńskich oddziałów mudżahedinów.

Wtedy to mój kraj oraz moje dzieciństwo zaczęły zmierzać ku katastrofie. Gdy wybuchła komunistyczna rewolucja, miałam zaledwie trzy lata. Trzyletnie dziecko potrzebuje miłości, bezpieczeństwa oraz ciepła domowego ogniska. Większość rodzin moich przyjaciół rozważała wówczas wyjazd do Pakistanu lub Iranu i przygotowywała się do życia na emigracji. Dzieci przysłuchiwały się rodzicom rozmawiającym ściszonymi głosami o maszynach, których nikt wcześniej tu nie widział – czołgach i helikopterach.

Słyszeliśmy takie słowa jak „inwazja, wojna, mudżahedini" które nic dla nas nie znaczyły. Mimo że niewiele z tego wszystkiego rozumieliśmy, to jednak wyczuwaliśmy, że dzieje się coś niedobrego. Dlaczego nasze matki tak bardzo tuliły nas do siebie w czasie snu?

Nawet nie wiecie, jak jestem szczęśliwa, że nigdy nie doświadczyłyście takiego strachu i poczucia zagrożenia. Żadne dziecko nie powinno przechodzić przez coś takiego.

Ściskam Was,
mama

WIELKA
STRATA

1978

W 1978 roku wpływy mudżahedinów i Sowietów w Afganistanie zaczęły stawać się coraz wyraźniejsze. Wciąż trwała
zimna wojna i ZSRR, który nie
porzucił imperialistycznej polityki, dążył do zademonstrowania światu swojej potęgi. Afganistan leży między Moskwą
a Pakistanem oraz jego portami
nad Morzem Arabskim, gdzie
ZSRR chciał umieścić flotę
wojenną. Aby przejąć kontrolę
nad Afganistanem, zaczął wciągać go w swoją strefę wpływów,
aż wreszcie dokonał inwazji.

Później bojownicy, znani
jako mudżahedini, pokonają
Sowietów i staną się ludowymi
bohaterami, ale w latach siedemdziesiątych uważano ich za

antyrządowych rebeliantów, którzy po raz pierwszy dali o sobie znać w północnym Badachszanie.

W Kabulu ponownie nastąpiła zmiana ustroju. Prezydent Daud, który obalił króla i wygnał go z kraju, został zamordowany w swoim pałacu wraz z całą rodziną, a władzę przejęli związani z komunistami Hafizullah Amin i Nur Mohammad Taraki – pierwszy komunistyczny prezydent Afganistanu. Kilka miesięcy później Amin zabił go z rozkazu Moskwy i sam stanął na czele państwa. Dał się zapamiętać jako jeden z najokrutniejszych prezydentów w historii Afganistanu. Stał na czele straszliwego, wspieranego przez Sowietów reżimu, w którym aresztowania i tortury były na porządku dziennym. Amin próbował pozbyć się intelektualistów, nauczycieli, przywódców religijnych – wszystkich, którzy sprzeciwiali się rządowi lub odważyli się go skrytykować. Wyciągano ich nocą z domów i zabierano do Pul-e Charkhi, największego więzienia w Kabulu. Tam byli przesłuchiwani i torturowani. Czasem po prostu wrzucano ich do rzeki. W tamtych czasach afgańskie rzeki pełne były ciał ludzi zamordowanych bez powodu i bez procesu.

Przez cały ten czas ojciec kontynuował pracę, starając się skupić na pomocy Badachszanowi, nawet w czasie terroru. W wystąpieniach wciąż mówił bez ogródek to, co myśli, mimo że groziło mu za to więzienie. Być może władze doszły jednak do wniosku, iż bardziej przyda im się żywy niż martwy, gdyż rząd wysłał go z misją do Badachszanu, aby uspokoił tamtejszych mudżahedinów. Przedstawiciele rządu nie zostawili mu żadnych złudzeń: jeśli zawiedzie, spotka go śmierć.

Ojciec, uważający się za człowieka pokoju, był pewien, że uda mu się porozumieć z mudżahedinami, którzy w końcu byli jego krajanami. Doskonale rozumiał niestabilność polityczną tamtych czasów oraz potrzebę sprawiedliwości społecznej. Ci ludzie pochodzili z jego prowincji, z Badachszanu. Był przekonany, że zdoła wysłuchać ich skarg i rozwiać ich lęki, oferując pomoc w zamian za współpracę z rządem.

Jednak Afganistan, jaki ojciec znał, oraz dawne wartości, w które tak mocno wierzył – patriotyzm, islamska tradycja i sprawiedliwość – zaczęły powoli zanikać. Na misję do Badachszanu wyjechał z ciężkim sercem. Nie żywił cienia sympatii do reżimu Amina i sam nie wiedział, co będzie lepsze dla Afganistanu. Zorganizował posiedzenie dżirgi – starszyzny plemiennej z całej prowincji – i opowiedział, czego był świadkiem w Kabulu: rząd bezkarnie zabija swoich wrogów, odmawia młodym ludziom dostępu do edukacji w obawie, że mogą oni stać się opozycjonistami, wszyscy nauczyciele i intelektualiści żyją w nieustannym strachu, a politiczni oponenci są po prostu likwidowani. Po napawających optymizmem pierwszych latach rządów Zahir Szaha – kiedy Afganistan był postrzegany jako jeden z najszybciej rozwijających się krajów na świecie, atrakcyjny cel wyjazdów turystycznych z tętniącymi życiem ośrodkami narciarskimi, nowoczesnym systemem autobusów elektrycznych, ożywionym handlem i coraz silniejszą demokracją – wszyscy z przerażeniem przyglądali się temu, co wyprawiają komuniści.

Część Afgańczyków, którzy udali się w góry, by wspierać partyzantkę mudżahedinów, szczerze wierzyła, że walczy o przyszłość swojego kraju. Ojciec może i był funkcjonariuszem rządowym, ale rozumiał tych bojowników i miał duży szacunek dla ich działalności. Poprosił więc starszyznę o radę.

Dżirga debatowała godzinami. Niektórzy chcieli dołączyć do rebeliantów, inni woleli trzymać stronę rządu – na dobre i na złe. Zwyciężyły lokalne interesy. Jeden z mężczyzn wstał i przemówił zdecydowanym głosem:

– Znaleźliśmy się w trudnej sytuacji. Jesteśmy biedni, nie podołamy trudom walki. Powinniśmy porozumieć się z mudżahedinami i sprowadzić ich z gór.

Zgromadzenie przystało na tę propozycję. Determinacja, z jaką ojciec starał się polepszyć życie swych ludzi, oraz upór, z jakim zawsze dążył do celu, zaskarbiły mu wielu oddanych zwolenników. Gdy więc poprosił setki przywódców z całej prowincji, by w imieniu rządu, którego przecież nie szanowali, udali się z nim na rozmowy z mudżahedinami, nikt mu nie odmówił. Wszyscy z ochotą zgodzili się mu towarzyszyć.

I tak ta liczna grupa, z moim ojcem na czele, udała się konno do obozu partyzantów. Wysokie góry Pamiru są piękne, lecz także bardzo niebezpieczne. Urodzajne, pełne bogatej roślinności doliny szybko ustępują miejsca skałom, które mienią się w słońcu kolorami, od błękitu, przez zieleń, po oranże i ochry, a następnie pokrytym śniegiem płaskowyżom i strzelistym szczytom. Nawet dziś w Badachszanie jest bardzo mało dróg. Wtedy znajdowały się tam tylko szlaki dla osłów i koni, niektóre tak wąskie i strome, że aby je pokonać, trzeba było zsiąść z konia, złapać go za ogon i iść za nim z zamkniętymi oczyma, modląc się, by pewnie trzymające się na nogach zwierzę tym razem się nie poślizgnęło. Upadek oznaczał pewną śmierć w lodowatym i rwącym nurcie płynącej dołem rzeki.

Po półtoradniowej wyczerpującej jeździe mężczyźni dotarli do najwyższych partii Pamiru, skąd droga wiedzie do bajecznego naturalnego płaskowzgórza, rozpościerającego się niemal pod samym niebem. Zimą mężczyźni z całej prowincji zbierali się tu, by grać w *buzkaszi* – grę przypominającą pierwotną wersję zachodniego polo, w której testowane są umiejętności zarówno jeźdźca, jak i konia. Gracze ścigają się, by poderwać z ziemi ciężki cielęcy zewłok i wrzucić go do bramki, czyli okrągłego obszaru wyznaczonego na końcu boiska. W dawnych czasach zamiast tuszy zwierzęcej używano korpusu martwego niewolnika. Rozgrywki są szybkie i emocjonujące, niekiedy w jednym pojedynku, który może trwać nawet kilka dni, biorą udział setki jeźdźców. To gra dzika, niebezpieczna oraz wymagająca wiele sprytu – i jako taka dobrze oddaje prawdziwą naturę afgańskiego wojownika.

Podczas tej wyprawy ojciec nie miał jednak czasu rozmyślać nad *buzkaszi*. Spokojny, w nieodłącznej czapce z jagnięcej skóry, jechał na białym koniu na czele grupy. Nagle na środku drogi pojawiło się trzech ludzi z wycelowanymi w nich strzelbami.

– A więc to ty, wakilu Abdulu Rahmanie – krzyknął jeden z rebeliantów. – Czekałem bardzo długo, by móc cię wreszcie zabić.

– Proszę, wysłuchajcie mnie – odparł ojciec opanowanym tonem. – Afgański rząd jest silny. Nie pokonacie go. Przybywam z prośbą, abyście zgodzili się z nim współpracować. Powiedzcie, czego oczekujecie, a ja przekażę to parlamentowi.

Mudżahedin w odpowiedzi tylko się roześmiał i wystrzelił. Ze strony gór rozległy się kolejne strzały. Rozpętało się piekło. Mieszkańcy wioski, w większości nieuzbrojeni, rzucili się do ucieczki. Koń, na którym jechał ojciec, został trafiony i poniósł. Jedna stopa ojca wysunęła się ze strzemienia i pędzące w popłochu zwierzę pociągnęło go za sobą w kierunku rzeczki płynącej wzdłuż boiska do *buzkaszi*. Część młodszych mężczyzn próbowała pomóc ojcu, ale wakil wrzasnął na nich, by uciekali i ratowali samych siebie.

– Należę do starszyzny! – krzyknął, wleczony po ziemi. – Ze mną będą rozmawiać, ale was zabiją. Uciekajcie!

Mudżahedini dopadli ojca. Przez dwa dni trzymali go jako zakładnika. Nie wiem, czy dali mu w ogóle szansę na przedstawienie swojego stanowiska, a jeśli nawet, to czy rozważyli jego propozycję, czy też od razu przystąpili do bicia i poniżania. Wiem tylko tyle, że dwa dni później zamordowali go strzałem w głowę.

Wieści o śmierci ojca dotarły do wioski lotem błyskawicy. Mimo rozległości regionu nowiny zawsze rozchodziły się tu bardzo szybko dzięki świetnie rozwiniętemu systemowi przekazywania ważnych wiadomości z wioski do wioski. Niektórzy spośród towarzyszących ojcu mężczyzn wcześniej wrócili już do domu i donieśli o zastrzeleniu jego konia. W obrządku islamskim ciało musi zostać pochowane w ciągu dwudziestu czterech godzin od śmierci, twarzą w stronę Mekki. Moja rodzina nie mogła znieść myśli, że ciało ojca leży porzucone w górach bez godnego pochówku. Musieliśmy je odzyskać. Tymczasem mudżahedini ogłosili, że zabiją każdego, kto będzie próbował zabrać ciało. Żaden mężczyzna nie chciał ryzykować własnego życia tylko po to, by sprowadzić do domu czyjeś zwłoki.

A zatem to kobiety postanowiły wykazać się męstwem. Ciotka Gada podwinęła długie spódnice i narzuciła na siebie burkę, oznajmiając zszokowanym mężczyznom, że idzie po ciało wakila Abdula Rahmana. Wyszła z domu i skierowała się na wiodącą w góry ścieżkę, nie pozostawiając swojemu mężowi i jednemu z kuzynów ojca zbyt wielkiego wyboru. Obaj pospieszyli za nią.

Po trzynastogodzinnym marszu znaleźli ciało ojca – leżało porzucone w połowie drogi między wioską a obozem rebeliantów.

Miałam wówczas trzy i pół roku. Doskonale pamiętam dzień, w którym ojciec został zastrzelony. Pamiętam smutek, płacz zarówno kobiet, jak i mężczyzn oraz uczucie strachu wywołane przez zamieszanie w wiosce. Tej nocy nie mogłam zasnąć. Leżałam, nasłuchując, aż do drugiej nad ranem. Wtedy usłyszałam donośny i wyrazisty głos ciotki zbliżającej się do wioski. Niosła drewnianą laskę ojca i stukała nią o ziemię.

– Przybył wakil Abdul Rahman. Podnieście się z łóżek. Wyjdźcie go przywitać. On już tu jest. Sprowadziliśmy go. Wakil Abdul Rahman już tu jest.

Zerwałam się z materaca, myśląc: „Żyje, mój ojciec żyje! Wszystko będzie dobrze. Ojciec jest z nami. Będzie wiedział, co zrobić. Przywróci porządek i powstrzyma nasze łzy!". Wybiegłam boso na ulicę i zamarłam na widok płaczącej matki szarpiącej z rozpaczy ubranie. Przeszłam szybko obok niej i ujrzałam zwłoki ojca. Górna część czaszki została po prostu odstrzelona. Zaczęłam płakać. Nie rozumiałam jeszcze w pełni tego, co się wydarzyło, ale rozumiałam wystarczająco dużo, by wiedzieć, że nasze dotychczasowe życie się skończyło.

Ciało ojca zaniesiono do *hooli* i złożono w Apartamencie Paryskim. Matka poszła przygotować je do pogrzebu, który miał się odbyć nazajutrz. Ze wszystkich żon tylko ona weszła do sypialni, by po raz ostatni się z nim pożegnać. W tym samym pomieszczeniu, w którym poczęto mnie i inne dzieci, w którym jako mąż i żona – w tych nader rzadkich momentach – wspólnie leżeli, wiodąc długie rozmowy, matka musiała uporać się z jednym z najtrudniejszych zadań. I zniosła je, podobnie jak wszystkie inne zadania w swym ciężkim życiu, z godnością i oddaniem. Nie płakała, nie lamentowała. W ciszy umyła i przygotowała ciało do pochówku zgodnie z wolą Bożą. Jak przez całe życie, tak i w chwili śmierci nie zawiodła ojca.

Rankiem do Koof przybyły tysiące ludzi. Wszystkich ogarnęły smutek i lęk o najbliższą przyszłość. Panowała tak przytłaczająca atmosfera, że wydawało się, jakby zaraz niebo miało nam runąć na głowy. Posiwiali staruszkowie z brodami, w białych turbanach i zielonych płaszczach, siedzieli w ogrodzie i szlochali jak dzieci.

Ojca pochowaliśmy na wzgórzu za naszym *hooli*, z twarzą zwróconą w stronę Mekki i jego ukochanej doliny Koof. Jego śmierć stanowiła pewien punkt zwrotny. Dla mojej rodziny oznaczała utratę wszystkiego: znanego nam dotąd życia, majątku, pozycji społecznej, sensu istnienia; dla mieszkańców wioski – utratę człowieka, który ich wspierał i orędował w ich imieniu; dla ogółu – początek politycznego wstrząsu, który miał doprowadzić Afganistan do otwartej wojny.

Kochane Szuhro i Szaharzad,

gdy byłam dzieckiem, nie znałam słów „wojna, rakieta, ranny, zabity, gwałt". Słów, z którymi, niestety, afgańskie dzieci są dziś dobrze zaznajomione. Przed ukończeniem czwartego roku życia znałam tylko szczęśliwe słowa.

Tęsknię za tymi letnimi nocami, gdy wszyscy spaliśmy na dużym płaskim dachu domu mojego wujka. Stał on tuż obok naszego hooli *i roztaczał się stamtąd najwspanialszy widok na dolinę, zatem cała rodzina uwielbiała się na nim zbierać. Moja matka, żony wuja oraz czwarta żona ojca i najlepsza przyjaciółka matki, którą nazywałam „małą matką", siadywały tam i do późnej nocy opowiadały dobrze nam już znane historie.*

Wraz z innymi dzieciakami siedziałam cicho pod błękitnym niebem lub jasnym, żółtym księżycem, słuchając zauroczona tych cudownych opowieści. Nigdy nie zamykaliśmy na noc drzwi i nigdzie nie było uzbrojonych strażników, jak to teraz ma miejsce. Nie było też złodziei ani innych zagrożeń czy powodów do zmartwień.

W tych szczęśliwych czasach, kiedy otaczała mnie miłość bliskich, nie zdawałam sobie sprawy, że moje życie rozpoczęło się od poniżenia mojej matki i jej zgryzoty związanej z moimi narodzinami ani że tuż po narodzinach miałam umrzeć w palącym słońcu. Nigdy nie dano mi odczuć, że moje przyjście na świat było pomyłką. Czułam jedynie otaczającą mnie miłość.

Ale to szczęście nie trwało długo. Musiałam szybko dorosnąć. Zabójstwo ojca miało się okazać pierwszą z wielu tragedii i śmierci, jakie spadły na naszą rodzinę. Moje dzieciństwo skończyło się, gdy zostaliśmy zmuszeni do opuszczenia pięknych ogrodów Koof z ich chłodnymi, krystalicznie czystymi strumieniami i dającymi cień drzewami, by stać się bezdomnymi uchodźcami we własnym kraju. Jedyną niezmienną i wiecznie trwałą rzeczą był wówczas uśmiech mojej matki, Waszej babci.

Ściskam Was,
mama

NOWY
POCZĄTEK
1979–1990

Choć matka bardzo rozpacza-
ła po utracie ukochanego mężczyzny, to właśnie śmierć ojca
w dużym stopniu przyczyniła
się do jej usamodzielnienia.
W pierwszych miesiącach po
tym nieszczęściu jej wrodzo-
ne zdolności przywódcze wy-
sunęły się na pierwszy plan.
To ona przejęła władzę nad
rodziną, zdobywała środki do
życia i decydowała o przyszłości dzieci. Lata spędzone jako
prawa ręka ojca, sprawność,
z jaką zarządzała domem, oraz
umiejętność pokojowego ła-
godzenia sporów w tak dużej
rodzinie pozwoliły jej przeprowadzić nas przez ten mroczny
czas. Najważniejszą sprawą było
dla niej bezpieczeństwo dzieci

i utrzymanie ich razem. Otrzymała wiele propozycji małżeńskich, lecz z tego samego powodu, dla którego odrzuciła kiedyś myśl o rozwodzie z ojcem, teraz odtrąciła wszystkich zalotników. Nie chciała ryzykować utraty dzieci.

W naszej kulturze mężczyzna nie ma obowiązku zaopiekowania się dziećmi żony z poprzedniego małżeństwa. Udowodniła to zresztą tragiczna historia matki Ennajata. Młoda i dość nieroztropna, po śmierci ojca poślubiła przystojnego młodego pasterza, który strzegł naszego bydła. Niedawno wrócił z Iranu, dokąd pojechał za pracą, i przywiózł ze sobą luksusowe, niedostępne w naszej wiosce dobra, jak chociażby magnetofon. Uwiódł ją opowieściami o dostatnim życiu w Iranie oraz nowoczesnymi gadżetami.

Poza Ennajatem siódma żona ojca urodziła jeszcze trójkę dzieci: dziewczynkę o imieniu Nazi oraz dwóch chłopców, Hedajata i Safiullaha. Nalegała, aby dzieci trafiły wraz z nią do nowego domu, ale mąż odmówił utrzymywania ich. Gdy moja matka, kierowana współczuciem, odwiedziła ją kilka tygodni później, znalazła czwórkę maluchów płaczącą na podwórku. Nie miały prawa wejść i ogrzać się w domu, były głodne i brudne. Matka natychmiast zabrała ze sobą Ennajata, Nazi i Hedajata. Ponieważ siódma żona ojca odmówiła oddania najmłodszego Safiullaha, moja matka odeszła bez niego. Żałowała tego do końca życia, gdyż kilka dni później chłopczyk zaczął gorączkować. Głodnego, bez jakiejkolwiek ulgi w cierpieniu, zostawiono na pewną śmierć. Podobno płakał całymi godzinami, jego buzię obsiadły muchy, ojczym zaś nie pozwolił jego matce wziąć go nawet na ręce. Spotkała go okropna, samotna śmierć. Ennajat nigdy się po tym nie otrząsnął, a swojemu pierworodnemu synowi na cześć brata dał na imię Safiullah.

Bibi Khali, która była tak oddana mojej matce, bardziej się poszczęściło. Wyszła za mąż za lokalnego przywódcę, poczciwego człowieka, który sam nie miał dzieci. Co prawie niespotykane w naszej kulturze, wychował on dwóch jej synów jak własnych, a po śmierci zostawił im wszystko w spadku.

Bibi Niaz, czyli żona będąca w chłodnych stosunkach z moją matką, poślubiła nauczyciela i została w Koof. Mimo konfliktów między nią a matką, gdy wiele lat później kandydowałam do parlamentu, jej mąż bardzo mi pomógł, organizując transport i towarzysząc mi w czasie kampanii wyborczej. Ludziom z Zachodu trudno zrozumieć nasze struktury rodzinne. Według mnie są to wspaniałe, silne więzi, które wykraczają poza bariery pokoleniowe i geograficzne czy małostkowe sprzeczki. Rodzina jest rodziną.

Zulmajszach, najstarszy syn ojca, którego matką była kalifa, odziedziczył *hooli*. Gdy został zabity, dom przejął Nadir, drugi pod względem starszeństwa syn, urodzony przez piątą żonę, z którą ojciec się rozwiódł. Nadir mieszka tam do dziś.

W pierwszych dniach, a nawet tygodniach po śmierci ojca nie mieliśmy zbyt wiele czasu na żałobę. Świat po drugiej stronie gór zagrażał nam coraz bardziej, a gwałtownie pogarszająca się sytuacja polityczna miała wkrótce spowodować prawdziwą katastrofę.

Kilka dni po zabiciu ojca partyzanci przyszli również i po nas. Uciekliśmy w pola, gdzie trzymaliśmy bydło, i ukryliśmy się za dużym występem skalnym, skąd obserwowaliśmy, jak plądrują nasz dom. Ukradli wszystko, co mogli wynieść: meble, garnki, naczynia, radio.

Parę tygodni później zjawili się ponownie w środku nocy, gdy spaliśmy na dachu domu wuja. Obudzili nas wrzaskami i strzałami z karabinów, żądając wydania synów Abdula Rahmana. Mój brat Mukim miał ledwie siedem lat, ale wiedzieliśmy, że zginie, jeśli tylko go znajdą. Matce jakimś cudem udało się go przekazać na sąsiedni dach pewnej kuzynce, która ukryła go pod spódnicą. W przeciwieństwie do niektórych części Afganistanu, gdzie *szalwar kamiz* jest również strojem kobiecym, mieszkanki wsi Badachszanu noszą tradycyjne, luźne pantalony z okrywającą je z wierzchu długą spódnicą. To właśnie taka spódnica ocaliła Mukimowi życie.

Mudżahedini schwytali moją starszą siostrę Mariam oraz żonę starszego brata. Obie dopiero co skończyły szesnaście lat. Zaczęli je bić. Wuj próbował ich powstrzymać, ale jego też pobili. Ściągnęli dziewczęta z dachu i powlekli w kierunku *hooli*, chociaż wujowie i kuzyni krzyczeli do nich, że postępują wbrew islamowi. Dla muzułmanina bowiem dotykanie kobiety, która nie jest jego krewną lub żoną, jest *haram* – zakazane. Przez całą noc patrzyliśmy, jak rebelianci biją dziewczyny kolbami karabinów, domagając się raz po raz pokazania im, gdzie ukryto broń. Wszyscy twierdzili, że nic na ten temat nie wiedzą. Matka, biała jak kreda, stała tylko z zaciętą miną, nie powiedziała ani słowa. Widzieliśmy, jak mudżahedini przyciskają bagnet do piersi mojej siostry, aż zaczęła krwawić. W pobliżu bramy *hooli* uwiązany był pies stróżujący. Próbując ochronić swoją rodzinę, tak mocno szarpał łańcuch, aż wreszcie go zerwał i warcząc oraz ujadając, pognał w kierunku napastników. Po prostu go zastrzelili. Mężczyźni katowali swoje ofiary do świtu, aż w górach rozległo się wezwanie do modlitwy. Dopiero wtedy odeszli – przypuszczalnie, aby się pomodlić.

Wrócili dwa dni później, grożąc, że nas zabiją. Tym razem zmusili nastoletniego Nadira, by pokazał im, gdzie znajduje się broń. Matka oczywiście wiedziała, ale z niczym się nie zdradziła. W milczeniu przyglądała się męczarniom swej córki i synowej. Zdawała sobie sprawę z tego, że jeśli stracimy broń, nie będziemy się mieli czym bronić. Zabrali nam wszystko – ich następne przyjście oznaczało śmierć.

Mężczyźni z wioski, przerażeni tym, co przydarzyło się dziewczętom, ostrzegli mudżahedinów, że jeśli wrócą, oni w obronie swych kobiet chwycą za łopaty, siekiery, kije – i co jeszcze znajdą pod ręką. Rebelianci zgodzili się zostawić wioskę w spokoju, ale rodzina Abdula Rahmana miała zginąć. Ich przywódca wydał swoim ludziom pozwolenie na dokonanie na nas egzekucji. Po raz drugi w mym krótkim życiu miałam zajrzeć śmierci w oczy i wyjść z tego zwycięsko.

Przyszli wczesnym rankiem. Kalifa z dziećmi wyprowadziła się już do Khawhanu, gdzie mój ojciec miał duży dom i ziemię, które wymagały opieki. Matka była ostatnią z żon, która została w *hooli*. Na szczęście Ennajat i Mukim bawili się wtedy poza domem, mogli się więc ukryć u sąsiadów. Matka chwyciła mnie i pobiegłyśmy do obory. Nasi sąsiedzi jak szaleni zaczęli przykrywać nas gnojem, aby nikt nas pod nim nie znalazł. Pamiętam tylko dławiący smród i gorzki smak. Czułam się jak pogrzebana żywcem. Uczepiłam się kurczowo ręki matki, bojąc się nawet kaszlnąć, żeby ktoś mnie nie usłyszał. Siedziałyśmy tak godzinami, nieme i przerażone, a otuchy dodawała mi jedynie ściskająca moje palce dłoń matki. Słyszałyśmy, jak nas szukają i w pewnym momencie podeszli do miejsca, gdzie się schowałyśmy. Gdyby tylko szturchnęli w tę kupę gnoju, odkryliby nas. Tylko sam Bóg wie, dlaczego tego nie zrobili.

Kiedy odeszli, opuściłyśmy kryjówkę i wtedy powiało grozą. Matka nie traciła czasu na pakowanie ubrań, tylko zabrała mnie, dwóch braci i starszą siostrę, i pobiegliśmy przez ogród w stronę pól, a potem w kierunku rzeki. Zostawialiśmy za sobą całe nasze życie, lecz nie mieliśmy nawet odwagi, by się za siebie obejrzeć. Z każdym krokiem życie matki obracało się w ruinę. Cały ten ból i mękę, wszystkie lata morderczej harówki znosiła po to, by zbudować dla nas dom. A teraz wszystko to legło w gruzach, a my biegliśmy wzdłuż rzeki, walcząc o przeżycie.

Jak się tego spodziewaliśmy, mężczyźni wrócili raz jeszcze przeszukać wioskę i zobaczyli, jak uciekamy. Rzucili się za nami w pogoń. Byli od nas zdecydowanie szybsi i silniejsi. Zaczęłam słabnąć i potykać się, spowalniając pozostałych. Siostra krzyknęła do matki, by wrzuciła mnie do rzeki, aby ocalić resztę:

– Jeśli tego nie zrobisz, złapią nas i wszyscy zginiemy! Po prostu wrzuć ją!

I matka omal tego nie zrobiła. Podniosła mnie do góry, jakby rzeczywiście chciała mnie wrzucić do rzeki, ale wtedy spojrzała mi w oczy i przypomniała sobie daną mi przy narodzinach obietnicę, że już nigdy więcej nie spotka mnie żadna krzywda. Zebrała ukryte gdzieś głęboko reszki sił i zamiast porzucić, zarzuciła mnie sobie na plecy, do których przywarłam mocno. Zostałyśmy daleko w tyle za moim rodzeństwem i niemal już słyszałam kroki zbliżających się mężczyzn. Miałam wrażenie, że lada moment nas dopadną, rozdzielą mnie z matką i zabiją. Gdy zamknę oczy, wciąż czuję ten okropny i zimny strach oblepiający mnie w tamtej chwili.

Wtedy ujrzeliśmy sowieckiego żołnierza.

Udało nam się dotrzeć do przeciwnej strony doliny, którą kontrolowały siły rządowe. Nasi niedoszli mordercy zawrócili i uciekli, a my upadliśmy wyczerpani, czując przy tym wielką ulgę. Matka się rozpłakała.

To był pierwszy z wielu żołnierzy Armii Czerwonej, jakich miałam zobaczyć w nadchodzących latach. Byli obcymi najeźdźcami i choć przyczynili się do rozwoju niektórych części kraju i wprowadzenia w nich edukacji, to na wielu niewinnych Afgańczykach dopuścili się okropnych zbrodni. Ale teraz ten wysoki, przystojny blondyn w mundurze był dobry. Gdy mnie zawołał, podeszłam do niego niepewnie. Podał mi worek cukru, a ja pobiegłam dać go matce. Po raz pierwszy i nie ostatni matka przyjęła wtedy jałmużnę od obcego człowieka.

Cała nasza piątka zatrzymała się w dwuizbowym domu należącym do nauczyciela imieniem Rahmullah. Był to jeden z najżyczliwszych ludzi, jakich kiedykolwiek spotkałam. Nosił starannie przyciętą brodę i mrużył w uśmiechu oczy. Jego spojrzenie było ciepłe. Wraz z rodziną żył raczej ubogo, więc tak naprawdę nie stać go było na wykarmienie kolejnych osób, ale jako polityczny zwolennik mojego ojca czuł się zaszczycony, mogąc gościć jego bliskich w swoich progach.

Ogród z tyłu domu przylegał bezpośrednio do rzeki, w której często się kąpałam z córkami Rahmullaha. Zresztą do dziś utrzymuję dobre kontakty z jego rodziną. Rahmullah zwrócił się do mnie, gdy jego córka potrzebowała pomocy, aby uciec z niechcianego małżeństwa. Rodzina zaaranżowała je, gdy była jeszcze dzieckiem, lecz jej wybranek dorósł i dał się poznać jako wyjątkowy brutal, więc dziewczyna chciała go odrzucić. Rodzina mężczyzny upierała się przy małżeństwie, ale Rahmullah wsparł córkę i dał jej prawo do odmowy zamążpójścia. Pertraktując z obiema rodzinami, udało mi się doprowadzić do zerwania zaręczyn. Uwolniona dziewczyna mogła zrealizować swoje marzenie i idąc w ślady ojca, zostać nauczycielką. W ramach wdzięczności Rahmullah udzielał mi wszelkiej pomocy podczas moich kampanii politycznych. Gdy dziś odwiedzam tamte okolice, największą radość sprawia mi obiad nad rzeką zjedzony w towarzystwie tej ciepłej i kochającej się rodziny.

Po dwóch tygodniach, które spędziliśmy u Rahmullaha, matka zaczęła się niepokoić. Nie wiedziała, co ma teraz począć ani gdzie się udać. Doszły nas słuchy, że nasz dom spalono, a moją siostrę i bratową zabito. Na szczęście okazało się, że to tylko plotki i obie dziewczyny przeżyły.

Dwaj starsi bracia, Mirszakaj, komendant policji, i Dżamalszach, który studiował, przeprowadzili się do Fajzabadu, zanim nas jeszcze zaatakowano. Gdy wieści o tym, co się nam przydarzyło, dotarły wreszcie do miasta, wyczarterowali helikopter, który miał nas wszystkich zabrać. Gdy śmigłowiec wylądował, matka szlochała ze szczęścia. Pamiętam, jak biegłam do niego przed moimi braćmi i starszą siostrą. Leciałam wówczas po raz pierwszy w życiu. W środku helikoptera znajdowały się dwa duże drewniane siedzenia. Wślizgnęłam się na jedno z nich, a matka z siostrą zajęły drugie. Zadowolona z siebie, śmiałam się z Ennajata i Mukima – miałam własne miejsce, a oni nie.

Mirszakaj wynajął dla nas dom w Fajzabadzie. Ze swojej policyjnej pensji mógł opłacić tylko dwuizbową lepiankę. Miejscowi dali matce podstawowy sprzęt kuchenny. Elegancka porcelana z importu, na której podawała posiłki w *hooli*, należała już do przeszłości. Matka żartowała, że mieszkamy w domku dla lalek (tak małe było nasze mieszkanie), ale robiła wszystko, by uczynić z niego prawdziwy dom, wieszając zasłony i makatki na ścianach.

Skończyłam siedem lat. Wciąż jednak wyglądałam jak typowa wiejska dziewczynka, z brudnymi włosami i umorusaną buzią, w workowatych szarawarach, długiej chuście upapranej w błocie i czerwonych kaloszach. Ani trochę nie pasowałam do wielkiego miasta.

Z naszego domku dla lalek przypatrywałam się dziewczynkom idącym do szkoły. Wyglądały na takie bystre i inteligentne, pragnęłam być taka jak one. Żadna dziewczynka w naszej rodzinie nie miała wykształcenia, gdyż ojciec nie uważał, że jest ono nam potrzebne. Tylko że jego z nami już nie było. Spytałam więc matkę, czy mogę pójść do szkoły. Spojrzała na mnie uważnie i wydawało mi się, że minęła cała wieczność, zanim uśmiechnęła się do mnie szeroko:

– Tak, Fawziu, możesz.

Wszyscy byli temu przeciwni, zwłaszcza starsi bracia. Matka postawiła jednak na swoim. Następnego dnia miałam pójść do szkoły z Mukimem i poprosić, by mnie do niej przyjęto. Gabinet dyrektora był elegancki i czysty, stały w nim tapicerowane fotele. Poczułam się malutka i bardzo zaniedbana, ciekło mi z nosa, twarz miałam usmarowaną gilami. Zażenowana, zdjęłam chustę i wytarłam nią ślad po smarku z nosa.

Dyrektor zmarszczył brwi i przyjrzał mi się badawczo. Jak to możliwe, że brudna dziewczynka ze wsi prosi o przyjęcie do szkoły w Fajzabadzie?

– Kim są twoi rodzice? – spytał.

Gdy odpowiedziałam wyniośle, że jestem córką wakila Abdula Rahmana, jego brwi podjechały do góry z zaskoczenia. Jak nisko upadła nasza rodzina po śmierci ojca! Dyrektor życzliwie odparł mi, że zostałam przyjęta i mogę zacząć naukę następnego dnia. Pamiętam, że biegłam powiedzieć o tym matce, potykając się o ciągnącą się po błocie chustę. Tak bardzo się cieszyłam, że zapomniałam o śmierci ojca, utracie domu i życiu w nędzy. Ja, Fawzia Koofi, miałam pójść do szkoły!

Ze szkoły Kockcha pragnęłam wynieść dla siebie jak najwięcej, więc bardzo szybko dogoniłam w nauce inne dziewczynki. Wkrótce regularnie zdobywałam pierwszą lub drugą pozycję w klasie. Nasza edukacja była dość podstawowa: przez pół dnia uczestniczyłyśmy w zajęciach rozwijających wiedzę ogólną, potem studiowałyśmy Świętą Księgę w miejscowym meczecie pod okiem mułły imama. Matkę, która była analfabetką, bardzo interesowały studia koraniczne.

Spaliśmy z Mukimem w łóżku matki. Przed snem matka zawsze pytała nas, czego się uczyliśmy. Musieliśmy powiedzieć jej wszystko, co zapamiętaliśmy, i recytować Koran, a ona nas poprawiała. To był jej sposób na pomaganie nam w nauce i oddawała się temu z prawdziwym poświęceniem.

Gdy zaczęłam naukę w Pamir, pierwszej szkole ponadpodstawowej w Fajzabadzie, nabrałam już pewności siebie. Ścięłam na krótko włosy, by wyglądać jak inne dziewczęta. Bracia wściekli się z tego powodu, ale matka znów ich uspokoiła, utwierdzając mnie jeszcze bardziej w nowo odkrytej wierze w siebie i swoje możliwości.

Zdarzało się nam mieć dostęp do telewizji i dzięki temu dowiedziałam się o istnieniu Margaret Thatcher i Indiry Gandhi – obie do dziś pozostają moimi politycznymi bohaterkami. Oglądałam je z otwartymi ustami i myślałam: jak to możliwe, że kobieta występuje przed tymi wszystkimi ludźmi? Skąd bierze siłę, by do nich przemawiać? Jak zwykła kobieta może przewodzić całemu narodowi?

Czasami wchodziliśmy z przyjaciółmi na dach szkoły i tam się bawiliśmy. Moje horyzonty powoli się poszerzały. Jak kiedyś, będąc małym dzieckiem, stawałam w kuchni *hooli*, patrząc w niebo i myśląc, że w tym miejscu zawiera się cały świat, tak teraz patrzyłam w dół na ulice otaczające szkołę. Teraz moje niebo wspierało się na otaczających Fajzabad górach, a mój świat składał się z tego miasta i jego okolic.

Czułam się tam niezwykle szczęśliwa.

Gdy miałam jedenaście lat, Dżamalszach dostał awans i został przeniesiony do Kabulu. Mieliśmy jechać razem z nim. Dzień wyprowadzki był chyba jednym z najbardziej ekscytujących w moim życiu. Cieszyłam się nie tylko z powodu przenosin do stolicy – niesamowitego miejsca, które miałam okazję widzieć tylko w telewizji – lecz także ze względu na czekającą mnie dużą szkołę. Kiedy po raz pierwszy jechaliśmy ulicami naszego nowego miasta, myślałam, że z radości serce wyskoczy mi z piersi.

Kabul nie zawiódł moich oczekiwań, był dokładnie taki, jak go sobie wyobrażałam – ekscytujący i głośny. Zachwycałam się żółtymi taksówkami z czarnymi paskami po bokach. Gapiłam się w zadziwieniu na niebieskie autobusy i kierujące nimi kobiety w eleganckich błękitnych uniformach z minispódniczką. (W tamtych czasach po Kabulu jeździły jedyne na świecie autobusy elektryczne – *millie*; kierujące pojazdami kobiety nazywano *millies*). Zadurzyłam się w pełnych kolorów sklepach z najmodniejszymi ubraniami i dodatkami na wystawach. Uwielbiałam cudowny zapach mięsa z rusztu unoszący się w powietrzu z setek restauracji. Miasto urzekło mnie i pochłonęło bez reszty. Oddałam mu swoje serce i kocham je niezmiennie do dziś.

Trzy lata w Kabulu należały do najszczęśliwszych w moim dzieciństwie. Matka też zakochała się w tym mieście. Robienie zakupów na olbrzymich bazarach jawiło się jej jako wspaniała, ekscytująca przygoda. Może nie było to nic wielkiego, lecz o takiej niezależności nie mogła nawet marzyć, gdy jeszcze żył ojciec. Ja zresztą także korzystałam z wolności, o jakiej wcześniej mi się nie śniło. Eksperymentowałam ze stylem ubierania się i rozmawiałam z przyjaciółmi o poezji i literaturze. Wracając ze szkoły do domu bulwarami pełnymi drzew, z dumą nieśliśmy nasze podręczniki.

Znajomi z nowej szkoły wydawali mi się niesamowicie wysublimowani i fascynujący. Mieszkali w domach z basenami, ich matki ubierały się nadzwyczaj szykownie i miały świetne fryzury, ich ojcowie, pachnący wodą po goleniu i szkocką whisky, byli dla nas pobłażliwi i mili. Niektóre dziewczyny nawet malowały oczy i paznokcie. Bracia zabronili mi używania kosmetyków, ale raz w domu przyjaciółki zrobiłam sobie makijaż, pożyczyłam też podkolanówki i krótką spódniczkę. Przechadzałyśmy się potem wzdłuż ulicy zachwycone naszym ekstrawaganckim wyglądem. Pech chciał, że drogą tą jechał również Dżamalszach. Oczywiście zauważył mnie i specjalnie zwolnił, wpatrując się we mnie przez uchylone okno. Nie mając czasu, by się ukryć, odwróciłam twarz do muru. Zastosowałam taktykę strusia – jakbym naprawdę wierzyła w to, że jeśli ja nie będę widzieć mojego brata, to i on mnie nie zobaczy... Gdy wróciłam do domu, już na mnie czekał. Kiedy zrobił ruch, jakby chciał mnie uderzyć, uciekłam. Wtedy usłyszałam, jak zanosi się od śmiechu i opowiada całą historię matce. Czerwona ze wstydu, wyszłam z ukrycia dopiero na obiad.

Czas w Kabulu upływał nam beztrosko i radośnie. Jednak mój bezpieczny mały świat znowu miał się gwałtownie zderzyć ze światem wielkim i obcym.

Kochane Szuhro i Szaharzad,

w młodości moje życie podlegało ciągłym zmianom. Ilekroć znajdowaliśmy jakieś bezpieczne miejsce, w którym mogli-byśmy wieść spokojne życie, wojna zmuszała nas do jego opuszczenia.

Nienawidziłam zmian. Wszystko, czego pragnęłam, to zamieszkać w jednym miejscu, w jednym domu i chodzić do szkoły. Miałam wielkie marzenia, ale przede wszystkim chciałam wieść szczęśliwe życie. Tego samego pragnę dla Was. Chcę, byście żyły niczym nieskrępowane i podążały za swymi marzeniami, byście miały radosny dom, kochających mężów, a pewnego dnia mogły zaznać szczęścia wychowywania włas-nych dzieci.

W swoim krótkim życiu już doświadczyłyście więcej zmian, niż mogłabym ich Wam życzyć. Często łatwiej przy-chodzi nam znoszenie trudnych sytuacji, w których tkwimy, niż mierzenie się ze spadającymi na nas zmianami. Czasem jednak martwi mnie, że wymagałam od Was, byście znosiły zbyt wiele: moje ciągłe nieobecności, strach o to, że zginę i Was osierocę.

Czasem znoszenie takich sytuacji za wszelką cenę nie jest najlepszym rozwiązaniem. Wszystkich wielkich przywódców łączy zdolność do przystosowywania się i rozpoczynania na nowo. Zmiana nie zawsze jest wrogiem. Musicie nauczyć się to akceptować – to niezbędna część życia. Jeśli raz powitamy zmianę z otwartymi ramionami, to kiedy przyjdzie ponownie, może okaże się dla nas nieco łaskawsza.

Ściskam Was,
mama

ZNÓW
WIEJSKA
DZIEWCZYNA
1991–1992

Nadeszły lata dziewięćdziesiąte. Runął mur berliński, w RPA skończył się apartheid, a potężne imperium radzieckie chwiało się w posadach. Zimna wojna z wolna dogorywała.

Mudżahedini do tego czasu zdążyli stać się zaprawionymi w bojach żołnierzami. Prowadzili z Sowietami wojnę na wyniszczenie i w 1989 roku udało im się wysłać Armię Czerwoną z powrotem do Moskwy. Tłumy wiwatowały i świętowały na ulicach, gdy wrogie wojska zostały zmuszone do upokarzającego odwrotu. Siła rebeliantów nigdy nie była tak duża i wielu ludzi traktowało ich jak bohaterów. Wśród nich zaś najpopularniejszy był Ahmad

Szah Masud – Lew Pandższiru. Uważano go za najbardziej błyskotliwego przywódcę wśród mudżahedinów i głównego stratega zwycięstwa nad Sowietami. Jego twarz wciąż można znaleźć na plakatach w całym Afganistanie.

Kiedy odeszła Armia Czerwona, bojownicy zaczęli przeć do przejęcia pełnej władzy w państwie. Wysłali oddziały w kierunku Kabulu. Mudżahedini nie znosili komunistycznego, marionetkowego rządu, który – mimo że Sowieci już się wycofali – wciąż miał powiązania z Moskwą. Na czele państwa stał wówczas Mohammad Nadżibullah, który – choć przyczynił się do rozwoju ekonomicznego – nigdy nie cieszył się popularnością, ponieważ pozwolił ZSRR wejść do Afganistanu. Przez trzy lata armia afgańska pod jego dowództwem walczyła z mudżahedinami. Została zmiażdżona, a rząd Nadżibullaha upadł.

Ludzie oczekiwali, że teraz powstanie rząd wyłącznie afgański, który zapewni krajowi stabilność. Jednak niemal natychmiast po pokonaniu wspólnego wroga mudżahedini zaczęli walczyć między sobą. Na nowo obudziły się uśpione napięcia etniczne. Choć generałowie byli Afgańczykami, mówili różnymi językami i mieli odmienne przekonania, zależne od tego, z której części kraju pochodzili. W żaden sposób nie mogli dojść do porozumienia w kwestii podziału władzy. Spory te szybko przemieniły się w trwającą ponad dekadę krwawą i okrutną wojnę domową.

Miałam szesnaście lat, gdy usłyszałam w radiu, że Mohammad Nadżibullah został aresztowany podczas próby ucieczki z Afganistanu. Wszyscy byliśmy zszokowani tym, co się stało, i bardzo niepokoiliśmy się o losy kraju.

Wciąż mieszkaliśmy w Kabulu, gdzie chodziłam do szkoły średniej, ale wtedy akurat przebywaliśmy na przedłużonych wakacjach u krewnych w Fajzabadzie.

Dzień po zatrzymaniu prezydenta usłyszeliśmy strzały z gór otaczających miasto. Armia afgańska zajęła pozycje z jednej strony wzniesienia, mudżahedini zaś okopali się po drugiej stronie. Wrogie wojska ostrzeliwały się wzajemnie z karabinów maszynowych, a niekiedy i dział artyleryjskich. Wydawało mi się, że rebelianci prowadzą znacznie cięższy ostrzał niż armia, która nie dysponowała taką ilością broni ani amunicji jak jej przeciwnicy.

Żołnierze regularnej armii nie stawiali zbyt zaciekłego oporu, zdawali się tylko bronić pozycji. Duża część z nich już wcześniej zdezerterowała. Wielu nie chciało walczyć z rodakami. Wszyscy doskonale wiedzieli, do czego są zdolni mudżahedini. Schwytani przez nich rosyjscy żołnierze byli torturowani, a następnie zabijani. Z czasem męczarnie stawały się coraz bardziej wymyślne i makabryczne. Bywało, że palono ludzi żywcem. Niekiedy rebelianci pytali jeńca o wiek, po czym wbijali w jego czaszkę tyle gwoździ, ile miał lat. Zdarzało się też, że odcinali jeńcowi głowę i wlewali wrzący olej do wnętrza zwłok. Gdy olej zalewał zakończenia nerwowe, bezgłowe ciało poruszało się jeszcze przez kilka sekund jakby w makabrycznych pląsach. Ten rodzaj tortury trafnie nazywano tańcem nieboszczyka. Żołnierze wiedzieli, że nie mogą się spodziewać ze strony mudżahedinów większej litości niż Rosjanie. Dlatego też wielu z nich po prostu zrzuciło mundury i wróciło do normalnego życia.

Po dwóch dniach walk mudżahedini ogłosili powstanie nowego rządu. Rozmowy dotyczące poddania się i pokojowego przekazania władzy rozpoczęły się zresztą już dwa lata wcześniej, podczas konferencji w Genewie w 1989 roku. Nikt nie był zaskoczony, gdy rząd w Kabulu w końcu upadł.

Nagle w Fajzabadzie zaroiło się od bojowników mudżahedińskich, którzy zeszli z gór. Przyglądałam się im z myślą, jak ciekawie wyglądają ich twarze i jak bardzo są posiwiali. Przez kilka lat żyli w górskich obozach, żywiąc się niemal głodowymi racjami i prawie co dzień biorąc udział w walkach. Zgodnie z moimi wyobrażeniami żołnierze powinni nosić schludne mundury, więc widok mężczyzn ubranych w zwyczajne dżinsy i trampki wydał mi się dość dziwny. Zastanawiałam się, czy (a jeśli tak, to w jaki sposób) przystosują się oni na powrót do cywilnego i cywilizowanego życia. Ta myśl dręczyła zresztą nie tylko mnie. Urzędy państwowe nagle zapełniły się mudżahedinami, których miejscowi straszliwie się bali. Wiele szkół zamknięto, gdyż rodzice odmówili posyłania do nich córek, obawiając się, że mogą zostać zgwałcone przez grasujących po mieście byłych bojowników.

Ogólnie jednak w Afganistanie panowała radość z powodu przepędzenia Sowietów, a ludzie wciąż mieli nadzieję, że mudżahedini rozwiążą swoje spory i sformują dobry rząd.

Czas tych politycznych przemian rozpoczął bardzo przygnębiający okres w moim życiu. Mudżahedini nie byli religijnymi fundamentalistami i nie nakazywali noszenia burki, lecz aby w miarę bezpiecznie poruszać się po ulicach, musiałam ją po raz pierwszy włożyć. Tak duża liczba byłych bojowników w mieście – mężczyzn, którzy pewnie od lat nie widzieli kobiety – sprawiła bowiem, że publiczne obnoszenie się z urodą nie było najlepszym pomysłem.

Dawniej burka wskazywała na szlachetne urodzenie i miała zastosowanie praktyczne. Została tak uszyta, by chronić kobietę przed surowym klimatem, palącym słońcem, ostrym piaskiem i gwałtownym wiatrem. Wiele osób na Zachodzie postrzega ten strój jako symbol ucisku kobiet i religijnego fundamentalizmu. Ja tak nie uważam.

Chcę mieć prawo ubierać się w to, co uznam dla siebie za najlepsze, ale w ramach nakazów islamu. Zakrycie włosów chustą oraz włożenie długiej luźnej tuniki, która zakrywa ramiona, klatkę piersiową i linię bioder, wystarczy, żeby okazać skromność przed Bogiem. Ten, kto twierdzi, że kobieta musi zakryć twarz, by być prawdziwą muzułmanką, zwyczajnie się myli. Burka nie należy do wymogów islamu, zwykle nosi się ją ze względów kulturowych lub społecznych.

Mam świadomość tego, że w niektórych zachodnich krajach zasłanianie twarzy burką stało się kwestią polityczną i że niektórzy dążą do tego, by jej noszenie zostało zakazane. Uważam, że każdy rząd ma prawo ustalać we własnym kraju przepisy i normy kulturowe, ale wierzę też w wolność wyboru i sądzę, że zachodnie władze powinny pozwolić muzułmankom ubierać się tak, jak one tego chcą.

Pewnego dnia z matką i siostrą wystroiłyśmy się na przyjęcie w domu ciotki. Zrobiłam sobie makijaż i byłam ogromnie zadowolona ze swojego wyglądu, a nawet – co rzadko mi się zdarza – czułam się piękna. Zanim pojawili się mudżahedini, wystarczyło, że założyłam chustę na głowę, by okryć włosy i mogłam wyjść na zewnątrz. Teraz jednak matka nalegała, bym włożyła burkę. Specjalnie pożyczyła ją dla mnie od sąsiadki. Wściekłam się. Nigdy w życiu nie nosiłam burki, a gdy specjalnie ubrałam się w najlepsze ciuchy, umalowałam się i zrobiłam sobie fryzurę, matka każe mi się zakryć grubym niebieskim workiem! Zaparłam się, powiedziałam, że za żadne skarby nie włożę zasłony.

Strasznie się wtedy pokłóciłyśmy. Matka błagała mnie, próbowała nakłonić do włożenia burki najpierw po dobroci, później grożąc mi i przekonując mnie, że to dla mojego bezpieczeństwa. Tłumaczyła, że nie można być pewnym, jak zareagują żołnierze, gdy zobaczą mnie z odsłoniętą twarzą, i że powinnam się zakryć, jeśli nie chcę wpaść w kłopoty. Rozpłakałam się, co jeszcze bardziej mnie rozzłościło, ponieważ zniszczyłam sobie makijaż. W przypływie buntu postanowiłam, że jeśli muszę włożyć burkę, to w ogóle nie pójdę do ciotki. Usiadłam na podłodze ze skrzyżowanymi na piersiach rękami, ani myśląc ustąpić. Wreszcie matce udało się mnie nakłonić do zmiany decyzji. Bardzo chciałam iść na to przyjęcie, a skoro poświęciłam tyle czasu, aby się na nie przygotować, byłoby wielką szkodą zostać w domu. Bardzo niechętnie naciągnęłam burkę i z ociąganiem wyszłam na ulice Fajzabadu w nową, obcą mi rzeczywistość.

Spoglądając przez malutki, siatkowy otwór na oczy, miałam wrażenie, że wszystko mnie osacza. Góry zdawały się osiadać na moich ramionach, jakby świat jakimś sposobem bardzo się rozrósł i jednocześnie bardzo zmalał. Głośno dysząc, z trudem łapałam powietrze pod dusznym nakryciem, czułam, że ogarnia mnie klaustrofobia, jakby pogrzebano mnie żywcem pod grubym nylonowym materiałem. W tamtej chwili ani trochę nie czułam się jak człowiek. Cała moja pewność siebie wyparowała. Stałam się mała, nic nieznacząca, bezradna, jakby włożenie burki zamknęło mi w życiu wszystkie drzwi, nad których otwarciem tak wytrwale pracowałam. Szkoła, ładne ubrania, kosmetyki, imprezy – wszystko to przestało dla mnie cokolwiek znaczyć.

Dorastając, widziałam matkę w burce; myślałam jednak, że to tylko rekwizyt jej pokolenia i kwestia stopniowo wymierającej tradycji kulturowej. Nigdy nie czułam potrzeby zasłaniania twarzy ani też nie byłam proszona przez rodzinę, by się dostosować do obyczaju. Postrzegałam siebie jako należącą do nowego pokolenia Afganek – tradycyjna zasłona nie szła w parze z moimi oczekiwaniami względem siebie i kraju. W przeciwieństwie do matki zdobyłam już pewne wykształcenie i pragnęłam jeszcze bardziej poszerzać swoje horyzonty. Miałam swobodę i wiele możliwości. Jedną z nich było prawo wyboru, czy chcę się zakrywać – czy nie. Zdecydowałam, że nie.

Nie chodzi mi o żaden bojkot burki. To tradycyjny strój, który w naszym społeczeństwie w pewnym stopniu zapewnia kobietom ochronę. Na całym świecie płeć piękna musi sobie niekiedy radzić z nachalnym zainteresowaniem mężczyzn. Dla części kobiet burka może być sposobem, by tego uniknąć. Jestem jednak przeciwna ludziom, którzy narzucają kobietom strój. Nie mogłam zdzierżyć tego, że talibowie wprowadzili prawo nakazujące kobietom ubieranie się w burki. Jak zareagowałyby mieszkanki Zachodu, gdyby rozporządzenie rządu zmuszało je do noszenia minispódniczek od momentu wkroczenia w okres dojrzewania? Islamskie i kulturowe ideały skromności są bardzo mocno zakorzenione w afgańskim społeczeństwie, ale nie na tyle, żeby kobieta z racji swojej płci musiała chować się pod nylonowym pokrowcem.

Gdy dotarliśmy do domu ciotki, z ulgą zdjęłam zasłonę. To doświadczenie wywołało we mnie spory szok i strach przed tym, w jakim kierunku zmierzają mój kraj i moje życie. Nie byłam w stanie dobrze się bawić na przyjęciu. Wciąż wracałam w myślach do tego okropnego spaceru i uczucia duszenia się między maleńkimi ścianami mojej przenośnej celi. Przez cały czas zastanawiałam się, jak najlepiej dostać się do domu – jak przemknąć niepostrzeżenie, tak aby nie natknąć się na kogoś znajomego. Nie byłam jeszcze gotowa przyznać się przed sobą (a co dopiero przed kimkolwiek innym), że burka stała się częścią mego życia.

Tęskniłam za Kabulem, szkołą i przyjaciółmi, których tam zostawiłam. Mudżahedini zamknęli jednak kabulskie lotnisko. Nasze odizolowanie od stolicy stało się nagle wyjątkowo odczuwalne. Nieustannie martwiłam się, co się tam dzieje. Mimo że bojownicy stanowili teraz prawowity rząd, wciąż walczyli między sobą. Poszczególni generałowie przejęli kontrolę nad różnymi ministerstwami i choć nie doszło jeszcze do powszechnej wojny domowej, wieści z Kabulu wskazywały, że kraj błyskawicznie pogrąża się w chaosie. Obawiałam się zwłaszcza o moją szkołę: jeśli nie została zniszczona w trakcie walk, to mogła zostać zamknięta, a wtedy nie mogłabym kontynuować nauki.

Słuchaliśmy uważnie radia w oczekiwaniu na jakieś strzępki informacji. Trudno było jednak stwierdzić, które z nich są prawdziwe. Mudżahedini wykazali się przebiegłością i przejęli stacje radiowe oraz telewizyjne. Spikerzy zapewniali nas, że wszystko jest w porządku i panuje spokój, ale wiedzieliśmy, że to propagandowa gadka. Usłyszałyśmy z matką w radiu, że szkoły zostały otwarte i mogą do nich uczęszczać dziewczęta. W rzeczywistości rodzice niechętnie puszczali córki do szkół ze względu na ich bezpieczeństwo. Dostrzegłam też zmiany w telewizji. Piękne, inteligentne prezenterki serwisów informacyjnych nagle zniknęły z ekranów. Ich miejsce zajęły stare, zaniedbane, bez przerwy jąkające się kobiety w chustach.

W tamtym okresie w Afganistanie występowało kilka bardzo szanowanych prezenterek wieczornych wiadomości – mądre, eleganckie, wykonywały swoją pracę z najwyższym profesjonalizmem. Dla mnie i podobnych mi dziewczyn stanowiły prawdziwe wzory do naśladowania. Z uwagą śledziłam nie tylko podawane przez nie informacje ze świata, lecz także kolejne zmiany ich fryzur. Te kobiety stanowiły żywy dowód na to, że Afganki mogą być atrakcyjne i wykształcone, a przy tym odnosić sukcesy. Ich nagłe zniknięcie z ekranu telewizora wywołało we mnie duży niepokój.

Pewnego dnia zwróciłam się do matki, cała we łzach, przygnębiona, sfrustrowana i przestraszona tym, co się dzieje. Wysłuchała w skupieniu, jak wylewam wszystkie swoje żale. Gdy skończyłam, oświadczyła, że postaramy się dla mnie o zezwolenie na tymczasową naukę w szkole w Fajzabadzie. Straszliwie stęskniłam się za Kabulem i oszałamiającym przepychem domów moich przyjaciół. Ale cieszyłam się, że wracam do szkoły, nawet jeśli to tylko szkoła w Fajzabadzie, która – kiedyś tak wielka i przytłaczająca – teraz wydawała mi się mała i prowincjonalna.

Wciąż jednak byłam skazana na burkę. Zaczęłam się oswajać z uczuciem zamknięcia, ale nie mogłam się przyzwyczaić do gorąca. W Fajzabadzie nie było autobusów. Do szkoły chodziłam na piechotę w pełnym słońcu, a pot lał się ze mnie strumieniami. Pociłam się tak mocno, że z powodu braku powietrza i nieustannej wilgoci na mojej skórze pojawiły się czarne krosty.

Mimo to udało mi się poznać wielu przyjaciół. Cieszyło mnie, że znów mogę się znaleźć w klasie i mam możliwość nauki. Nauczyciele zaprosili mnie również do udziału w odbywających się po szkole zajęciach z ogrodnictwa, na których uczyliśmy się o roślinach, ich sadzeniu i odpowiedniej pielęgnacji gleby. Mimo że Badachszan jest regionem rolniczym, poziom wiedzy na temat biologii i uprawy roślin nie należy tu do wysokich. Zajęcia wydały mi się bardzo interesujące, ale matka nie pozwoliła mi na nie chodzić. Obawiała się, że jej piękna córka, nawet ukryta pod burką, może przyciągnąć wzrok jakiegoś zabłąkanego mudżahedina. W każdej chwili, kiedy przebywałam poza domem, mogła mi zostać złożona propozycja małżeńska, a oświadczyn od mudżahedinów nie odrzuca się tak po prostu. Jeśli bojownicy spotykali się z odmową, najczęściej brali to, czego chcieli, siłą. Matka uważała, że chodzenie do szkoły było koniecznym ryzykiem, na które mogła mi pozwolić, lecz pozalekcyjne zajęcia na temat roślin stanowiły już luksus, bez którego mogłam się obejść.

Pojawienie się mudżahedinów zmieniło nie tylko świat na zewnątrz, lecz także – pod wieloma względami – nasze domowe życie. Do nowej szkoły chodziłam już blisko miesiąc, kiedy pewnego dnia w domu zjawił się mój przyrodni brat Nadir. Ostatni raz widziałam go piętnaście lat wcześniej, gdy jeszcze jako chłopiec wyruszył walczyć z Sowietami. Stojący teraz w salonie mężczyzna był mudżahedińskim dowódcą. Wraz ze swoim oddziałem odpowiadał za drogi zaopatrzeniowe do Koof, zapewniając bojownikom dostawy broni i amunicji. Odgrywał więc bardzo istotną rolę wśród mudżahedinów, gdyż generałowie takich zadań nie powierzali byle komu.

Choć matka bardzo się ucieszyła na widok pasierba, dała upust niezadowoleniu z powodu jego obecnego zajęcia i braku zainteresowania rodziną, kiedy ta znalazła się w potrzebie. Mojemu bratu przysługiwało prawo – już choćby dlatego, że był mudżahedinem – za taką bezczelność matkę zbić lub nawet zabić. Ale zamiast tego przeprosił ją, co świadczyło o tym, jakim szacunkiem cieszyła się w naszej rodzinie. Dodał, że jest już mężczyzną i potrafi odróżnić dobro od zła. Nie zamierzał dłużej walczyć. Teraz najważniejsze było dla niego dobro rodziny.

Nadir chciał mnie zabrać do swojej wioski, gdzie mógł chronić mnie przed innymi mudżahedinami. Jego pozycja wśród bojowników zapewniłaby mi bezpieczeństwo. Nie miał wątpliwości, że w Fajzabadzie jego wpływy nie wystarczą, by powstrzymać miejscowych partyzantów przed poślubieniem mnie siłą, jeśli tylko taki pomysł przyjdzie im do głowy. Tego właśnie najbardziej bała się matka. Postanowiono więc, że pojadę z bratem do jego wioski w dystrykcie Yaftali Sufla. Można tam było dotrzeć tylko wierzchem. Jeszcze tego samego dnia Nadir przyjechał z dwoma białymi końmi, których uzdy były ozdobione powszechnymi w Badachszanie wełnianymi frędzlami. Nie jeździłam konno od czasu, gdy byłam małą dziewczynką. Poza tym jak zwykle burka postanowiła utrudnić mi życie. Już samo siedzenie w zasłonie na koniu stanowi wyzwanie, a co dopiero jazda przez ruchliwe ulice. Zwierzę płoszyło się na każdy dźwięk klaksonu. W końcu mój brat musiał przejąć cugle i przeprowadzić konia przez całe miasto, podczas gdy ja robiłam, co w mojej mocy, żeby się na nim utrzymać. Za każdym razem, gdy koń narowił się lub wierzgał i myślałam, że lada chwila spadnę, udawało mu się go usadzić.

Nigdy nie czułam się tak uwsteczniona jak tego dnia, gdy – odziana w burkę – byłam wieziona na koniu. Miałam wrażenie, że cofnęłam się do czasów mojej matki albo babki. W tamtej chwili wydawało się, jakby ani mój kraj, ani moje życie nigdy nie miały pójść naprzód.

Wyjechaliśmy z Fajzabadu i udaliśmy się w kierunku wioski. Czekały nas dwa dni żmudnej jazdy, a drogi były w kiepskim, by nie powiedzieć opłakanym, stanie. Ucieszyło mnie jednak to, że zdołałam przejąć kontrolę nad koniem, choć burka wciąż utrudniała mi jazdę (szczególnie gdy musiałam kierować zwierzęciem na zakrętach). Poza tym ograniczona widoczność pogłębiała dezorientację, a kiedy koń potykał się na jakiejś wyrwie w ziemi, utrzymanie równowagi graniczyło z cudem.

Do wioski, w której mogliśmy odpocząć, przyjechaliśmy już w nocy. Byliśmy w drodze ledwo jeden dzień, a już rzucała się w oczy odmienność kulturowa. Kobiety zachowywały się bardzo przyjaźnie i chętnie rozmawiały z obcymi. Zauważyłam, że miały brudne ręce – wręcz czarne od długiej ciężkiej pracy w polu i niezbyt częstej kąpieli. Nosiły proste chłopskie ubrania, co raczej nie powinno być dla mnie zaskoczeniem. Niemniej nie mogłam pozbyć się uczucia, że cofnęłam się w czasie. Najpierw burka, potem koń, a teraz jeszcze brudne wieśniaczki, które żyły niemal dokładnie tak samo jak ich babki i praprababki – jakby przyszłość tego kraju na moich oczach rozsypała się w proch. Obudziłam się cała zesztywniała i obolała. Nigdy nie sądziłam, że w niektórych częściach ciała mogę w ogóle czuć ból. Ale byłam dumna z siebie, że po tylu latach zdołałam jechać konno bez niczyjej pomocy, a w dodatku tak trudnym szlakiem. Jazda na koniu w tej części Afganistanu wymaga wszak dużych umiejętności. Bywa, że zależy od nich życie.

Po dwóch tygodniach mieszkania z rodziną Nadira wybraliśmy się z wizytą do wujka i dalszej rodziny w pobliskiej wiosce. Siedziałam razem ze znajomą matki, która w pewnej chwili zapytała mnie, czy byłam w Kabulu, gdy zabito Mukima. To był dla mnie absolutny szok. O niczym takim nie słyszałam. Wszyscy wokół dostrzegli autentyczne przerażenie na mojej twarzy i zdali sobie sprawę, że o niczym nie wiem. Pierwszy zareagował wujek. Czym prędzej starał się zmienić temat, wyjaśniając mi, że kobieta miała na myśli jednego z moich przyrodnich braci, Mamorszaha, którego mudżahedini zamordowali piętnaście lat temu.

Mamorszah znajdował się w grupie mężczyzn odpierających atak mudżahedinów na Khawhan. Przez całą noc, uzbrojony tylko w pistolet, ostrzeliwał ich z małego okienka w łazience swego domu. Aby sięgnąć wysokiego okna, musiał stanąć na plecach żony, która znajdowała się pod nim na czworakach. Obojgu udało się przeżyć, ale po tym wszystkim jemu groziło duże niebezpieczeństwo. Uciekł więc do Tadżykistanu, lecz wkrótce próbował z powrotem przekraść się do Afganistanu. I wtedy go schwytano. Moja matka chodziła całą noc od jednego dowódcy do drugiego, błagając o uwolnienie Mamorszaha. Choć nie był jej rodzonym synem, kochała go jak własne dziecko, tak samo jak pozostałe dzieci swojego męża. Niczego jednak nie wskórała. Mamorszah został zabity o świcie strzałem w głowę – jak ojciec.

Doskonale znałam tę historię. Gdy się to zdarzyło, byłam ledwie małą dziewczynką. Dlaczego więc ta kobieta pytała mnie, czy byłam przy tym? Mimo że moi krewni temu zaprzeczali, truchlałam ze strachu na myśl, iż naprawdę chodziło jej o Mukima. Byłam wstrząśnięta. Nie chciałam nic jeść. Serce waliło mi jak szalone i zrobiło mi się niedobrze. Myślałam tylko o tym, by natychmiast pojechać do Kabulu i sprawdzić, czy z Mukimem wszystko w porządku. W drodze powrotnej Nadir wciąż twierdził, że kobieta się pomyliła. W głębi serca wiedziałam, że w ten sposób próbuje mnie ochronić i wolałam uwierzyć raczej w jego kłamstwo niż pogodzić się ze straszliwą prawdą.

Może sprawiła to niepewność dotycząca tego, czy Mukim zginął, czy nie, ale po tej wizycie życie w wiosce stało się dla mnie naprawdę ciężkie. Zaczynałam tęsknić za najbliższymi, a zwłaszcza za matką. Miałam też problemy z przystosowaniem się do życia na wsi i marzyłam, by znów się znaleźć w zgiełkliwym i ruchliwym mieście, najlepiej w Kabulu. Wszystko wokół było takie obce. Nawet zwykłe wiejskie potrawy z gotowanym mięsem i chlebem *naan* wydawały mi się dziwne i nienadające się do jedzenia. Zaczęłam chudnąć w oczach. A najbardziej brakowało mi szkoły.

Nie mieliśmy radia ani telewizji, więc po wieczornym posiłku, gdy wszystko zostało uprzątnięte, wszyscy szliśmy po prostu spać – zwykle już o siódmej. Zdecydowanie zbyt wcześnie jak dla mnie. Aby czymś się zająć, leżąc w łóżku w ciszy, rozwiązywałam w myślach różne zadania matematyczne albo powtarzałam wzory fizyczne i chemiczne. To pozwalało mi zająć czymś umysł i nie zapomnieć o tym, czego nauczyłam się na lekcjach. Powtarzanie sobie tych liczb i symboli dawało mi ponadto w pewnym sensie nadzieję, że niebawem wrócę do Kabulu i zastanę go takim samym jak przed rokiem.

Wkrótce poprosiłam Nadira, by pozwolił mi wrócić do Fajzabadu. Okropnie stęskniłam się za matką i naprawdę potrzebowałam być razem z nią. Po dyskusjach z rodziną zapadła jednak decyzja, że – zamiast wracać do Fajzabadu – wraz z matką, siostrą i szwagrem przeniosę się do Kabulu. Mirszakaj, drugi syn mojej matki, który sprawował teraz w stolicy funkcję generała policji, stwierdził, że w mieście jest już na tyle bezpiecznie, że możemy wrócić. Razem z Nadirem pojechaliśmy więc konno do Fajzabadu, a stamtąd całą rodziną dostaliśmy się samolotem do Kunduzu.

Czułam się strasznie szczęśliwa, mogąc być znów razem z rodziną, a szczególnie mamą. Nie powiedziałam jej, co usłyszałam na temat Mukima. Wciąż nie wierzyłam w jego śmierć. Ilekroć czułam dręczące, przyprawiające o mdłości fale niepokoju, po prostu starałam się o tym nie myśleć. Matka również cieszyła się, że jestem znów przy niej i choć żadna z nas nie wiedziała, czego się spodziewać po Kabulu, obie nie mogłyśmy się doczekać powrotu.

Najpierw musieliśmy odbyć trzystukilometrową podróż autobusem z Kunduzu. Lipiec był wówczas okropnie gorący, nawet jak na zwykle panujące latem w Afganistanie upały. Słońce prażyło niemiłosiernie, w okolicy południa skały stawały się tak nagrzane, że dotykając ich, można się było poparzyć. Wiatr wzbijał w górę kłęby kurzu, który nieustająco wdzierał się do domów, samochodów, części maszyn i oczu. Choć wciąż nie cierpiałam mojej burki, powoli się do niej przyzwyczajałam.

Kurz i pył nie miały jednak żadnego szacunku dla kobiecej skromności, zawsze znajdowały sposób, by dostać się pod niebieską zasłonę i przykleić się do spoconej skóry. To sprawiało, że drapałam się i wierciłam bardziej niż zwykle. Poza tym podczas jazdy na koniu przynajmniej czuło się lekki wietrzyk, a teraz siedziałam w zatłoczonym, dusznym autobusie razem z moją rodziną i innymi ludźmi próbującymi dostać się do Kabulu. Temperatura panująca pod moją burką była nie do zniesienia.

Droga z Kunduzu do Kabulu należy do najniebezpieczniejszych w Afganistanie. Wielokrotnie ją remontowano, ale jeszcze dziś podróż nią może zszargać człowiekowi nerwy. To w zasadzie wąska dróżka pełna kolein. Wije się wokół postrzępionych pasm górskich, które z jednej strony zdają się sięgać turkusowego nieba, a z drugiej gwałtownie opadają do znajdującego się setki metrów niżej kamienistego wąwozu. Niejednego nieszczęśnika spotkała tam śmierć. Wzdłuż drogi nie ma żadnych barierek ochronnych – gdy spotka się na niej ciężarówka z jakimś większym pojazdem jadącym w przeciwnym kierunku, na przykład z autobusem, przeciskają się obok siebie po kilka centymetrów, a ich koła balansują na osypującej się krawędzi urwiska.

Siedziałam w podskakującym i rozgrzanym autobusie, nasłuchując ryku silnika, gdy kierowca jak szalony zmieniał biegi, od czasu do czasu trąbiąc na przejeżdżające samochody. Na szczęście miałam wzory fizyczne i obliczenia, które pozwoliły mi się nieco rozerwać. Wszystko, byle tylko nie myśleć o strumieniach potu zlepiających włosy i spływających po plecach.

Gdy skwar pod koniec dnia zelżał, góry nabrały liliowego koloru. Krajobraz nieco złagodniał. Co pewien czas mijaliśmy pasterzy, którzy koczowali ze swoimi stadami w pobliżu łożysk rzeki i zacienionych miejsc, gdzie rośnie najsłodsza trawa. Wśród dzikich maków przechadzały się osły, a co kilka kilometrów na poboczu straszyły spalone wraki sowieckich czołgów i ciężarówek.

Kiedy wreszcie dotarliśmy na przedmieścia Kabulu – zmęczeni, mokrzy od potu i rozdrażnieni z powodu kurzu wdzierającego się nam do nosów i wywołującego swędzenie całego ciała – autobus zaczął się wlec w żółwim tempie, utknąwszy w długim sznurze pojazdów. Setki samochodów, jadących zderzak w zderzak, zablokowały drogę. Ruch powietrza wewnątrz autobusu ustał, znów zrobiło się niewyobrażalnie gorąco. Część dzieci zaczęła płakać i prosiła matki o wodę. Czekaliśmy, nie wiedząc, co się dzieje.

Do autobusu podszedł mężczyzna z AK-47, wsuwając przez drzwi gęstą, czarną brodę i brązowy *pakul*. Jego ubranie było brudne i przepocone. Wszyscy pasażerowie nadstawili uszu, by usłyszeć rozmowę mężczyzny z kierowcą. Opóźnienie spowodował Abdul Sabur Farid Kuhestani – jeden z dowódców bojowników, który został premierem nowego rządu. W całej stolicy zamknięto drogi, aby konwój z nim mógł bezpiecznie przejechać. Potraktowałam to jako zły znak na przyszłość. Nawet Sowieci nie wstrzymywali ruchu w całym mieście, by przepuścić swoich dygnitarzy. Afganistan znalazł się w rękach mudżahedinów, którzy byli zaprawionymi w trudach weteranami wojennymi, a nie politykami czy urzędnikami. Owszem, szanowałam ich i podziwiałam za to, jak dzielnie walczyli z ZSRR. Zastanawiało mnie jednak, jak ludzie bez najmniejszego politycznego doświadczenia mogą skutecznie rządzić państwem.

Wreszcie otwarto drogi i mogliśmy wjechać do miasta. Wszędzie widać było ślady niedawnych walk – zrujnowane budynki i spalone samochody. Mudżahedini stali na posterunkach z bronią w pogotowiu. Udaliśmy się do mieszkania mojego brata w dzielnicy Makrorian, zabudowanej przez Rosjan szeregami bloków mieszkalnych.

Mirszakaj otrzymał bardzo ważne stanowisko w Ministerstwie Spraw Wewnętrznych, gdzie pomagał w dowodzeniu siłami policyjnymi. Gdy weszliśmy do znajdującego się na piątym piętrze mieszkania, salon był pełen gości, głównie mężczyzn, którzy czekali, by porozmawiać z Mirszakajem. Niektórzy przyszli w sprawach związanych z policją, inni, by wstawić się za uwięzionymi krewnymi i znajomymi, a jeszcze inni, głównie z Badachszanu, przyszli tu w ramach towarzyskiej wizyty. Panował nieopisany chaos.

Brat zszedł na trzecie piętro, by się z nami spokojnie przywitać. Wybuchnęłam płaczem. Od naszego wyjazdu miasto zmieniło się nie do poznania. Naprawdę bałam się, co to może oznaczać dla nas wszystkich. Ale najbardziej niepokoiłam się o Mukima, który nie wyszedł nas powitać. Jego nieobecność potwierdzała moje najgorsze obawy, ale nikt nie był gotów przyznać, że Mukim nie żyje. Gdy zapytałam o niego, powiedziano, że wyjechał do Pakistanu, skąd uda się do Europy.

– Kiedy wyjechał? – drążyłam.

– Jakieś czterdzieści dni temu – usłyszałam.

Czułam, że to kłamstwo. Na półce w salonie zobaczyłam zdjęcie Mukima. Ramka została ozdobiona jedwabnymi kwiatkami. To był zły znak, pierwsze potwierdzenie śmierci Mukima.

– Dlaczego przystroiliście ramkę zdjęcia kwiatami? – spytałam bratową.

– Bo, wiesz, od kiedy Mukim wyjechał do Pakistanu, bardzo za nim tęsknię – odparła zmieszana.

Wiedziałam, że kłamie. W Afganistanie dekorujemy ramki fotografii kwiatami na znak żałoby, w hołdzie zmarłym. Rodzina próbowała mnie chronić, ale ja potrzebowałam tylko prawdy. Matka, która jeszcze niczego sobie nie uświadamiała, bez problemu uwierzyła w historyjkę o wyjeździe do Pakistanu.

Tego wieczoru przechadzałam się po mieszkaniu, przeglądając książki i fotografie w salonie. Między nimi znalazłam dziennik. Otworzyłam go, kierowana raczej czystą ciekawością niż konkretnymi podejrzeniami. W środku natrafiłam na wiersz, który ujawniał okrutną prawdę. Napisał go człowiek o imieniu Amin, który był najlepszym przyjacielem mojego brata. To był wiersz lament opisujący, jak zginął Mukim. Przeczytałam tylko trzy pierwsze wersy, gdy z mego gardła dobył się straszliwy krzyk. Był to bardziej jęk bólu niż wściekłości. Oto miałam niezbity dowód zamordowania Mukima. Matka z bratem wpadli do pokoju sprawdzić, co się stało. Nie mogłam opanować płaczu ani wydusić z siebie słowa. Tylko stałam, wymachując przed sobą dziennikiem. Matka wzięła go z moich drżących rąk. Brat z przerażeniem patrzył, jak matka, nic jeszcze nie rozumiejąc, czyta wiersz. Dość kłamstw, nieważne, jak dobre intencje za nimi stały. Kiedy wreszcie usłyszała prawdę, wydała z siebie rozdzierający serce krzyk. Ostateczne potwierdzenie śmierci brata spadło na mnie niczym uderzenie młota. Dla matki był to cios nie do zniesienia. Gdy tajemnica śmierci Mukima została wyjawiona, zebraliśmy się wszyscy razem.

Tego wieczoru – ja, moja matka, trzy ciotki, siostra oraz brat i jego dwie żony – czuliśmy się zjednoczeni w bólu. Opłakiwaliśmy Mukima, zadając sobie pytanie, dlaczego takiego dobrego młodego człowieka musiał spotkać tak niesprawiedliwy los. Dlaczego w naszej rodzinie zgasła kolejna jasno świecąca gwiazda?

Kochane Szuhro i Szaharzad,

rodzina... To proste słowo, ale prawdopodobnie jedno z najważniejszych, jakich uczy się dziecko. Rodzina to dom, w którym dziecko przychodzi na świat, bezpieczne i ciepłe miejsce. Grad czy deszcz, rakiety czy spadające na głowy pociski – rodzina zawsze powinna chronić dziecko. Powinno ono spać spokojnie w objęciach matki, z ojcem czuwającym u boku.

Niestety, wiele dzieci nie ma obojga rodziców. Ale Wy macie chociaż matkę, która Was kocha i jak tylko może, próbuje wynagrodzić brak ojca. Niektóre dzieci nie mają nawet tego. Tak wiele małych Afgańczyków utraciło w czasie wojny wszystkich bliskich. Nie mają nikogo, kto by się nimi zaopiekował. Rodzeństwo jest również bardzo ważną częścią rodziny. Mam tylu braci i tyle sióstr, że sama już straciłam rachubę. W naszej dużej rodzinie zdarzają się zatargi i kłótnie, szczególnie między żonami ojca. Ale nie można powiedzieć, by któreś z dzieci kiedykolwiek czuło się niekochane. Każda z matek kochała wszystkie dzieci po równo i świadomość, że jest się kochanym przez tak wiele matek, była cudownym uczuciem. Kiedy zginął ojciec, moja matka podjęła się utrzymania wszystkich dzieci razem, abyśmy pozostali prawdziwą rodziną.

Z moim rodzeństwem biliśmy się ze sobą, sprzeczaliśmy, a czasami nawet kopaliśmy się, okładaliśmy pięściami i szarpaliśmy się za włosy, ale nigdy nie przestaliśmy się kochać ani dbać o siebie. Toczyłam z braćmi zaciekłe boje, by pozostać w szkole oraz być niezależną, i choć im się to ani trochę nie podobało, kochali mnie i dlatego mi na to pozwalali. Oczywiście teraz czują się bardzo dumni ze swojej małej siostrzyczki, która wyrosła na polityka. Czują się też dumni z siebie i z tego, że mieli na tyle otwarte umysły, by pomóc mi spełnić marzenia. A dzięki temu udało nam się zachować pozycję naszej rodziny i polityczny honor.

Żałuję, że nie dałam Wam braciszka. Cudownego chłopca, który uwielbiałby swoje siostry. Jestem pewna, że między Wami też wybuchałyby kłótnie i bijatyki. Ale wiem też, że bardzo byście go pokochały. Nazwałabym go imieniem mojego utraconego brata. Mukim.

Ściskam Was,
mama

KIEDY UMIERA SPRAWIEDLIWOŚĆ

maj 1992

Opowiadanie dla moich córek

Tej piątkowej nocy smagany wiatrem Kabul tonął w strugach deszczu znad Hindukuszu. Zakurzone drogi szybko pokryły się grubą i śliską warstwą błota. Otwarte kanały ściekowe wypełniły się brunatną wodą, która wystąpiła z brzegów, tworząc ciągle powiększające się cuchnące sadzawki. Wydawało się, że na ulicach nie ma żywej duszy, kiedy nagle w cieniu dał się zauważyć ledwo dostrzegalny ruch. Obuty w sandały mężczyzna oddychał ciężko, deszcz padał na jego brodę, formując na niej małe strumyki spływające do kałuży, w której stał zanurzony po kostki. Poluzował nieco uchwyt trzymanego w rękach AK-47. Rosyjski karabin był ciężki i ślizgał mu się w dłoniach. Powoli, ostrożnie przeszedł przez ciemne grzęzawisko, uważnie stawiając każdy krok.

Podszedł do dwumetrowego muru, który otaczał posiadłość. Delikatnie położył na jego szczycie karabinek. Nawet w taką noc łoskot upuszczanej broni mógł się ponieść bardzo daleko. Uspokoiwszy oddech, zamarł na chwilę z ramionami wyciągniętymi do góry, po czym skoczył niczym kot, chwytając się jednocześnie obiema rękami szczytu muru. Szukając oparcia na mokrej powierzchni, wczepił się palcami stóp w spoiny między cegłami. Mięśnie jego pleców i ramion napięły się z wysiłku, gdy próbował podciągnąć się do góry. Przełożył prawy łokieć ponad murem, przycisnął twarz do zimnej i chropowatej powierzchni, robiąc szeroki zamach lewą nogą, by móc przerzucić ją przez krawędź ogrodzenia. Wdrapawszy się na jego szczyt, mężczyzna zrobił przerwę na złapanie oddechu i rozejrzał się po tonącej w mroku posiadłości w poszukiwaniu strażników. Nie widząc nikogo, zeskoczył na ziemię z głośnym pluskiem. Odbezpieczył kciukiem kałasznikowa, przygotowując go do strzału.

Korzystając z zasłony rosnących wokół drzewek owocowych, mężczyzna przekradł się w kierunku domu. W środku panowała ciemność. Widoczność dodatkowo utrudniał deszcz. Intruz zaczął majstrować przy zamku i po chwili mosiężna klamka ustąpiła ze zgrzytem. Wstrzymał oddech, delikatnie uchylając drzwi. Po chwili wolno otworzył je na całą szerokość i rozeznał się w ciemnym pomieszczeniu. Ciszę rozpraszał dobiegający z oddali, przytłumiony dźwięk deszczu zacinającego o grube dachówki. Mężczyzna wiedział, że teraz większy hałas wywołuje woda skapująca z jego przemoczonego ubrania na wyłożoną kafelkami podłogę. Z bronią w gotowości przemknął przez salon. Jego kroki odbiły się echem od ścian korytarza. Włamywacz zatrzymał się przy drzwiach do sypialni. Uniósł broń, trzymając ją jak pistolet w prawej ręce, lewą zaś przekręcił gałkę. Drzwi uchyliły się lekko.

I wtedy mężczyzna z zimną krwią zamordował mojego brata.

Morderca wystrzelił do śpiącego Mukima wszystkie kule. W magazynku kałasznikowa mieści się trzydzieści naboi. Bandyta naciskał spust tak długo, aż opróżnił cały magazynek. A potem uciekł.

Dźwięk strzałów obudził moją bratową. Wraz z Mirszakajem spała w drugiej części domu, na piętrze. Mój brat próbował ją uspokoić, zapewniając, że pewnie ktoś strzela w powietrze z okazji wesela lub świętuje zwycięstwo nad ZSRR. Wtedy usłyszeli przerażony krzyk sąsiada z naprzeciwka.

W chwili śmierci Mukim miał zaledwie dwadzieścia lat. Był wysoki, przystojny i inteligentny, studiował prawo, miał czarny pas karate – niezwykła to rzecz w tamtych czasach, nawet jak na Kabul. Był jednym z moich ulubionych braci. Wspólnie dorastaliśmy, bawiliśmy się, walczyliśmy ze sobą, kochaliśmy się i kłóciliśmy. Gdy powiedział mi coś miłego, uśmiech nie schodził mi z twarzy godzinami, lecz gdy mnie za coś krytykował, w oczach od razu stawały mi łzy. Wraz z Ennajatem stanowiliśmy trójkę nieodłącznych towarzyszy zabaw. Mukim już jako mały chłopiec o mało nie zginął, ale przeżył, chowając się przed niedoszłymi mordercami pod kobiecą spódnicą. Tym razem jednak nie było nikogo, kto by go ukrył lub ochronił.

To był druzgocący cios. Czułam się, jakby umarła jakaś część mnie.

Po śmierci ojca wszyscy bracia odgrywali w moim życiu znacznie większą rolę. Mukim cieszył się nowo nabytą patriarchalną władzą i rozkazywał mi, bym uprała skarpetki albo wyczyściła ubrania. Zapatrzonej w niego małej siostrzyczce ta apodyktyczność w ogóle nie przeszkadzała. Pragnęłam tylko jego uwagi i akceptacji. Przez większość czasu zachęcał mnie do nauki, mawiając: „Fawziu, chcę, żebyś została lekarzem". Czułam się wyjątkowa, wiedząc, że pokłada we mnie tak dużą wiarę. Ale czasami, gdy był czymś zmartwiony albo zdenerwowany, zabraniał mi iść do szkoły, grożąc mi surowo palcem i oświadczając: „Jutro zostaniesz w domu. Jesteś dziewczyną. A dziewczynom wystarczy siedzieć w domu". Potrafił być bardzo konserwatywny w swoich poglądach, ale zawsze mu to wybaczałam, ponieważ w ten sposób radził sobie ze stresem. Trochę w tym przypominał ojca. Zazwyczaj dzień po tym, jak zakazywał mi wyjścia do szkoły, wracał do domu z prezentem – na przykład nowym tornistrem albo piórnikiem. Prosił mnie wtedy, bym poszła do szkoły, i przypominał mi, jak mądra według niego jestem i jak wielkich rzeczy mogę dokonać w życiu. Jeśli jeden z pozostałych braci zabraniał mi pójścia do szkoły, to wiedziałam, że nie ma żartów. Lecz w wypadku Mukima to było tylko gadanie.

Począwszy od ubrań, a skończywszy na jedzeniu, Mukim zawsze dokładnie wiedział, czego chce. Gdy wyznał mi, że zakochał się w dziewczynie, którą poznał na uniwersytecie, nie miałam wątpliwości, że to coś poważnego. On był na pierwszym roku prawa, ona zaczynała studia medyczne. Nie wątpiłam też, gdy mi powiedział, że jest bardzo piękna. Wskazał na moją najśliczniejszą lalkę i powiedział: „Ta dziewczyna jest tak piękna jak ta lalka. Tylko że ona ma niebieskie oczy". Kochał się w niej przez cztery miesiące, ale przez cały ten czas nie miał możliwości powiedzieć jej, co do niej czuje. Godzinami kręcił się wokół domu ukochanej, licząc na to, że choć na chwilę uda mu się ją zobaczyć. Wysyłał do niej listy, w których wyznawał jej miłość, ale wszystkie mu odesłała, nawet ich nie otworzywszy. Była głęboką tradycjonalistką, a takie dziewczyny nie otwierają listów od niezaaprobowanych przez rodzinę zalotników. Mukim miał nadzieję, że to zmieni. Z niecierpliwością oczekiwał, aż do Kabulu wróci matka, która miała złożyć wizytę rodzinie jego ukochanej i zaproponować jej małżeństwo. Normalnie zająłby się tym ojciec, ale w związku z jego śmiercią ten obowiązek spadł na matkę, która przejęła rolę głowy rodziny. Niestety, nim zdążono poczynić stosowne kroki, Mukim zginął.

Pogodzenie się ze śmiercią ukochanej osoby zawsze przychodzi z trudem. Poczucie straty jest przytłaczające, a pustka, jaką zostawia po sobie w naszym życiu zmarły, wydaje się nie do wypełnienia. Świadomość, że już nigdy więcej nie ujrzysz tej osoby, boli niczym borowanie zęba bez znieczulenia. I nie ma żadnego leku, który mógłby ulżyć w cierpieniu.

Walki między mudżahedinami a siłami rządowymi sprawiły, że policja nie była w stanie wszcząć porządnego śledztwa. Nawet mój starszy brat, mający w policji tak silną pozycję, nie mógł zrobić zbyt wiele, by doprowadzić mordercę Mukima przed oblicze sprawiedliwości. Jedyny dowód, jaki zostawił napastnik, to sandał zgubiony pod murem w trakcie ucieczki. Ale w takich sandałach chodzą mężczyźni w całym kraju. Poza tym działo się to jeszcze na długo przed epoką badań DNA i medycyny sądowej, a Afganistan znajdował się w stanie wojny. Podczas konfliktów zbrojnych giną ludzie. W tych okolicznościach fakt, że śmierć Mukima nastąpiła wskutek morderstwa, niewiele znaczył. Codziennie zabijano setki ludzi, kobiety były gwałcone, a domy grabione i niszczone. Brakowało żywności i wody, a jeszcze bardziej sprawiedliwości.

Najbardziej za śmierć Mukima obwiniał się Mirszakaj. Uważał, że zawiódł jako policjant, nie mogąc schwytać zabójców. Czuł się również osobiście odpowiedzialny za to, co się stało. Jako generałowi policji przysługiwała mu ekipa ochroniarzy. Wszędzie z nim podróżowali, a nocą do ich obowiązków należało pilnowanie domu, aby Mirszakaj mógł wraz z rodziną spać spokojnie. Jako że był piątek, czyli dzień uroczystej modlitwy, a w dodatku taka okropna, deszczowa noc, bratu zrobiło się żal strażników i kazał im wracać do domów i rodzin. Około dziesiątej wieczorem Mukim wrócił do domu z siłowni. Był przemoczony do suchej nitki i skarżył się na infekcję oka. Bratowa wyjęła z kosmetyczki *kohl*. Kobiety w Badachszanie często używają specjalnej odmiany tego kosmetyku, przyrządzonego z rosnących w górach ziół, które podobno są bardzo skutecznym lekarstwem na wszelkie stany zapalne oczu. Bratowa posmarowała mu bolące miejsce, a potem Mukim poszedł spać. Wtedy po raz ostatni widziano go żywego. Gdyby ochroniarze pełnili służbę jak zwykle, napastnik nie zdołałby wejść do domu, a Mukim wciąż by żył. Mirszakaj nie mógł sobie darować, że zwolnił strażników do domu.

Jedno z najważniejszych pytań naszego życia brzmi: dlaczego? Dlaczego coś dzieje się tak, a nie inaczej? Jako muzułmanka uważam, że to, w co wierzę, jest prawdą i stanowi bardzo istotną część mojej osoby. Wierzę, że o naszym losie decyduje Bóg. To On wybiera, kiedy mamy żyć, a kiedy umrzeć. Ale nawet to przekonanie nie czyni śmierci mojego brata mniej bolesną ani nie sprawia, że życie staje się łatwiejsze do zniesienia.

Jeśli chodzi o śmierć Mukima, to po prostu nie zdołaliśmy znaleźć żadnych odpowiedzi. Dlaczego ktoś miałby zabić tak dobrego, inteligentnego i wrażliwego chłopaka? Był zdolnym studentem, próbującym dopiero ułożyć sobie życie. Chciał zrobić karierę, mieć żonę, założyć rodzinę. Dla nikogo nie stanowił zagrożenia. Ale i tak odebrano mu życie w mgnieniu oka. Umierający muzułmanin powinien trzykrotnie wypowiedzieć imię Allaha przed śmiercią. Biednemu Mukimowi takiej szansy nie dano.

Zaczynałam się przyzwyczajać do tego, że nie mam możliwości pożegnania się z osobami, które kochałam. Nie było sensu pytać, dlaczego tak się stało. Tak po prostu wtedy wyglądało nasze życie.

Kochane Szuhro i Szaharzad,

gdy dorośniecie, dowiecie się, czym jest wierność. Wierność
wyznaniu, wierność rodzinie, przyjaciołom i sąsiadom, wierność krajowi. W czasie wojny wierność może zostać wystawio-
na na ciężką próbę.

Musicie pozostać wierne prawdziwej naturze islamu, ko-
chając wszystkich wokół i pomagając im, nawet jeśli wydaje
się Wam, że nie jesteście w stanie temu podołać. Powinnyście
być wierne swym najbliższym, zarówno tym żyjącym, jak
i zmarłym. Wszak śmierć nie przerywa więzi rodzinnych,
choć trzeba uważać, by nie czcić pamięci zmarłych kosztem
żyjących. Musicie być wierne swoim przyjaciołom, ponieważ
na tym polega istota przyjaźni. A jeśli i oni okażą się od-
danymi przyjaciółmi, przyjdą Wam z pomocą, kiedy tylko
będziecie tego potrzebować.

Musicie pozostać wierne wobec innych Afgańczyków. Nie
wszyscy jesteśmy tacy sami; mówimy tak wieloma językami
i żyjemy na tak różne sposoby. Ale powinnyście umieć wznieść
się ponad etniczne i kulturowe różnice i zapamiętać, że łączy
nas jedno – Afganistan. Musicie być wierne swemu krajowi. Bez
tego nie będziemy nic znaczyć jako naród. Musimy ciężko pracować, aby uczynić ten kraj lepszym dla Waszych dzieci i wnuków.

Nauka wierności bywa czasami trudna, ale to z pewnością jedna z najcenniejszych lekcji, jakie przynosi życie.

Ściskam Was,
mama

WEWNĘTRZNA WOJNA

1992–1993

Czułam się bardzo szczęśliwa, będąc znów w Kabulu. Nie mogłam się doczekać, by powrócić do dawnego życia. A przynajmniej do tego, co po nim zostało, gdy kraj ogarnęła wojna domowa.

Wciąż mieszkaliśmy u brata w dzielnicy Makrorian, co dosłownie oznacza „przestrzeń do życia". Sowieci wybudowali ją, stosując najnowsze technologie, na przykład komunalny system wodociągowy z bieżącą gorącą wodą, który obsługiwał ponad dziesięć bloków, każdy po pięćdziesiąt mieszkań. To świadectwo niezwykłej solidności sowieckiego budownictwa, ponieważ wiele budynków w Makrorian stoi do dziś, mimo że ostrzeliwano je niezliczoną ilość razy, i wciąż działają w nich urządzenia techniczne. Na tamtejsze mieszkania wciąż jest duży popyt.

W Kabulu mogłam też wreszcie wrócić do lekcji angielskiego. Były dla mnie zbyt ważne, bym miała z nich zrezygnować, mimo że wiązały się z regularnymi podróżami przez miasto, na którego terenie przywódcy prowadzili ze sobą śmiertelne gry o władzę.

Kabul był podzielony na kilka stref. Centralne dzielnice, Khair Khanę, Makrorian i okolice pałacu królewskiego kontrolował rząd mudżahediński. Na jego czele stał wówczas Burhanuddin Rabbani, były generał pochodzący z Badachszanu, dobrze zresztą znany mojej rodzinie – stąd tak wysokie stanowisko mojego brata w ministerstwie. Ahmad Szah Masud – osławiony Lew Pandższiru – sprawował w tym rządzie funkcję ministra obrony.

Zachodnia część Kabulu znajdowała się w rękach Abdula Alego Mazariego, przywódcy Hazarów, którzy są podobno bezpośrednimi potomkami Czyngis-chana (wyróżnia ich klasyczny mongolski wygląd – mają owalne twarze i olbrzymie oczy w kształcie migdałów – a wyznają islam szyicki, podczas gdy większość grup etnicznych zamieszkujących Afganistan to sunnici). Paghman, miasteczko na obrzeżach Kabulu, opanowały z kolei oddziały Abdula Rasula Sayyafa. Inna część miasta padła łupem nieustraszonego Uzbeka – Abdula Raszida Dostuma. Natomiast na południu, tuż za murami Starego Miasta, zebrały się siły Gulbuddina Hekmatjara, przywódcy Hizb-i-Islami – Partii Islamu. Drugi z liderów ugrupowania, Abdul Sabur Farid Kuhestani, sprawował wówczas urząd premiera.

Ci przywódcy, choć tworzyli wspólny rząd, a w czasie wojny z Sowietami zawiązali koalicję (nazwaną Sojuszem Północnym, gdyż większość tworzących go ugrupowań pochodziła z północy kraju), teraz toczyli ze sobą walkę o władzę. W miarę jak wojna domowa przybierała coraz ostrzejszy obrót, przymierza zmieniały się niemal tak często jak pogoda.

Na najbardziej zaciekłego przeciwnika rządu mudżahedinów wyrastał Hekmatjar, który czuł się niezadowolony z odgrywanej roli i któremu zależało na większej władzy oraz przywilejach. Codziennie z pozycji znajdujących się nad Kabulem jego ludzie zasypywali miasto dziesiątkami pocisków artyleryjskich. Eksplodowały na placach targowych, w szkołach, szpitalach oraz parkach miejskich, zabijając i raniąc setki ludzi. Czasami sytuacja potrafiła się zmienić w ciągu jednej nocy. Ugrupowanie, które do tej pory wspierało rząd, mogło ni stąd, ni zowąd zwrócić się przeciwko niemu i wszcząć walki. A kilka dni później, gdy zdążyły zginąć setki cywilów, ta sama grupa mogła za pośrednictwem telewizji publicznej oświadczyć, że zaszło nieporozumienie i że znów wspiera siły rządowe. Ludzie nie mieli pojęcia, co przyniesie kolejny dzień. Nasi przywódcy również.

Droga na lekcje angielskiego była niegdyś łatwą i krótką przejażdżką taksówką, ale teraz trasa wiodła przez te części miasta, w których toczyły się najbardziej zacięte walki. Niektóre miejsca i ulice dawało się ominąć, ale przez inne trzeba było przejechać, nie zważając na ryzyko. Wybierałam kręte trasy, które zmieniałam w zależności od tego, które ugrupowanie polityczne sprawowało kontrolę nad daną okolicą. Aby sprawnie poruszać się po mieście, absolutnie niezbędne okazywało się zgromadzenie informacji od ludzi z ulicy. Podobnie rzecz się miała ze znalezieniem benzyny, której zapasy powoli się wyczerpywały.

Nieustanne niebezpieczeństwo groziło nam ponadto ze strony przemierzających ulice band uzbrojonych mężczyzn oraz snajperów, którzy strzelali do wszystkiego, co się tylko ruszało. Trzask karabinu i stłumiony odgłos kuli uderzającej w cel często przedwcześnie kończyły czyjąś desperacką próbę zdobycia pożywienia, wody lub lekarstw. Stanowiska karabinów maszynowych znajdowały się przy kluczowych skrzyżowaniach w zniszczonych domach, ich pozycje zostały starannie dobrane, tak by zapewnić strzelcom osłonę i umożliwić jak najszersze pole rażenia – wszak najlepiej dopaść wroga na otwartej przestrzeni. Niekiedy w kryjówce wśród ruin udało się dostrzec tylko czubek głowy, lecz i tak wszyscy wiedzieliśmy, że snajperzy bez przerwy czuwają przy stalowych celownikach, wypatrując choćby najmniejszego ruchu. Samochody przyciągały ich szczególną uwagę, ale i tak wciąż stanowiły najszybszy i najbezpieczniejszy środek lokomocji. Kilkakrotnie jednak taksówka, którą jechałam, stała się celem ataku artyleryjskiego.

W kierunku części tras dowódcy oddziałów artyleryjskich mieli non stop wycelowane działa. Kiedy obserwatorzy zgłaszali zbliżający się pojazd, wystarczyło tylko otworzyć ogień, a istniały duże szanse, że ustrzelone zostaną jakiś samochód, ciężarówka lub nawet czołg. Pewnego razu niemal zahipnotyzowana patrzyłam, jak wprost na mnie zmierza pocisk artyleryjski. Na szczęście nad naszymi głowami znajdowały się drzewa z konarami wyciągniętymi do góry niczym zakrzywione palce, jakby tylko czekały, by go przechwycić. Pocisk uderzył w gałęzie i wybuchł, zasypując ulicę deszczem drzazg i odłamków, przed którymi uciekaliśmy najdalej, jak tylko się dało. Gdyby nie drzewa, pocisk rozerwałby na strzępy ten mizerny samochód razem ze mną i kierowcą w środku.

Nieliczni taksówkarze ryzykowali jazdę w trakcie prowadzonych walk za samą tylko marną opłatę za przejazd. Ci, którzy mieli odwagę, decydowali się na to dlatego, że głód zaglądał im już w oczy. Gdyby nie brali kursów, ich rodziny i oni sami nie mieliby co jeść, a to oznaczało pewniejszą śmierć niż ta, jaka mogła ich spotkać od świszczących w powietrzu kul. Często nie udawało mi się znaleźć taksówki, a wtedy musiałam iść na lekcje piechotą, przeskakując od jednego załomu w murze do drugiego, starając się unikać tych rejonów, o których wiedziałam, że znajdują się w nich strzelcy, i modląc się, by nie natrafić na nich w miejscach mi nieznanych.

Po lekcjach również musiałam wracać pieszo, przekradając się w ciemnościach. Niekiedy droga do domu zajmowała mi nawet dwie godziny. Przebywanie nocą na ulicy wiązało się z wielkim niebezpieczeństwem dla wszystkich, a już zwłaszcza dla młodej samotnej dziewczyny. Ryzykowałam nie tylko życie, lecz także to, że zostanę zgwałcona. Wraz z nadejściem nocy strzelcy stawali się bardziej nieprzewidywalni. Ciemności sprawiały, że zachowywali się bardziej nerwowo, nieco mocniej zaciskali palce na spuście – i wystarczył odgłos kroków lub osypujący się gruz, aby wywołać istne piekło.

Zdarzało się, że matka, ubrana w burkę, czekała na mnie na dole bloku, nerwowo wpatrując się w mrok. Na dźwięk strzałów, co jakiś czas niosących się echem po mieście, serce podskakiwało jej do gardła. Wyobraźnia musiała podpowiadać jej wtedy najgorsze scenariusze. Choć na mój widok zawsze odczuwała wyraźną ulgę, to nigdy mnie nie przytuliła. Zamiast tego od razu mnie beształa i popychała energicznie w górę schodów, przez drzwi wiodące do domowej strefy bezpieczeństwa, cały ten czas utyskując i wymyślając mi:

– Nawet jeśli te lekcje angielskiego sprawią, że zostaniesz prezydentem tego kraju, to mam to gdzieś. Nie zależy mi na tym, żebyś była prezydentem. Chcę, byś była żywa.

Moim braciom i siostrom również nie podobało się to, że przez angielski narażam się na tak duże ryzyko, ale nigdy nie powiedzieli mi tego wprost. Natomiast męczyli matkę, prosząc ją, by mi zakazała tam chodzić. Nie potrafili zrozumieć, dlaczego dzień w dzień pozwala mi ryzykować życie.

Matka jednak pewnie sama dałaby się pierwsza zastrzelić, gdyby wiedziała, że dzięki temu wciąż będę mogła uczęszczać do szkoły. Była niepiśmienna, ale jednocześnie wyjątkowo inteligentna. Obserwując moją naukę, w pewien sposób sama się uczyła. Rozmowy o lekcjach sprawiały jej autentyczną satysfakcję i nigdy we mnie nie zwątpiła. Zwyczajnie ignorowała prośby i błagania mojego rodzeństwa, zawsze umiejąc udobruchać ich ujmującym uśmiechem.

Patrząc jednak z perspektywy czasu, ja również jestem zdumiona, że pozwalała mi na to wszystko. Odczuwam straszne wyrzuty sumienia na myśl o lęku, jaki musiał jej towarzyszyć za każdym razem, kiedy znikałam w huczącej od wystrzałów nocy. Lęku, który musiał być tym bardziej dręczący, że dopiero co straciła Mukima. Jego śmierć wstrząsnęła całą rodziną, najbardziej zaś matką. Każdego ranka odwiedzała jego grób i kładła na nim świeże kwiaty. Ale ten prosty, pełen miłości akt pogrążonej w smutku matki wkrótce miał ustąpić o wiele bardziej nieobliczalnemu i bardzo niepokojącemu zachowaniu.

Miasto zmieniło się w prawdziwą strefę śmierci. Z dzielnic, w których toczyły się najcięższe walki, docierały do nas informacje o setkach ludzi ginących co noc. Po całym mieście niósł się łoskot strzałów, odbijał się echem od wzgórz otaczających Kabul, torturując wszystkich myślami o straszliwych scenach, jakie musiały się rozgrywać na jego ulicach.

Ostrzał artyleryjski trwał niemal każdego dnia. Pociski siały spustoszenie, padały w najróżniejszych miejscach i bez najmniejszego ostrzeżenia. Czasami niszczyły dom, grzebiąc pod gruzami całe rodziny, niekiedy sklep albo szkołę. Bywało, że przynosiły śmierć kobietom kupującym na targu warzywa. Słychać było jedynie przecinający powietrze świst. Nagle dźwięk ustawał, a kilka sekund później następowała eksplozja. Nigdy nie byliśmy pewni, w co lub w kogo trafi pocisk.

Odczuwany przez Afganki nieustanny lęk przed śmiercią potęgowała dodatkowo nie mniej straszliwa groźba gwałtu. Świadczy o tym zresztą tragiczna historia jednej z moich przyjaciółek. Nahid miała osiemnaście lat i mieszkała w bloku niedaleko nas. Pewnej nocy do jej mieszkania wtargnęli uzbrojeni mężczyźni. Chcieli ją zgwałcić lub porwać. Aby uniknąć takiego losu, Nahid wyskoczyła przez okno z piątego piętra. Zginęła na miejscu. Słyszeliśmy również o kobietach znajdowanych z okaleczonymi ciałami lub odciętymi piersiami. Aż trudno uwierzyć, że kraj, w którym wszyscy rozprawiają o moralności, pogrążył się w takich odmętach zła.

Pewnego wieczoru przygotowywałam dla całej rodziny ryż z mięsem, gdy zorientowałam się, że matki nie ma w domu. Dochodziła już siódma i zwykle o tej porze kręciłaby się po kuchni, doglądając różnych domowych spraw. Miałam niepokojące wrażenie, że wiem, gdzie mogła pójść i że muszę jej poszukać. Wciąż nosiłam żałobę po Mukimie, nałożyłam więc na głowę czarną chustę i wymknęłam się z domu. Strażnik stojący niedaleko naszego bloku potwierdził moje najgorsze obawy: matka poszła na grób Mukima.

W okolicy nie było żadnych taksówek, a autobusy w ogóle nie kursowały, więc do centrum musiałam iść na piechotę. Z początku na ulicach panowała niespotykana cisza. Kabul, jaki znałam sprzed wojny, tętnił nocnym życiem, wszędzie pełno było samochodów, motocykli i ludzi spotykających się ze znajomymi. Teraz ulice świeciły pustkami, a na trasie, która wiodła na cmentarz, słychać było tylko terkot karabinu.

Szłam niespokojna, wiedząc, że gdzieś przede mną musi być matka. Na ulicach leżały ciała osób niedawno zastrzelonych lub rozdartych na kawałki w wyniku eksplozji. Zwłoki były na tyle świeże, że jeszcze nie zdążyło ich wzdąć. Ogarnął mnie strach. Ale bardziej niż sam widok śmierci przerażała mnie myśl, że ci zabici mieli rodziny. I że jutro na ich miejscu może się znaleźć ktoś z moich bliskich.

W Deh Mazang natknęłam się na taksówkę. Kierowca wyjął z niej tylne siedzenie, a potem zapakował samochód ciałami zabitych. Cały był usmarowany krwią, jego białą koszulę pokrywały szkarłatne smugi i ciemne plamy krzepnące wokół kieszeni i guzików. Samochód przypominał rzeźnię. Ciała leżały bezładnie z powykręcanymi kończynami i roztrzaskanymi głowami.

Z ich rozszarpanych tułowi spływała krew, tworząc na podłodze duże kałuże, które przeciekały przez przerdzewiałe dziury na zakurzoną drogę. Mężczyzna, najwyraźniej w szoku, aż cały pokrył się potem, próbując upchnąć do samochodu jeszcze jedno ciało. W islamie bardzo ważny jest szybki pochówek, więc mężczyzna pewnie nawet nie zdawał sobie sprawy, że może mu grozić jakieś niebezpieczeństwo. Po prostu wykonywał swoje ponure zadanie, jakby przerzucał worki z ryżem.

Przystanęłam na chwilę, aby przyjrzeć się temu niecodziennemu widokowi. Tego ciepłego letniego wieczoru byliśmy jedynymi ludźmi na ulicy. Panującą ciszę przerywały tylko dobiegające z oddali strzały i postękiwania taksówkarza w średnim wieku, który ryzykował życie, by zupełnie obcym mu ludziom zapewnić godny pogrzeb.

Gdy wreszcie uznał, że nie zdoła już zmieścić więcej ciał w samochodzie, odpalił go i zostawiając za sobą chmurę niebieskich spalin, odjechał w kierunku szpitala z otwartymi tylnymi drzwiami. Ciała martwych pasażerów podskakiwały bezwładnie na każdej dziurze w jezdni i na każdym wyboju, o jakie taksówka zahaczała podwoziem. Widok zabitych sprawił, że zaczęłam myśleć o rodzinie i musiałam powstrzymywać się, by nie zamieniać w myślach twarzy tych bezimiennych ofiar na twarze moich bliskich. Znajdowałam się już blisko cmentarza i musiałam odnaleźć matkę.

Robiło się coraz ciemniej i właśnie mijałam Uniwersytet Kabulski, gdy zawołała mnie grupka umundurowanych mężczyzn. Chcieli wiedzieć, gdzie idę. Nic nie odpowiedziałam, tylko pochyliłam niżej głowę i przyspieszyłam kroku. Jeden z mężczyzn uniósł broń i zapytał raz jeszcze:

– Dokąd się wybierasz?

Zatrzymałam się i odwróciłam, patrząc na karabin.

– Szukam mojego brata. Podobno ktoś widział jego ciało leżące tu za rogiem. Muszę to sprawdzić – skłamałam.

Mężczyzna zastanawiał się chwilę, aż wreszcie opuścił broń.

– Dobra, idź – powiedział.

Odeszłam czym prędzej, a serce waliło mi jak młotem. Przez moment myślałam, że zamierzają zrobić mi coś znacznie gorszego, niż po prostu zastrzelić.

Cmentarz zajmował piaszczysty obszar wielkości kilku boisk futbolowych. Ostatnie lata wojen sprawiły, że najświeższe groby – podłużne kopczyki małych kamieni z wetkniętymi w ziemię grubo ciosanymi płytami nagrobnymi – znajdowały się ciasno stłoczone obok siebie. Groby na wyżej położonych terenach, gdzie mieściły się najlepsze kwatery, często otoczone były metalowymi parkanami, rdzewiejącymi teraz w ciszy tego opustoszałego miejsca. Nad mogiłami powiewały poszarpane zielone flagi, powieszone tu na znak żałoby.

Matka pochylała się nad grobem Mukima. Ustawiała na nim bukiety jasnożółtych jedwabnych róż. Zatopiona w myślach, nie usłyszała nawet, jak się zbliżam. Cała się trzęsła, płacząc i tuląc do siebie fotografię mojego brata. Mukim był na niej taki młody i przystojny. Matka odwróciła się i spojrzała na mnie. A ja stałam, płacząc z ulgi, że udało mi się ją odnaleźć, i z powodu bijącego z tej sceny smutku.

Do głębi poruszona uklękłam przy matce. Długo trzymałyśmy się w objęciach i płakałyśmy. Później rozmawiałyśmy o Mukimie i o tym, jak bardzo za nim tęsknimy. Spytałam, dlaczego tak się narażała, przychodząc tutaj w nocy. Czy nie widziała tych wszystkich zabitych i ludzi z karabinami i czy nie pomyślała o tym, jak bardzo będę się o nią martwić? Tylko spojrzała na mnie smutnymi, zapłakanymi oczami, jakby chciała powiedzieć: „Dobrze wiesz dlaczego", i z powrotem odwróciła wzrok na fotografię.

Siedziałyśmy tam tak długo, że nawet nie zauważyłam, jakie wokół zapadły ciemności. Z powodu wojny w mieście prawie w ogóle nie działały lampy uliczne. Zaczynałam się naprawdę bać. Nie mogłyśmy ryzykować powrotu do domu tą samą drogą, którą tu przyszłyśmy – była zbyt daleka i zbyt niebezpieczna. Postanowiłyśmy więc odczekać jeszcze godzinę, aż zrobi się zupełnie ciemno, i wtedy dopiero chyłkiem wyszłyśmy z cmentarza. Znalazłyśmy dobrze nam znany skrót prowadzący do domu, w którym podczas obrad parlamentu mieszkał mój ojciec. Budynek stał naprzeciw hotelu InterContinental w Bagh-e-bala – na obrzeżach miasta zamieszkiwanych przez zamożnych kabulczyków, w tym także byłych polityków. Posiadłość zajmowali teraz krewni ojca, opiekując się nią w naszym imieniu. Jeśli udałoby nam się tam dotrzeć, przynajmniej byłybyśmy bezpieczne. Skradałyśmy się z matką przez wąskie alejki. Jakikolwiek hałas lub gwałtowny ruch mogły przyciągnąć uwagę snajperów, więc posuwałyśmy się powoli w stronę wzgórza i czekającego tam schronienia.

Dom zbudowany był w tradycyjnym kabulskim stylu z dużych szarobrunatnych cegieł, miał kształt prostopadłościanu i maleńkie okna, dzięki czemu latem wewnątrz panował chłód, a w mroźne zimy było zawsze ciepło. Równolegle do linii wzgórz biegł spadzisty dach z falistymi dachówkami. Z tyłu domu znajdowało się małe podwórko z drzewkami owocowymi i kwiatami. Zastukałyśmy w drzwi, a ja mogłam myśleć tylko o tym, czy te drzewka jeszcze tam stoją. Odpowiedziały nam głosy wyraźnie przestraszonych krewniaków, którzy sadzili, że to mudżahedini przyszli ich obrabować lub zabić. Kiedy dotarło do nich, kim jesteśmy, czym prędzej wpuścili nas do środka i zatrzasnęli drzwi. Poczułam ogromną ulgę, że jesteśmy bezpieczne, ale tak niespodziewana wizyta w tym domu sprawiła mi wielki ból. To właśnie w nim mieszkał Mukim, gdy go zamordowano. Matka też to wiedziała i znów zaczęła łkać. Obie byłyśmy tak fizycznie i emocjonalnie wyczerpane, że nie miałyśmy sił na nic więcej, tylko na płacz.

Przyniesiono nam herbatę i coś do jedzenia, ale żadna z nas nie była w stanie niczego przełknąć. Po usilnych błaganiach wmusiłyśmy w siebie trochę herbaty. Dostałyśmy koce i na prośbę matki położyłyśmy się spać w pokoju Mukima. Tej

nocy żadna z nas nie zmrużyła oka. Zawinięta w koc myślałam o bracie i okropieństwach, których byłam dziś świadkiem.
O tym, że rozpada się mój kraj. O tym, że taksówkarz ładujący
do samochodu martwe ciała stanowił najbardziej ludzki widok,
jaki miałam okazję oglądać przez cały dzień. O kobiecie, która
nie bacząc na ogień artyleryjski, poszła opłakiwać ukochanego
syna. O tym, dlaczego ci uzbrojeni mężczyźni, którzy z taką
odwagą walczyli o uwolnienie Afganistanu od Sowietów, teraz
niszczą swój kraj, aby zaspokoić żądzę władzy. Matka płakała
całą noc nad naszym losem. Leżała w pozycji embrionalnej –
z kolanami przyciągniętymi do piersi.

Ta noc zdawała się nie mieć końca. W pewnym sensie chciałam, żeby nigdy się nie skończyła. Bo o świcie, gdy do pokoju
wpadło nieco światła, można było zauważyć dziury po kulach,
od których zginął Mukim. Ten okropny widok wzmógł jednak
determinację matki. Na powrót stała się zdecydowana i prag-
matyczna. Rano zaparzyła dla mnie zielonej herbaty i oświadczyła, że wyprowadzamy się z mieszkania w Makrorian i prze-
nosimy się tu, bliżej cmentarza. Jej rozumowaniu jak zwykle nic
nie dało się zarzucić – jeśli droga na cmentarz musi prowadzić
przez strefę wojny, to należy ją skrócić do minimum.

Przede wszystkim jednak matka chciała po prostu zamieszkać w tym pokoju, wśród pamiątek po synu. Pojedyncze łóżko
nakryte było podziurawioną przez kule kapą. W szafie wciąż
wisiały garnitury Mukima i inne jego ubrania. Na półce stały
książki i trofea zdobyte w zawodach karate. Nad półką wisiały
przybite do ściany pasy: żółty, brązowy i czarny. Jakkolwiek by
te pamiątki po Mukimie były przygnębiające, matce przynosiły
pewne pocieszenie i pomagały jej poczuć bliskość zmarłego
syna...

Z wysoko położonego domu roztaczał się wspaniały widok
na miasto, ale zamiast podziwiać olśniewającą panoramę Kabulu na tle gór, zmuszone byłyśmy oglądać krwawe walki niczym
z filmu grozy. Słyszałyśmy szczęk karabinów maszynowych oraz

świst pocisków spadających na budynki. Jak na dłoni widać było obie ostrzeliwujące się strony. Gdy pociski smugowe rozświetlały ciemności, śledziliśmy manewry, przegrupowywanie się i szykowanie do nowego ataku na linie wroga.

Część budynków w mieście pokryta była kolorowym tynkiem. Raz przyglądałam się walkom, kiedy na dach ładnego, różowego domu spadł pocisk artyleryjski. Ziemia zadrżała od wybuchu, a kawałki murów wyfrunęły w powietrze na ponad sto metrów. W miejscu, gdzie przed momentem stał dom, unosiła się już tylko chmura różowego pyłu, który powoli osiadał na okolicznych budynkach. Taki sam los spotkał niebieski dom – nie zostało po nim nic oprócz niebieskiej mgły snującej się po ulicy. Jego nieszczęśni mieszkańcy zostali starci w proch.

Jednym z najsmutniejszych dla mnie wydarzeń było zbombardowanie sowieckiej politechniki. Gdy Afganistan był zależny od ZSRR, Sowieci wybudowali tu wiele placówek edukacyjnych. Choć wszyscy Afgańczycy chcieli się pozbyć Armii Czerwonej, wielu z nich czuło pewną wdzięczność wobec okupantów, którzy przyczynili się przecież do rozwoju kraju. Na politechnice, która po odejściu Sowietów nie zaprzestała działalności, wielu młodych ludzi studiowało informatykę, architekturę czy inżynierię. Uczył się tam nawet sam Ahmad Szah Masud.

Jako mała dziewczynka zawsze marzyłam, by móc tam kiedyś studiować. Marzenie to legło w gruzach, kiedy została zniszczona biblioteka politechniki. Zapadał już zmrok i walki zaczynały powoli wygasać. Nie wiem nawet, czy ten, kto odpalił rakietę, zamierzał zniszczyć właśnie uczelnię i to, co sobą symbolizowała. Żadna z walczących stron nie wykorzystywała jej gmachu jako swojej bazy, więc może rzeczywiście było to dzieło przypadku. Nawet jeśli tak, rezultat był ten sam. Gdy rakieta uderzyła w ścianę biblioteki, krzyknęłam przerażona. A potem – niczym podczas oglądania horroru, kiedy nie chcesz patrzeć na ekran, ale nie możesz oderwać od niego oczu – obserwowałam z narastającą zgrozą, jak płomienie pochłaniają budynek. Wewnątrz znajdowały się tysiące książek, z których uczyło się wielu młodych Afgańczyków. Teraz podsycały one tylko szalejący pożar. Oczywiście nie zjawiła się straż pożarna. Nikt nie popędził, by ratować zbiory, które mogłyby pomóc w rozwoju kraju i wykształceniu jego obywateli. W ogóle nikt poza mną zdawał się nie zauważać, co się dzieje. Obserwowałam pożar, aż wreszcie nadeszła pora, by iść spać. Jak otępiała położyłam się do łóżka, myśląc tylko o tym, ile słów, książek i wiedzy zniknęło bezpowrotnie. Naraz poczułam wyrzuty sumienia, że tak bardzo żal mi książek, gdy wokół ginie tylu ludzi.

Matka szybko ustaliła w nowym domu porządek dnia. Każdego ranka budziła się, jadła skromne śniadanie złożone z chleba *naan* i zielonej herbaty, po czym udawała się w najeżoną niebezpieczeństwami drogę na grób Mukima. Najpierw szła na skróty, krętymi alejkami i skalistymi ścieżkami biegnącymi w dół wzgórza, potem pochylona przekradała się przez otwartą przestrzeń aż do cmentarza. Zawsze wracała z opuchniętymi od płaczu oczami.

Ta codzienna rutyna przygnębiała ją, ale – na przekór grożącemu jej niebezpieczeństwu – czyniła silniejszą, bardziej energiczną. Po powrocie do domu matka zazwyczaj rzucała się w wir porządków. Choć nasi krewni mieszkali tam już od pewnego czasu i strzegli całej posiadłości, nie udało im się zmienić tego miejsca w prawdziwy dom. Bibi Jan zabrała się więc do dzieła, urządzając wszystko na nowo i dekorując. Meble zostały wyczyszczone i przewietrzone, dywany wytrzepane, garnki i patelnie wyszorowane, wypolerowane, aż lśniły czystością. Podwórko pozamiatano i uprzątnięto z niego wszystkie śmieci.

Niekiedy matka siadywała w pokoju Mukima i rozpaczliwie łkała. Nigdy w nim jednak nie sprzątała. Zostawiła go w takiej postaci, w jakiej go zastałyśmy – zniszczony, poznaczony kulami. Stało się dla nas jasne, że tak długo, jak tu będziemy mieszkać, sypialnia brata ma pozostać nietknięta, chyba że matka zdecyduje inaczej. Mukim miał być zapamiętany nie z powodu swojej gwałtownej śmierci, ale ze względu na to, jaki był za życia: radosny i piękny jak jedwabne kwiaty na jego grobie. Mirszakaj starał się nas odwiedzać co dzień. Delikatnie mówiąc, nie pochwalał decyzji matki o przeprowadzce. Szanował ją jednak i zgodził się, byśmy na razie tu zamieszkały. Czasami przyjeżdżały z nim jego żona albo moje siostry i wtedy wszyscy zasiadaliśmy do takiej kolacji, jaką jadaliśmy w spokojniejszych czasach. Śmialiśmy się i plotkowaliśmy, ale mimo wesołego nastroju nikt z nas nie mógł uciec od dręczącego, instynktownego niepokoju o najbliższą przyszłość.

Dla kabulskiej klasy średniej nadszedł moment przełomowy. Jak dotąd większość jej przedstawicieli zamierzała przeczekać walki i zobaczyć, co się wydarzy. Przedwczesny wyjazd oznaczał pozostawienie domu na łasce złodziei. Ale ponieważ od dawna nic nie zapowiadało bliskiego końca wojny, wielu intelektualistów i fachowców uciekło do Pakistanu. Czekała ich niepewna przyszłość, pakowali więc do samochodów tylko niezbędne rzeczy – głównie ubrania, dokumenty, kosztowności – i starali się zabezpieczyć domy oraz, korzystając z chwilowej przerwy w walkach, wymknąć się z miasta. Do Pakistanu zwykle wyjeżdżali tylko mąż z żoną (lub żonami) i dziećmi. Starsi członkowie wielopokoleniowych rodzin i dalsi krewni zostawali, by strzec domu, próbując związać jakoś koniec z końcem.

Uciekinierów nikt nie potępiał. Wielu z tych, co zostało, postąpiłoby tak samo, gdyby tylko miało szansę. W miarę jak walki się zaostrzały, decyzja o wyjeździe wydawała się jeszcze bardziej słuszna. Pewnego ranka w naszych drzwiach stanął człowiek, którego znałam jako przyjaciela Mirszakaja. Przejechał właśnie przez okolice, w których trwały wyjątkowo zaciekłe walki i sprawiał wrażenie wystraszonego tym, co tam zobaczył. Nalegał, abyśmy natychmiast z nim pojechały. Mój brat wysłał go, by nas zabrał z powrotem do mieszkania w Makrorian. Matka, mimo usilnych próśb, nie zgodziła się z nim pójść. Stanowczo powiedziała, że nie zostawi grobu syna bez opieki i cokolwiek ów posłaniec powie lub zrobi, i tak nie nakłoni jej do zmiany decyzji. Była niewzruszona. Powiedziała, że bez względu na ryzyko nie opuścimy domu.

I tak zapewne myślała w tamtym momencie. Ale to, o czym dowiedziała się kilka godzin później, gdy wyszła zrobić zakupy, sprawiło, że w jednej chwili zmieniła zdanie. Poprzedniej nocy oddział mudżahedinów wdarł się do jednego z sąsiednich domów i zgwałcił wszystkie znajdujące się w nim kobiety i dziewczęta. Matka nie dbała o swoje bezpieczeństwo, najważniejsze było dla niej dziewictwo jej córki.

W kulturze afgańskiej gwałt jest wyjątkowo potępiany, ale w czasie wojny należy do najczęstszych zbrodni. Gwałciciel może zostać skazany na śmierć, zgwałcona kobieta musi wycierpieć o wiele dłuższą karę, stając się pariasem nawet dla własnej rodziny. Ofiarę gwałtu często traktuje się jak wyrzutka lub nierządnicę, jakby sama zrobiła coś, co sprowokowało atak lub rozpaliło żądze w mężczyźnie, który postradawszy w ten sposób zdrowy rozsądek, nie mógł zapanować nad popędem. Żaden Afgańczyk nie poślubi kobiety, która została zgwałcona. Każdy chce mieć pewność, że jego narzeczona jest czysta. Nie ma najmniejszego znaczenia, że nie straciła dziewictwa z własnej woli.

Matka, choć wcześniej obstawała przy tym, byśmy zostały, teraz ponaglała mnie do opuszczenia domu. Nie wdawała się w szczegóły nocnego ataku, tylko kazała czym prędzej się spakować. Byłam przerażona, ale wiedziałam, że w tej sytuacji lepiej się z nią nie spierać. Uciekałyśmy. Natychmiast.

Posłaniec brata już odjechał, więc do Makrorian mogłyśmy dostać się tylko na piechotę. Wciąż prześladowały mnie wspomnienia z pierwszej takiej wyprawy przez miasto i na samą myśl, że mam to zrobić ponownie, zbierało mi się na mdłości. Musiałyśmy przebiec bulwarami pod ogniem snajperskim i przedostać się przez posterunki wojskowe, ale najbardziej przerażała mnie myśl o tym, że natkniemy się na ciała zabitych. Matka zostawiła krewnym wskazówki co do opieki nad domem, a potem, rozglądając się nerwowo, wyszłyśmy na ulicę. Zaczęłyśmy biec. Wiedziałyśmy, że czeka nas długa droga, ale chyba po prostu chciałyśmy to mieć jak najszybciej za sobą. Biegłyśmy od domu do domu, uważając, by nie pozostawać zbyt długo na otwartej przestrzeni, przyglądając się drzwiom i zaciemnionym oknom w poszukiwaniu jakichkolwiek śladów ruchu, wsłuchując się w odgłosy strzałów, które mogłyby zdradzić stanowisko snajpera lub karabinu maszynowego.

Nie uszłyśmy daleko, gdy na drogę wypadła kobieta. Stanęła oszołomiona, krzycząc histerycznie:

– Moja córka! Moja córka!

Poznałam po akcencie, że była Hazarką.

Tak się bałam, że nie mogłam otworzyć ust, aż wreszcie matka zapytała ją, co się stało. Kobieta nie była w stanie nad sobą zapanować, jej głowa trzęsła się, a niebieski kaptur burki drżał przy każdym spazmie rozpaczy. Jej dom został zniszczony podczas walk. Razem z córką musiały z niego uciekać. Znalazły schronienie w szyickim meczecie, gdzie skryło się około stu pięćdziesięciu innych kobiet, których mężowie zginęli lub utknęli w samym środku walk.

Meczet został ostrzelany i wybuchł w nim pożar. Gdy kobieta nam to opowiedziała, przypomniałam sobie, że widziałam wcześniej z okien domu płonący w oddali budynek. Pożar rozprzestrzeniał się w błyskawicznym tempie. Ci, którzy przeżyli eksplozję, rzucili się do wyjścia, ale w kłębach dymu i ogólnym zamieszaniu dziesiątki osób zostało stratowanych, wiele z nich udusiło się lub spłonęło. Kobieta powiedziała nam, że z córką znajdowały się niedaleko miejsca, w które uderzyła rakieta. Wybuch przewrócił je na ziemię, zasypując odłamkami betonu i dachówek. Kiedy doszły do siebie, meczet stał już cały w płomieniach. Wszyscy uciekali w popłochu. Jedyne źródło światła pochodziło z sięgających coraz wyżej płomieni. Niektóre kobiety starały się odciągnąć swoje dzieci w bezpieczniejsze miejsce, przy okazji zadeptując inne. Zewsząd rozlegały się ogłuszające krzyki matek próbujących odnaleźć w ciemnościach swoje pociechy, co jeszcze potęgowało panikę.

Córka Hazarki wypatrzyła spowodowaną wybuchem wyrwę w murze, przez którą udało im się przecisnąć na zewnątrz. Ukrywały się całą noc, a wczesnym rankiem, wyczerpane, odwodnione i wygłodniałe, zbliżyły się do posterunku mudżahedinów. Kobieta była ostrożna. Kazała córce zostać w ukryciu, a sama podeszła do dowódcy, prosząc o pozwolenie na przejście. Gdy tylko żołnierz się zgodził, zawołała córkę.

Na ten moment czekali mudżahedini. Złapali dziewczynę. Dowódca zaciągnął ją do stalowego kontenera transportowego, który służył mu jako kwatera polowa. Tam rzucił ją na stół i zgwałcił na oczach matki. Dziewczyna wzywała jej pomocy, lecz pozostali mężczyźni trzymali kobietę, zmuszając ją do patrzenia.

Niektórym mudżahedinom gwałty uchodziły bezkarnie – tego każda kobieta bała się najbardziej. W tej sytuacji żołnierze mogli się jednak kierować dodatkowym motywem. Niekiedy Hazarki celowo wybierano na ofiary gwałtu lub obcinano im piersi. Pośród półtora miliarda muzułmanów na całym świecie sunnici stanowią największe ugrupowanie religijne. Główna różnica między sunnitami a pozostałymi odłamami islamskimi sprowadza się do historycznego sporu o to, kto jest prawowitym następcą Mahometa. Sunnici wierzą, że jego prawdziwymi następcami są czterej pierwsi kalifowie, czyli przywódcy duchowi, szyici zaś uważają, że jest nim kuzyn i zarazem zięć Proroka, Ali ibn Abi Talib. Ten konflikt jest niemal tak stary jak sam islam i zapisał się jako jeden z najbardziej zażartych i najkrwawszych w dziejach religii na całym świecie. Podczas wojny domowej Hazarowie padali ofiarami pogromów właśnie dlatego, że byli szyitami. W późniejszych latach byli atakowani przez talibów, którzy uważali ich za niewiernych. Obecnie wielu Hazarów wciąż żyje w poczuciu, że wszyscy odnoszą się do nich z pogardą.

Gdy dowódca mudżahedinów skończył się znęcać nad dziewczyną, po prostu wyjął pistolet i ją zastrzelił, jakby pozbywał się czegoś obrzydliwego. Kobietę puścił wolno.

Wysłuchawszy tej opowieści, matka nie mogła znaleźć żadnych słów pociechy. Ścisnęła mocno dłoń biednej Hazarki, a następnie wziąwszy mnie za rękę, poprowadziła nas dalej. Biegłyśmy ramię w ramię przez zniszczone ulice, przeskakując przez zwłoki, omijając spalone samochody i zrujnowane budynki. Nie zwalniałyśmy, przerażone tym, co może nas spotkać i co usiłowałyśmy zostawić za sobą. Skręciwszy za róg, ujrzałyśmy najcudowniejszy widok, na jaki mogłyśmy liczyć – taksówkę.

Matka błagała Hazarkę, by pojechała z nami do mieszkania Mirszakaja. Kobieta odmówiła, twierdząc, że poszuka krewnych mieszkających za miastem. Mimo perswazji pozostała nieugięta. Taksówkarz zaczął nas ponaglać. Wsiadłyśmy więc i pojechałyśmy do mieszkania. Gdy brat nas zobaczył, nie wiedział, czy ma się cieszyć, czy nas zbesztać. Był wściekły na matkę, że nie przyjechała wcześniej samochodem z mężczyzną, którego po nas posłał. Gdy się dowiedział, że przyszłyśmy tu same, i kiedy usłyszał historię hazarskiej kobiety, rzucił tylko matce pełne złości spojrzenie – naraziła mnie przecież na podobny los, jaki spotkał tamtą nieszczęsną dziewczynę. Szybko jednak zapomniał o całej sprawie. Liczyło się tylko to, że dotarłyśmy do domu i na razie nic nam nie groziło.

W matce zaszła jednak pewna zmiana. Z tygodnia na tydzień, z miesiąca na miesiąc stawała się coraz słabsza. Zaczęła mieć problemy z oddychaniem. Przez całe życie cierpiała na różne alergie, ale teraz jej stan zdrowia znacznie się pogorszył. Uczulenie wywoływały najdrobniejsze rzeczy – tanie perfumy, zapach smażonego jedzenia, a nawet kurz niesiony przez wiatr – które znacznie utrudniały oddychanie. Próbowała nas przekonywać, że czuje się dobrze i nie ma powodów do zmartwień, ale widzieliśmy, jak więdnie w oczach. Wciąż jednak poświęcała mi bardzo dużo uwagi, przygotowując mi posiłki, gdy się uczyłam, upierając się, bym chodziła na lekcje angielskiego i czekając na mój powrót do domu.

Gdy nadeszła zima, odniosłam wrażenie, że cały świat przestał interesować się Afganistanem. Wszyscy wydawali się zadowoleni, że Sowieci zostali pokonani i wrócili do siebie – i to wszystko, co Zachód chciał wiedzieć. Dla Pakistanu oraz Iranu – czyli państw sąsiednich, żywo zainteresowanych tym, co się dzieje tuż za ich granicami – mudżahedińscy przywódcy stali się kimś w rodzaju pełnomocników wykorzystywanych do własnych gier wojennych prowadzonych na neutralnym terenie. A gdy mudżahedini walczyli o władzę, załatwiali ze sobą stare porachunki i zawierali sojusze z rządami sąsiednich państw, w Afganistanie wyrosła nowa siła. Zaczęła rozwijać się w medresach (szkołach koranicznych) na południu kraju. Członkowie tego ruchu, talibowie, pewnego dnia mieli wstrząsnąć nie tylko Afganistanem, lecz także całym światem.

Kochane Szuhro i Szaharzad,

życie jest cudem podarowanym nam przez Boga. Czasami może się wydawać zarówno błogosławieństwem, jak i przekleństwem. Niekiedy staje się nie do zniesienia, ale potrafimy się z nim uporać, ponieważ ludzie są bardzo wytrzymali na ból i cierpienie.

Nie jesteśmy jednak doskonali. Doskonały jest tylko Bóg. Ludzie są jak małe, drobne owady w bezkresnym wszechświecie. Nasze problemy, które nam wydają się tak duże i nie do pokonania, w istocie wcale takimi nie są.

Nawet jeśli żyjemy długo, to czas spędzony przez nas na ziemi jest tak naprawdę bardzo krótki. Liczą się tylko dwie rzeczy: to, jak go wykorzystamy, i to, co zostawimy potomnym. Wasza babcia zostawiła nam znacznie większe dziedzictwo, niż mogła przypuszczać, a nawet zrozumieć, gdy jeszcze żyła.

Ściskam Was,
mama

TRACĄC JĄ

listopad 1993

Kiedy po raz pierwszy zobaczyłam swojego przyszłego męża, moja matka umierała. W ciągu ostatnich trzech miesięcy jej stan stopniowo się pogarszał, a teraz ledwo oddychała i była zbyt słaba, by chodzić. Trafiła do szpitala. Wszyscy przeczuwaliśmy, że to jej ostatnie chwile.

Tymczasem doszły mnie pogłoski, że pewien mężczyzna o imieniu Hamid z dystryktu Khawhan – znajdującego się w pobliżu mojej rodzinnej wioski w Badachszanie – chce mi się oświadczyć. Nigdy go nie spotkałam i niewiele o nim wiedziałam poza tym, że był typem intelektualisty i pracował jako nauczyciel.

Pewnej nocy, gdy siedziałam przy łóżku matki, grupa Badachszańczyków przyszła złożyć jej wyrazy uszanowania. Do sali weszło dziesięciu mężczyzn i choć nigdy wcześniej Hamida nie widziałam, to od razu go rozpoznałam. Był młody, miał smukłą sylwetkę i ładną, inteligentną twarz. Nie przypominał typowego mola książkowego, lecz sprawiał wrażenie osoby wyrozumiałej i ciekawej świata. Należał do tego rodzaju ludzi, którzy od razu budzą sympatię. Nie dałam tego po sobie poznać, ale bardzo się ucieszyłam, że mój adorator jest przystojny. Poczułam się jednocześnie zakłopotana, gdyż nasza kultura nie dopuszcza, aby kobieta spotykała się z mężczyzną, który zamierza ją poślubić, przed przyjęciem oświadczyn. Miałam wtedy zaledwie osiemnaście lat. Nie byłam nawet pewna, czy w ogóle chcę wychodzić za mąż. Starałam się zatem nie patrzeć na Hamida wprost – to zostałoby bardzo źle odebrane. Jednak w ciasnej szpitalnej sali nie dało się uniknąć choćby przelotnych spojrzeń.

Matka siedziała w wózku inwalidzkim, czując się tak słabo, że ledwie mogła mówić. Wciąż jednak usiłowała być uprzejmą gospodynią, nadskakując gościom i troszcząc się o ich wygodę. Było to dla niej takie naturalne. Serce mi się krajało na jej widok. W pewnym momencie matka poprosiła, bym zdjęła z jej kolan koc i przesunęła ją z wózkiem w stronę słońca. Hamid zerwał się, by mi pomóc. Traktował matkę z wielką delikatnością. Troskliwie poprawiał poduszkę za jej głową. Absolutnie zaskoczona takim zachowaniem, pomyślałam, że to szczególny mężczyzna – rzadko się przecież spotyka Afgańczyka odnoszącego się do kobiet z serdecznością. A on mógłby mnie właśnie traktować serdecznie.

O tym samym musiała pomyśleć matka. Gdy mężczyźni wyszli, wzięła bowiem moją dłoń w swoje ręce, spojrzała mi w oczy i powiedziała:

– Fawziu, chcę, żebyś była szczęśliwa w małżeństwie. Lubię tego mężczyznę. Myślę, że będzie dla nas dobry. Kiedy wyzdrowieję, obie zamieszkamy razem z nim.

Zamilkła, czekając na reakcję z mojej strony, a kiedy uśmiechnąwszy się, przytaknęłam, jej twarz pojaśniała. Załzawione, blade oczy matki znów rozbłysły energią i siłą. Odwróciłam się, ledwo powstrzymując łzy. Chciałam, aby matka mogła zamieszkać ze mną i z tym miłym człowiekiem, i żebym mogła się nią opiekować, tak jak ona opiekowała się kiedyś mną. Niczego nie pragnęłam bardziej. Lecz z każdą chwilą ona robiła się coraz słabsza.

Noc spędziłam w szpitalu, nie chcąc odstępować matki ani na krok. Następnego dnia dowiedziałam się, że Hamid złożył propozycję małżeństwa. Zgodnie z tradycją mężczyźni z jego rodziny przyszli do naszego domu, by porozmawiać z moim bratem. Tej nocy jednak Mirszakaj również przebywał w szpitalu. Oświadczyny nie zostały więc przyjęte, bo do tego potrzebna jest obecność głowy rodu.

Nazajutrz rano jedna z lekarek, serdeczna kobieta z siwymi włosami i zielonymi oczami, poprosiła mnie o rozmowę na osobności. Chciała powiedzieć mi to samo, co poprzedniej nocy przekazała już mojemu bratu.

– Fawziu – zaczęła łagodnie – dla wszystkich drzew po okresie kwitnienia nadchodzi czas więdnięcia. Takie są prawa natury. Czas zabrać twoją mamę do domu.

Rozumiałam, co ma na myśli. Matka umierała i nie było już dla niej żadnej nadziei. Zanosząc się płaczem, usiłowałam przebłagać lekarkę, by pozwolono jej zostać w szpitalu. Może niech wypróbują jakiś nowy lek, przecież musi być jakaś nadzieja, na pewno mogą coś jeszcze zrobić... Lekarka przytuliła mnie i pokręciła tylko w milczeniu głową. Nie było już ratunku.

Zabraliśmy matkę do domu, starając się zapewnić jej jak najlepsze warunki. Oczywiście nie zgodziła się leżeć ani odpoczywać, zamiast tego upierała się, że dalej będzie zajmowała się prowadzeniem domu. Pewnego razu mój brat zażartował nawet, że jeśli sama nie zacznie oszczędzać sił, to będzie ją musiał związać. Położyłam się wtedy na chwilę razem z nią w łóżku.

Głaskałam ją po włosach i jak dawniej opowiadałam różne historie ze szkoły. Powiedziała, że jest ze mnie dumna i że nie może się nadziwić, iż córka niepiśmiennej kobiety zdobyła wykształcenie. A potem znów półżartem przypomniała mi, że jej zdaniem pewnego dnia mogę zostać prezydentem.

Zazwyczaj uwielbiałam, kiedy mówiła mi takie miłe rzeczy, jej wiara we mnie zawsze dodawała mi otuchy. Lecz tamtego dnia nie widziałam przed sobą nic poza ziejącą czarną dziurą i pustką nadchodzącej nieuchronnie śmierci. I tak zasnęłam. Około drugiej w nocy obudziło mnie wołanie matki. Znalazłam ją na podłodze. Nie chcąc nikogo budzić, usiłowała sama dostać się do łazienki. Pół niosąc, a pół ciągnąc ją za sobą, położyłam mamę do łóżka w salonie. Miałam wrażenie, jakbym trzymała w ramionach pisklę. Nigdy nie zapomnę tego okropnego widoku. Nie mogłam znieść, że ta wytrzymała i pełna godności kobieta, która tyle w życiu przeżyła – bicie, tragedie, śmierć męża, a potem syna – jest zbyt słaba, by o własnych siłach dojść do łazienki.

Gdy znów zasnęła, jej oddech stał się rzężący. Zaniosłam ją do sypialni i ułożyłam na materacu na podłodze. Inaczej niż w czasach, gdy żył ojciec – kiedy to matka albo dzieliła z nim łoże, albo spała na podłodze w kuchni – teraz miała własne łóżko. Była jednak za bardzo osłabiona, by się na nie wspiąć lub z niego zejść, więc sypiała na materacu. Podejrzewam, że w głębi duszy wolała spać na podłodze – z przyzwyczajenia.

Gdy matka spała na materacu, lubiła brać do siebie któreś z wnucząt – dzieci Mirszakaja. Tej nocy spała razem z sześciomiesięczną Katajun. Uśmiechnęłam się na widok maleńkich dziecięcych paluszków wplątanych we włosy mojej matki. Jako dziecko robiłam tak samo. Poczekałam, upewniając się, że matka naprawdę zasnęła, a potem wpełzłam do jej łóżka i też usnęłam.

Miałam tej nocy bardzo dziwne sny, w których widziałam jedynie ciemność i czułam strach. Usiłowałam uciec od tego lęku. Nagle się przebudziłam.

Spojrzałam na śpiącą na materacu matkę i zauważyłam, że koc, pod którym leży, w ogóle się nie unosi. Nie widać było żadnych oznak oddychania.

Podniosłam koc i zobaczyłam, że oddech matki był niemal niedostrzegalny. Moje krzyki obudziły resztę domowników. Brat miał właśnie rozpocząć poranne modlitwy. Wpadł do pokoju, ściskając w ręce Koran, aby przeczytać matce kilka wersetów na pożegnanie. Wrzasnęłam na niego, żeby przestał. Nie mieściło mi się w głowie, że ona lada moment może umrzeć.

Krzyknęłam, by wezwano doktora. Ktoś pobiegł do sąsiedniego domu, gdzie mieszkał lekarz. Przyprowadzili go po kilku minutach, ale on wciąż powtarzał to, o czym już wszyscy wiedzieliśmy. Matka umierała i nie mogliśmy na to nic poradzić. Usłyszałam jego słowa, lecz nie byłam w stanie ich pojąć:

– Bardzo mi przykro. Ona już prawie odeszła.

Czułam się, jakbym wypadła z piątego piętra. Wszystkie światła naraz zgasły. Z nieba zaczęły spadać gwiazdy, a ja chciałam zniknąć wraz z nimi. Nie wyobrażałam sobie życia bez matki.

Przez czterdzieści dni po jej śmierci na przemian pogrążałam się w nieświadomości i wynurzałam się z niej. Szok i trauma na pewien czas wyłączyły moje ciało z normalnego funkcjonowania. Przynajmniej przez kolejne sześć miesięcy znajdowałam się w fatalnym stanie psychicznym. Nie chciałam z nikim rozmawiać ani nigdzie wychodzić, nikt też w żaden sposób nie mógł do mnie dotrzeć. Nie wiem, czy w ogóle chciałam wtedy żyć. Moja rodzina okazała mi jednak niewiarygodne wsparcie. Nikt mnie nie ponaglał, dano mi tyle czasu na opłakiwanie matki, ile potrzebowałam. Pozostali również ją opłakiwali, ale wszyscy wiedzieli, że ze mną łączyła ją wyjątkowa więź.

Przez całe życie dzieliłam z nią sypialnię. Nie mogłam zasnąć, dopóki nie położyła się obok mnie, pozwalając mi wplatać palce w swe włosy. Teraz leżałam w nocy, wyobrażając ją sobie po tamtej stronie. Wciąż za nią płakałam, szlochałam rozpaczliwie niczym niemowlę.

Gdy minęło sześć miesięcy, a ja wciąż tkwiłam pogrążona w żałobie, moi najbliżsi zaczęli się obawiać, że nigdy się z tego nie otrząsnę. Podczas rodzinnego zebrania uradzono, że pomóc mi może tylko powrót do nauki. Matka umarła jesienią, teraz mieliśmy już wiosnę. Rozpoczynał się nowy semestr. Mirszakaj zaproponował, bym znowu zaczęła uczęszczać na lekcje angielskiego i zapisała się na zajęcia z obsługi komputera. Nawet ci bracia, którzy sprzeciwiali się mojej edukacji, zdawali sobie sprawę, że w tym momencie nauka stanowi jedyny powód, dla którego mogłabym chcieć żyć.

Gdy matka zachorowała, miałam podejść do końcowych egzaminów w szkole średniej. Tak się niepokoiłam o jej zdrowie, że do nich nie przystąpiłam, ale nauczyciele umożliwili mi zdawanie ich teraz. Gdybym do nich nie podeszła, byłoby to równoznaczne z niezaliczeniem. Nie miałam wyjścia. Musiałam pójść. I to oczywiście pomogło. Wróciłam do życia.

Zbliżały się moje dziewiętnaste urodziny. Zapisałam się na kursy przygotowujące do egzaminów wstępnych na studia, zdecydowałam bowiem, że chcę iść na medycynę i zostać lekarzem. Hamid wiedział, że chodzę na te zajęcia. Choć nie powinien, czasami przyjeżdżał samochodem i parkował na końcu ulicy. Sądził, że go nie widzę, lecz doskonale potrafiłam rozpoznać nie tylko jego samochód, lecz także siedzącego w nim mężczyznę. Nigdy jednak sama do niego nie podeszłam ani w żaden sposób go nie pozdrowiłam. Podobne zachowania w naszej kulturze są niedopuszczalne.

Po kilku tygodniach takich podchodów Hamid zdobył się na odwagę i podszedł do mnie. Przywitanie było bardzo formalne, nie rozmawialiśmy o osobistych sprawach ani o uczuciach. Zapytał, jak się miewa moja rodzina, a ja uprzejmie odpowiedziałam, i na tym się skończyło. W afgańskiej kulturze nie ma miejsca na zaloty ani randki. Nie mogliśmy nawet rozmawiać przez telefon. W tamtych czasach nie mieliśmy jeszcze komórek, zwykłe aparaty zaś nie działały, ponieważ wszystkie linie naziemne zostały uszkodzone podczas walk. Oboje szanowaliśmy obowiązujące normy społeczne i przestrzegaliśmy ich. Te krótkie wymiany zdań zupełnie mi wystarczały. Nawet jeśli zamieniliśmy ze sobą ledwie kilka słów, przez cały następny tydzień żyłam ich wspomnieniem, powtarzając je bez ustanku w głowie. Uśmiech Hamida ukoił nieco ból po stracie matki. Pamiętałam zresztą jej słowa: „Myślę, że będzie dla nas dobry".

Tymczasem walki zaczęły wygasać. Kabul wciąż był miastem podzielonym, z różnymi frakcjami mudżahedinów kontrolującymi poszczególne jego części. Niemniej ugrupowania te rozpoczęły ze sobą negocjacje w sprawie zawieszenia broni, a nowy rząd zajął się sporządzeniem projektu konstytucji. Większość osób odczytało to jako znak, że wojnę mamy za sobą. Żołnierze nie patrolowali już ulic i można było spokojnie wyjść na miasto bez burki. Oczywiście, zawsze zakrywałam głowę chustą, ale z dumą mogłam teraz nosić dżinsy i modne, długie, haftowane tuniki w jaskrawych kolorach.

Ludzie na ulicach odczuwali wyraźną ulgę. Kina – zamknięte z powodu walk – teraz znów otwarto, wyświetlając najnowsze hinduskie filmy. Do parków, w których jeszcze niedawno ukrywali się snajperzy, wróciły dzieci. Gdy uliczni sprzedawcy poczuli, że mogą już bezpiecznie wyjść z ukrycia, centrum Kabulu znów zaroiło się od ludzi i rozniósł się po nim zapach kebabów. Niezłomny duch miasta ponownie dał o sobie znać.

Moje życie również zaczęło wracać do normalności, choć wciąż nie mogłam się do końca otrząsnąć z szoku po śmierci matki. Miałam wówczas piękną lalkę, którą sadzałam w wózku razem z pluszowym psem. Byłam za duża na zabawę lalkami, ale potrzebowałam poczucia bezpieczeństwa oraz pocieszenia, a ta lalka w pewnym sensie mi to zapewniała. Potrafiłam godzinami rozczesywać jej włosy i ubierać ją w ładne ubranka albo obsesyjnie układać kwiaty w wazonie obok jej wózka.

W tamtym czasie nie tylko Hamid proponował mi małżeństwo. Różni dowódcy mudżahedińscy przychodzili do braci, prosząc o moją rękę. Na szczęście bracia nigdy nie zmusiliby mnie do wyjścia za mąż wbrew mojej woli. Mogłam zaakceptować narzeczonego. A im bardziej porównywałam tych mężczyzn z Hamidem, tym mocniej utwierdzałam się w przekonaniu, że to właśnie jego chcę poślubić. Nie chciałam zostać żoną żołnierza, lecz intelektualisty o łagodnych oczach.

Hamid z wykształcenia był inżynierem, ale zajmował się prowadzeniem małego kantoru. Wykładał również na uniwersytecie chemię, na pół etatu. Perspektywa poślubienia wykładowcy akademickiego, prowadzącego w dodatku własny interes, wydawała mi się znacznie bardziej romantyczna niż myśl o byciu żoną kogoś, kto na życie zarabia karabinem.

Krewni Hamida kilkakrotnie przychodzili rozmówić się z moimi braćmi i składali propozycję małżeństwa, ale za każdym razem spotykali się z odmową. Bracia najbardziej obawiali się tego, że jego rodzina nie jest tak zamożna jak nasza, a różnice między naszym stylem życia a ich okażą się zbyt poważne. Hamid nie miał innych źródeł dochodu poza pensją, dzięki której wiązał jakoś koniec z końcem. Braciom natomiast zależało, abym kontynuowała rodzinną tradycję, rozszerzając alianse poprzez małżeństwo z kimś z rodziny liczącej się politycznie. Hamid z takiej nie pochodził.

Mirszakaj uczciwie przedstawił mi sprawę. Powiedział, że wie, jak bardzo lubię Hamida, ale sprzeciwiając się temu małżeństwu, stara się mnie tylko ochronić.

– Fawziu, jak sobie poradzicie, jeśli on straci pracę? Wychowałaś się w rodzinie, w której nikt, aby wyżyć, nie musiał polegać jedynie na miesięcznej pensji. Wyobraź sobie, że co miesiąc trzeba będzie się martwić, skąd wziąć pieniądze, by opłacić czynsz i kupić jedzenie.

Nie przejmowałam się jednak jego obawami. Zawsze chciałam pójść do pracy. Zdobyte wykształcenie dawało mi wiele możliwości wyboru zawodu. Moglibyśmy oboje pracować i razem utrzymywać dom. Bylibyśmy drużyną, prawdziwymi partnerami. Pragnęłam takiego życia, w którym mogłabym podejmować decyzje wspólnie z mężem. Niestety, nie mogłam wyjaśnić tego bratu. Nie mogłam mu powiedzieć o uczuciach, które żywiłam wobec Hamida, ani o naszych rozmowach przed uniwersytetem. Mirszakaj nigdy by na to nie pozwolił. Jednak-że moje milczenie i wyraz cierpienia na twarzy, gdy brat tak niepochlebnie wyrażał się o Hamidzie, raczej nie pozostawiały złudzeń co do moich uczuć.

Próbowałam pozyskać wsparcie sióstr, sądząc, że pomogą mi przekonać Mirszakaja, lecz i one sprzeciwiały się poślubie-niu Hamida. Wszystkie chciały dla mnie jak najlepiej, a ich zdaniem najbardziej liczyło się dostatnie życie i wysoka pozycja społeczna. Opowiadały mi, że bywały na przyjęciach wesel-nych, podczas których tysiące gości obdarowywało pannę mło-dą tyloma kilogramami złota i kosztowności, ile sama ważyła. Próbowały roztoczyć przede mną równie kuszącą wizję wesela, jakie mogłabym mieć, wychodząc za mąż za jednego z bogat-szych zalotników. To jednak nie miało dla mnie najmniejszego znaczenia. Jaki jest pożytek ze złota? Jedyny dar, którego prag-nęłam, to wolność. W takim życiu, jakiego wszyscy dla mnie pragnęli, czułabym się jak ptak uwięziony w złotej klatce.

Pochodziłam z rodziny, w której poligamia była normą, ale ja nie chciałam żyć w ten sposób. Mój ojciec miał siedem żon, a obaj starsi bracia poślubili po dwie. Widziałam już do-statecznie dużo cierpienia i zawiści, jakie taki układ wywołuje między kobietami. Wielu z ubiegających się o mnie mężczyzn miało już żony, byłabym drugą lub trzecią z nich. Nie chcia-łam niszczyć życia innej kobiecie w taki sam sposób, w jaki następne żony ojca niszczyły życie mojej matce. Nigdy też nie poradziłabym sobie z nieodłącznym w tej sytuacji poczuciem uwięzienia. Sądzę, że już po tygodniu takiego małżeństwa za-częłabym myśleć o samobójstwie.

Nadeszła kolejna zima. Miałam już wówczas dyplom z angielskiego i zaczęłam uczyć jako wolontariuszka. To było niezwykłe przeżycie – widzieć, jak twarze moich uczennic w każdym możliwym wieku jaśnieją, gdy w końcu zaczynają rozumieć obcy język. Uwielbiałam to. Nie pobierałam za naukę pieniędzy, ale jednego dnia kierownik kursu wręczył mi około dwóch tysięcy afgani, czyli równowartość czterdziestu dolarów. Moje pierwsze wynagrodzenie – niemal popłakałam się z radości. Nie wydałam zarobionych pieniędzy, schowałam je do portmonetki i od czasu do czasu rzucałam na nie okiem. Chciałam zatrzymać je tam na zawsze.

Gdy spadł śnieg, wreszcie poczułam się szczęśliwa. Zdałam egzaminy wstępne i dostałam się na medycynę. Pracowałam jako nauczycielka i cieszyłam się pewną niezależnością. W moim sercu wciąż jednak ziała otwarta rana po stracie matki, choć ból stępiał już do dającego się znieść poziomu.

Walki wybuchały już tylko sporadycznie. Rząd Rabbaniego osiągnął pewien stopień stabilizacji. Latem 1995 roku zawarto porozumienie pokojowe. Hekmatjar zgodził się złożyć broń w zamian za stanowisko premiera. Głównym motywem tej ugody były jednak rosnące na południu kraju wpływy talibów.

Niewiele o nich wiedziano poza tym, że pobierali nauki w medresach na pograniczu afgańsko-pakistańskim. Krążyło o nich mnóstwo historii. Mówiło się na przykład, że ubierali się na biało i nazywali siebie aniołami ocalenia. Ludzie mieszkający na południu kraju, zresztą tak jak wszyscy Afgańczycy, czuli się już zmęczeni ciągnącą się w nieskończoność wojną domową, szerzącym się bezprawiem i słabością rządu. Gdy w Kabulu trwały walki, ludzie żyjący w pozostałych prowincjach czuli się lekceważeni i pozostawieni samym sobie. Skrajna bieda nie dość że wcale nie zniknęła, to jeszcze została spotęgowana przez szalejący wokół chaos. Wszyscy desperacko czekali na władze, które zapewniłyby im pomoc.

Samozwańczy aniołowie przybyli do tych wiosek pikapami i od razu zabrali się do przywracania w nich porządku oraz bezpieczeństwa. Pojawili się niczym mściciele, lecz dla tych, którzy bali się posłać dzieci do szkoły albo otworzyć sklep (z powodu groźby ograbienia), stali się gwarantem bezpieczeństwa. A to wystarczyło, by nabrać do nich zaufania.

Wojna domowa dobiegła końca, bojownicy zdołali dokonać pokojowego podziału władzy i całkiem nieźle radzili sobie w rządzeniu państwem, a dopiero co zawarty układ między mudżahedinami wreszcie umożliwiał sprawne funkcjonowanie rządu. Było to jednak za mało i przyszło zbyt późno, by uspokoić zdesperowaną ludność. Zapanował pokój, który w Afganistanie jest stanem równie przelotnym i kruchym jak żywot motyla. Afgański lud już zaczął się rozglądać za nowymi bohaterami, którym mógłby zawierzyć. Talibowie znajdowali się zaś na fali wznoszącej.

CZĘŚĆ
DRUGA

Kochana Mamo,

wciąż czekam z nadzieją, że wrócisz. Nawet w tej chwili oddech więźnie mi w gardle, gdy sobie uświadamiam, że nie ma Cię już wśród nas. Teraz jestem politykiem. Czasem jednak zachowuję się jak niemądra dziewczynka, która ciągle popełnia błędy. Zawsze wtedy wyobrażam sobie, że pojawiasz się, by mnie delikatnie skarcić i poprawić. Kiedy wracam do domu później niż zwykle, wciąż spodziewam się, że będziesz na mnie czekać na podwórku, ubrana w burkę, szturchniesz mnie w plecy i popędzisz w stronę drzwi.

Wciąż marzę o tym, by móc zasnąć zwinięta obok Ciebie, jak to miałam w zwyczaju niemal do ostatnich Twoich dni. Chcę położyć się przy Tobie, wsunąć palce w Twoje włosy i słuchać opowieści o Twoim życiu, o dobrych i złych czasach, o cierpieniu, wytrwałości i nadziei.

Mamo, Twoje opowieści nauczyły mnie, jak mam żyć.

Nauczyły mnie, że jako kobieta powinnam umieć znosić ból z cierpliwością. Pamiętam takie chwile z dzieciństwa, kiedy czułam się nieszczęśliwa – gdy któryś z braci zabraniał mi pójścia do szkoły albo gdy nie mogłam się skupić na lekcjach, albo gdy widziałam, jak ojciec koleżanki przyjeżdża po nią do szkoły eleganckim samochodem, albo gdy moja przyjaciółka,

Nooria, opowiadała o swoim ojcu. W takich chwilach zawsze ogarniało mnie straszliwie przygnębienie z powodu śmierci ojca i smutek przepełniał mi serce. W takich momentach myślałam, że jestem najsłabszą i najbiedniejszą dziewczyną na świecie – ale kiedy tylko przypominałam sobie Twoje opowieści, od razu czułam się silniejsza. Jak mogłam się tak rozczulać nad sobą, skoro Ty wyszłaś za mąż, mając zaledwie szesnaście lat? A potem tak często znosiłaś kolejne małżeństwa ojca, lecz mimo tego cierpienia zostałaś z nim i innymi żonami, aby Twoje dzieci miały szansę na lepszą przyszłość...

Liczyło się dla Ciebie nade wszystko to, żeby ojciec czuł się jak najlepszy człowiek na świecie, dlatego przyrządzałaś dla jego gości zawsze najsmakowitsze potrawy i utrzymywałaś wokół domu nieskazitelny porządek. Dlatego też zawsze byłaś miła dla innych żon, aby nie wzbudzać ich zazdrości, a przez to nie przysparzać mu zmartwień. Kiedy ojca nie było na miejscu, wykorzystywałaś swoją wrodzoną mądrość, by pomagać ludziom w rozwiązywaniu problemów. A kiedy ojciec zginął, to Ty zatroszczyłaś się, by jego dzieci poszły do szkoły – zarówno chłopcy, jak i dziewczynki – i zamieszkały z Tobą pod jednym dachem. Tak bardzo zależało Ci, aby moi bracia wyrośli na dobrych ludzi, którzy zrobią coś ważnego dla swego kraju. Dla nich też się poświęcałaś i nierzadko głodowałaś, aby tylko mogli studiować.

Gdy sobie to przypominam, wciąż nie mogę się nadziwić, że mimo tych wszystkich problemów i ciążącej odpowiedzialności potrafiłaś się śmiać. Śmiałaś się nieustająco.

Chciałabym móc się zmierzyć z moimi problemami, śmiejąc się, tak jak Ty.

Mamo, w Twoich opowieściach zawierał się cały mój świat.

Co ciekawe, im stawałam się starsza, tym chętniej słuchałam tych nocnych opowieści: uspokajały mnie i czułam się dzięki nim bezpieczna. Może w ten sposób próbowałam uciec od toczącej się dookoła wojny.

W Tobie szukałam schronienia przed okrutną rzeczywistością. Te chwile, gdy kończyłaś swoje historie i całą uwagę poświęcałaś mnie, wspominam jako najwspanialsze w życiu. Przepowiadałaś mi wtedy, że będę kimś ważnym. Powtarzałaś słowa ojca wypowiedziane tuż po moich narodzinach, że gdy dorosnę, będę taka jak Ty: piękna, mądra, rozsądna i serdeczna. Nie były to może słowa wielkiej wagi, ale dawały mi natchnienie, by walczyć o lepsze życie.

Na pytanie o to, kim zostanę, uśmiechałaś się i odpowiadałaś: „Może nauczycielką lub lekarką z własną kliniką, w której za darmo będziesz leczyć ubogich ludzi. Będziesz dobrym lekarzem". Wtedy wybuchałam śmiechem i mówiłam: „A może zostanę prezydentem". Pewnego razu usłyszałam bowiem, jak mówisz do sąsiadki: „Fawzia tak pilnie się uczy. Jestem pewna, że kiedyś wybiorą ją na prezydenta".

Z tych opowieści wyniosłam tyle wiedzy o życiu.

Przy nikim nie czułam się tak bezpieczna i spokojna jak przy Tobie, Mamo. Od Ciebie nauczyłam się, co tak naprawdę oznacza poświęcenie się dla kogoś. Dowiedziałam się, że samo wykształcenie nie wystarcza, by dobrze wychować dzieci; naprawdę liczy się bowiem inteligencja, cierpliwość, umiejętność planowania i zdolność do wyrzeczeń. Jesteś dla mnie wzorem afgańskich kobiet, które, podobnie jak Ty, potrafią zdobyć się na największe wyrzeczenia, byleby tylko ich dzieci mogły pójść do szkoły.

Nauczyłam się od Ciebie, że każdy człowiek, nawet „biedna dziewczyna", może zmienić wszystko, jeśli tylko ma pozytywne nastawienie do życia i wystarczająco dużo determinacji.

Mamo, byłaś najdzielniejszą spośród najdzielniejszych afgańskich kobiet. Cieszę się, że nie doświadczyłaś tych okrucieństw, jakie spadły na nas wraz z pojawieniem się talibów.

Twoja córka,
Fawzia

ZWYKŁY CZWARTEK

1996

Nie zapomnę dnia, kiedy talibowie wkroczyli do Kabulu. Stało się to w pewien wrześniowy czwartek. Tego dnia nie poszłam na uczelnię, zostałam w domu, żeby się uczyć. Moja siostra Szahdżan miała kupić chleb, a ja potrzebowałam nowych butów, więc po południu wybrałyśmy się razem na bazar.

Założyłam jedną z moich ulubionych chust w bardzo jaskrawych kolorach i tunikę. Siostra opowiedziała mi dowcip i zaczęłam chichotać. Sklepikarz uśmiechnął się do nas i powiedział:

— Drogie panie, jutro nie będziecie mogły tu przyjść tak ubrane. Zjawią się talibowie, więc to ostatni dzień, kiedy możecie cieszyć się na targu wolnością. Bawcie się dobrze!

Mówiąc to, mężczyzna śmiał się, a wokół jego wesołych, zielonych oczu porobiły się zmarszczki. Pomyślałam, że to żart, ale nie dawało mi to spokoju. Popatrzyłam na niego ze wściekłością i rzuciłam, że to marzenie będzie musiał zabrać ze sobą do grobu, bo nigdy się nie spełni.

Niejasno zdawałam sobie sprawę, że talibowie byli religijnymi studentami, którzy stworzyli organizację polityczną, lecz w dalszym ciągu nikt nie wiedział, co zamierzają. Przez wszystkie lata walk z Sowietami do afgańskich mudżahedinów przyłączyły się tysiące Arabów, Pakistańczyków i Czeczeńców. Finansowały ich takie państwa jak USA, Pakistan czy Arabia Saudyjska. Każde, pomagając nam w walce z ZSRR, miało w tym własny interes. Militarne wsparcie obcych mudżahedinów było początkowo mile widziane, lecz przynieśli oni ze sobą nieznany do tej pory w Afganistanie wahhabizm. Ten fundamentalistyczny ruch islamski wywodzi się z Arabii Saudyjskiej i szczególnie konserwatywnego odłamu sunnitów. Medresy na pograniczu afgańsko-pakistańskim rozpowszechniały tę odmianę islamu wśród młodych mężczyzn, z których wielu było jeszcze dziećmi, a inni – zagubionymi i bezradnymi uchodźcami.

W tamtych czasach w Afganistanie panowała dezinformacja. W Kabulu jedni traktowali talibów niczym wybawicieli, inni uważali ich za komunistów, tyle że w nowym wcieleniu. Kimkolwiek byli, nie mogłam i nie chciałam uwierzyć, że pobiją mudżahedinów. A tym bardziej że dokona tego ktokolwiek inny. Mudżahedini pokonali przecież potężną Armię Czerwoną – jak to możliwe, by zwyciężyła ich grupka studentów? Sama myśl, że następnego dnia przejmą kontrolę nad targowiskiem, wydała mi się absurdalna.

W tamtej chwili nie dostrzegałam wielkiej różnicy między talibami a mudżahedinami. Jako dziecko bardzo bałam się mudżahedinów, a teraz, będąc już studentką, obawiałam się talibów. Z mojej perspektywy oni wszyscy byli mężczyznami z karabinami, którzy zamiast rozmawiać, walczą. Miałam ich serdecznie dość.

Tej nocy usłyszeliśmy jednak w radiu szokujące wiadomości. BBC podało, że oddziały Ahmada Szaha Masuda wycofały się z Kabulu i wróciły do bastionu w dolinie Pandższiru. Nie wierzyliśmy własnym uszom. Nie mogłam pogodzić się z tym, że to oznaczało klęskę. Tego typu odwrót nie był niczym niezwykłym w wojskowej taktyce Masuda. Szczerze wierzyłam, że zanim zjemy śniadanie, jego wojska wrócą do walki, wspomogą rząd i przywrócą w mieście pokój. Większość kabulczyków myślała podobnie.

Nagle otworzyły się frontowe drzwi i wszedł wyraźnie przestraszony Mirszakaj. Mówił szybko, twierdząc, że nie ma zbyt wiele czasu. Kazał żonie spakować jego rzeczy. Jak wielu wyższych rangą urzędników rządowych opuszczał stolicę, by przyłączyć się do Masuda w Pandższirze. Cisnęło mi się na usta tak wiele pytań na temat naszej przyszłości. Zaczęłam się kłócić z Mirszakajem, a jego żona się rozpłakała. Brat syknął na nas, żebyśmy się uciszyły. Przecież ktoś mógł nas usłyszeć.

Mirszakaj miał dwie żony – postanowiono, że jedna zostanie ze mną w mieszkaniu w Kabulu, druga zaś jeszcze tej samej nocy wraz ze swoją rodziną wyjedzie do Pakistanu do Lahore, gdzie mój brat miał dom.

Wszystko potoczyło się tak szybko, że nie wiedzieliśmy, czy to się dzieje naprawdę. Gdy tylko za Mirszakajem zamknęły się drzwi, moja siostra rzuciła za nim dzbankiem z wodą. Zgodnie z tradycją, jeśli woda popłynie w kierunku tego, kto wychodzi, ta osoba niebawem wróci.

Potem stłoczyłyśmy się wokół radia. Według najnowszych doniesień prezydent Rabbani i jego ministrowie również uciekli. Odlecieli samolotem do Pandższiru, a stamtąd udali się do Badachszanu, rodzinnej prowincji Rabbaniego. Następnie podano informację o śmierci Nadżibullaha – byłego prezydenta uważanego za marionetkę w rękach Moskwy i sympatyka komunistów. Nadżibullah znajdował się pod ochroną ONZ. Gdy upadł rząd mudżahedinów, Ahmad Szah Masud spotkał się z nim i zaproponował, że zabierze go ze sobą do Pandższiru. Nadżibullah jednak nie ufał mudżahedinom tak jak talibom. Sądził, że to pułapka. Być może było to zrozumiałe w jego sytuacji, lecz brak zaufania do Masuda w tak krytycznym momencie okazał się dla niego fatalny w skutkach. W ciągu kilku godzin po wycofaniu się Lwa Pandższiru Nadżibullah był już martwy.

O ósmej wieczorem nad naszymi głowami przeleciały odrzutowce. Wszyscy naśmiewali się ze mnie, że „nawet w czasie wojny Fawzia siedzi z nosem w książkach". Nie przepadałam zbytnio za rządem Rabbaniego, ale przynajmniej był to rząd. Dzięki niemu w kraju panował porządek. Teraz jednak wszyscy wysocy urzędnicy porzucali stanowiska i uciekali. Byłam wściekła, że nasi przywódcy poddawali się z taką łatwością.

Prawie nie spałyśmy tej nocy. Wciąż słuchałyśmy radia, a Afganistan znów pogrążał się w chaosie. Gdy o szóstej rano wyjrzałam przez okno, zobaczyłam ludzi w białych czapkach modlitewnych. Nagle wszyscy zaczęli je nosić. Zaciągnęłam zasłony i wróciłam do nauki. Pragnęłam odciąć się od tego nowego świata, od tego najnowszego wcielenia Kabulu, którego nie byłam w stanie zrozumieć.

Później zaczęły krążyć rozmaite pogłoski. Był akurat piątek, dzień modlitwy. Pojawiły się informacje, że talibowie biją ludzi, zmuszając ich do pójścia do meczetów. Zdawaliśmy już sobie sprawę, że oni nie są komunistami ani też aniołami ocalenia. Kim więc byli? Nigdy w historii Afganistanu nie doświadczyliśmy czegoś podobnego. Nie mieliśmy złudzeń, że talibowie stanowią obcą siłę. Gdyby znajdowali się pod kontrolą Afgańczyków, z pewnością postępowaliby inaczej.

Dowiedzieliśmy się, że talibowie siłą wywlekli Nadżibullaha z siedziby ONZ, gdzie były prezydent szukał schronienia.

Wtargnęli do budynku, wyciągnęli go na zewnątrz i dokonali egzekucji. Zwłoki Nadżibullaha oraz jego młodszego brata powiesili przy ruchliwym rondzie, aby każdy mógł je zobaczyć. Ciała, stopniowo żółknąc i wzdymając się, wisiały tam jako ostrzeżenie przez trzy dni. Przerażeni ludzie mijali je w milczeniu. Nikt nie odważył się ich zdjąć.

Następnie talibowie splądrowali muzeum, niszcząc tysiące bezcennych dla historii kraju eksponatów – starożytne posążki Buddy, biżuterię *kundan*, naczynia z czasów Aleksandra Wielkiego, zabytki sięgające czasów pierwszych królów islamskich. Z imieniem Boga na ustach barbarzyńcy burzyli naszą historię. Świat zwrócił uwagę na ten kulturowy wandalizm dopiero wtedy, gdy talibowie wysadzili posągi Buddy w Bamianie. Te kamienne rzeźby uważano za jeden z cudów świata. Wydrążono je w VI wieku naszej ery za panowania Kuszanów, znamienitych patronów sztuki z okresu, zanim jeszcze islam zawędrował do Afganistanu. Gigantyczne posągi nie tylko były ważną częścią naszej kultury i symbolem różnorodnej religijnej przeszłości, lecz także zapewniały środki do życia mieszkającym w Bamianie Hazarom. Od dawna przyciągały ludzi z całego Afganistanu oraz ze świata, dzięki czemu dość prężnie rozwinął się tam przemysł turystyczny. Dla mieszkańców tej, ubogiej skądinąd, prowincji turystyka stanowiła podstawowe źródło dochodu. Telewizje na całym świecie pokazywały wstrząsające sceny, w których talibowie za pomocą granatników przeciwpancernych i ciężkiej artylerii bombardują ogromne posągi, aż te rozpadają się w drobny mak.

Potem talibowie przystąpili do niszczenia naszych umysłów. Podkładali ogień pod gmachy szkół i uniwersytetów. Spalili tysiące książek i zakazali czytania literatury. Dopiero niedawno rozpoczęłam naukę na wymarzonych studiach. W tamten weekend miałam zdawać egzamin, do którego bardzo ciężko się uczyłam. Powiedziano mi jednak, że nie mam nawet po co się wybierać na uczelnię, ponieważ wydział medyczny został zamknięty. Kobietom nie wolno było studiować medycyny, cóż dopiero mówić o wykonywaniu zawodu lekarza.

W okamgnieniu wiele do tej pory zwykłych aspektów życia kabulczyków po prostu zniknęło. Nawet w czasie wojny drobne przyjemności, takie jak spotkanie z przyjaciółmi przy filiżance herbaty na bazarze czy słuchanie muzyki w radiu, wciąż były możliwe, odbywały się również większe wydarzenia, na przykład przyjęcia weselne. Gdy pojawili się talibowie, wszystko to ulotniło się z dnia na dzień. W naszej kulturze, podobnie jak i na całym świecie, ślub jest obrzędem przejścia, w którym bierze udział cała rodzina oraz szerokie grono przyjaciół. Zgodnie z tradycją, afgańskie wesela są bardzo duże: może się na nich bawić od pięciuset do pięciu tysięcy osób. Posiadanie sali weselnej lub hotelu stanowi więc dochodowy interes. Właściciele najlepszych lokali mogą żądać bardzo wysokich opłat, a nierzadko cały rachunek, opiewający nawet na dwadzieścia czy trzydzieści tysięcy dolarów, opłacany jest z góry.

Podczas pierwszego weekendu rządów talibowie zakazali organizowania wesel w miejscach publicznych. Setki par musiało odwołać zaplanowane już uroczystości. Nie tylko przepadł im ten szczególny dzień – dzień, o którym marzą dziewczynki na całym świecie – dodatkowo ich rodziny, i tak zmagające się z trudną sytuacją w zrujnowanym przez wojnę kraju, straciły mnóstwo pieniędzy. Talibowie nakazali urządzanie prywatnych ceremonii w domach – bez gości, muzyki i zabaw. Rocznice zawartych w tamtym dniu małżeństw są „pamiątką" rozpoczęcia rządów talibów. Nie o takich weselach marzyli wszyscy ci nowożeńcy, ale z pewnością zapamiętają je do końca życia.

Wiele osób próbowało się oczywiście buntować przeciw zakazom. Niektórzy ojcowie, unosząc się dumą, kontynuowali, jak gdyby nigdy nic, przygotowania do uroczystości. Nie chcieli dopuścić, by ci polityczni parweniusze zepsuli tak ważne dla rodziny święto. Niektórzy właściciele hoteli również zignorowali nowe rozporządzenia i prowadzili swój biznes jak zwykle. Talibowie – w czarnych turbanach, uzbrojeni w karabiny i bicze – krążyli jednak w pikapach po całym mieście. Jeśli w jakimś miejscu usłyszeli weselną muzykę, robili nalot. Aniołowie ocalenia zaczęli ucieleśniać przemoc. Wpadali na przyjęcia z dzikim wrzaskiem, rozbijali głośniki, wydzierali taśmy z kamer wideo, wyrywali klisze z aparatów fotograficznych. I bili do nieprzytomności. Katowali mężów na oczach właśnie poślubionych żon, nie mieli litości dla starców – znęcali się nad nimi w obecności przerażonych gości. Mimo że słyszałam coraz więcej tego typu historii, wciąż nie mogłam w nie uwierzyć. A może po prostu nie chciałam dopuścić do siebie grozy sytuacji.

Nazajutrz moja siostra, która stale nosiła burkę, poszła na targ po warzywa. Wróciła zalana łzami. Była świadkiem, jak talibowie biją wszystkie kobiety, które zamiast burek włożyły na głowę tylko chusty – a więc ubierające się tak jak ja. Słuchałam ogłuszona. Siostra, nie przestając szlochać, opowiedziała o małżeństwie prowadzącym ulicą rowery obładowane zakupami. Kobieta miała na sobie tradycyjne *szalwar kamiz*, a głowę zakrytą chustą. Nie włożyła nawet dżinsów ani spódnicy. Nagle z tyłu podeszli do niej talibowie. Rzucili się na nią we trzech, chłoszcząc ją kablem i tak długo bijąc po głowie, aż upadła. Gdy to samo chcieli zrobić towarzyszącemu jej mężczyźnie, ten zaprzeczył, że kobieta jest jego żoną. Aby ocalić życie, po prostu się jej wyparł. I zrobił to z taką łatwością.

W afgańskiej tradycji mężczyźni walczą do upadłego, by chronić swoje żony i rodziny, lecz talibowie wnieśli w nasze życie tyle grozy i nikczemności, że doprowadzili do degeneracji mężczyzn. Nie wszyscy, ale niektórzy z nich – niegdyś przykładni mężowie i ojcowie, teraz przestraszeni lub otumanieni – stali się wyznawcami tej spaczonej ideologii.

Przez tydzień nigdzie nie wychodziłam z mieszkania. Telewizja została zakazana. Państwową stację radiową talibowie przejęli do celów propagandowych. Prezenterki, nawet te stare, brzydkie i bez makijażu, które cieszyły się względami mudża-hedinów, zdjęto z anteny. Popularny, młody gospodarz wiadomości, podając informację o śmierci talibskiego dowódcy, użył niewłaściwego słowa. Znajdował się pod taką presją, że z nerwów zamiast „tragiczna" powiedział „radosna" – można to zrozumieć, jeśli weźmie się pod uwagę, że przez cały nadawany na żywo program stali za nim ludzie z biczami w pogotowiu. Komu nie puściłyby nerwy? Za swoje przejęzyczenie został surowo ukarany: najpierw był bity w podeszwy stóp, a potem zostawiono go na trzy dni bez jedzenia i picia w kontenerze.

Nie mogłam słuchać tej propagandowej sieczki, którą nazywano wiadomościami. Odcięta od prawdziwych informacji, które zapewniałyby mi łączność z zewnętrznym światem, czułam się jak w więzieniu. Ale wieści rozchodzących się pocztą pantoflową od jednego domu do drugiego nie można było powstrzymać. Każda kolejna informacja była coraz gorsza.

Poza granicami Kabulu walki wciąż trwały. Linia frontu przebiegała przez równinę Szomali, rozciągającą się między miastem a pozycjami Masuda w Pandższirze. Większość ludzi wciąż spodziewała się, że oddziały Masuda wrócą do Kabulu. Nie mogliśmy uwierzyć, że będziemy odtąd żyć w świecie rządzonym przez talibów. Jedynym miejscem, gdzie mogłam spotkać inne dziewczęta i porozmawiać z nimi, był wspólny balkon w naszym bloku. Stamtąd doskonale widziałam młode i piękne dziewczyny uwięzione w mieszkaniach, pozbawione podstawowych praw, niemogące odetchnąć świeżym powietrzem ani wyjść na słońce. Gdy tylko słyszałyśmy głosy talibów, natychmiast uciekałyśmy i chowałyśmy się w mieszkaniach.

Bardzo brakowało mi matki. Straszliwie za nią tęskniłam, ale cieszyłam się, że nie musi oglądać tych wszystkich okropieństw. Chciałam pójść na jej grób, lecz nie byłam w stanie zmusić się do włożenia burki. Żadnej zresztą nie miałam. Pożyczyłam od mojej siostry czarny nikab. Przypominał dużą pelerynę, która zakrywała również całą twarz, co powinno zapewnić mi bezpieczeństwo. Ulice świeciły pustkami. Powietrze było tak gęste od strachu, że można je było niemal kroić nożem. Niewielu mężczyzn i jeszcze mniej kobiet miało odwagę wyjść na miasto. Kobiety, które widziałam, nosiły pełne niebieskie burki – nowy uniform każdej Afganki. Wszystkie przemykały ulicami w milczeniu, robiąc zakupy tak szybko, jak to tylko możliwe, aby zaraz wrócić do bezpiecznego domu. Nikt z nikim nie rozmawiał. Sprzedawcy bez słowa podawali torby z zakupami, a kobiety brały je, nie nawiązując żadnego kontaktu wzrokowego, nawet nie podnosząc głów. Od czasu do czasu przejeżdżał pikap z talibami rzucającymi groźne spojrzenia w poszukiwaniu nowych ofiar, z głośników na dachu samochodu grzmiały zaś religijne nauki. Choć wydawało mi się, że zdążyłam już poznać wszystkie rodzaje strachu, takiego jeszcze nie doświadczyłam. Było mi zimno, ale jednocześnie cała lepiłam się od potu. I aż się trzęsłam z przepełniającej mnie lodowatej wściekłości. Nie opuszczałam mieszkania przez prawie dwa miesiące.

Od kiedy talibowie przejęli władzę, nie mieliśmy żadnych wieści od Mirszakaja. Wraz z rodzinami uciekło wtedy wielu dawnych mudżahedinów i pracowników rządowych. Równina Szomali oraz dolina Pandższiru – które leżą na północny wschód od Kabulu – stały się areną zaciekłych walk, lecz wciąż w dużej mierze znajdowały się pod kontrolą Masuda. Kabul opuszczali jednak nie tylko mudżahedini, lecz także ekskomuniści, nauczyciele akademiccy i lekarze. Zabierali, co tylko mogli – ubrania, biżuterię, żywność – pakowali się do samochodów i opuszczali miasto. Za sobą zostawiali wszystko, na co tak ciężko pracowali. Ludzie, którzy zaledwie kilka tygodni wcześniej winszowali sobie, że ich domy przetrwały wojnę domową, teraz porzucali je, nie oglądając się za siebie.

Nie wszystkim uciekinierom udało się dotrzeć do celu bez szwanku. Słyszeliśmy o napadach na samochody. Ludziom odbierano resztki dobytku, kobietom zdzierano naszyjniki z szyi i zrywano kolczyki z uszu. Atakowali ich zwykli przestępcy, korzystając z rozprzestrzeniającego się wokół chaosu. Gdy auta zbliżały się do linii frontu, za którą czekało względne bezpieczeństwo, wiele osób ginęło w wyniku przypadkowego ostrzału lub trafienia pociskiem artyleryjskim.

Nieustannie modliłam się o powrót Masuda. Każdej nocy kładłam się spać, błagając go i zaklinając, by zdołał przesunąć linię frontu z powrotem do centrum miasta. Marzyłam, że pewnego dnia obudzę się, a po talibach i ich pokrętnych ideach nie będzie ani śladu.

Wreszcie nadszedł list od Mirszakaja. Pisał, że ukrywa się w domu swojego kierowcy na północ od Kabulu, w prowincji Parwan. To piękna okolica z przepływającą przez nią rzeką i żyznymi dolinami pełnymi drzew. Latem ludzie urządzają tam pikniki. Tradycyjne afgańskie pikniki są cudowne – jajka ugotowane na twardo, soki i dojrzałe owoce morwy, świeżo zerwane z drzewa...

Brat chciał, żeby dołączyła do niego żona z dziećmi. Postanowiłam pojechać razem z nimi, wciąż bowiem, mimo grożących mi niebezpieczeństw, nie mogłam zmusić się do noszenia burki. Zamiast niej zakładałam czarny nikab, pilnując, żeby mieć całkiem zakrytą twarz. Nosiłam również okulary, aby jeszcze bardziej zmienić swój wygląd: bałam się, że nawet z zasłoniętą twarzą ktoś może rozpoznać we mnie siostrę oficera policji.

Parwan leży niedaleko Kabulu, jednak bezpośredni przejazd (zajmujący około godziny jazdy samochodem) przebiegał zbyt blisko linii frontu. Nie chcieliśmy ryzykować, że zostaniemy trafieni rakietą, więc najpierw pojechaliśmy na południe z Sarobi do Tagab, a następnie do Nidżrab w prowincji Kapisa, co zajęło nam niemal cały dzień jazdy po wertepach. Udaliśmy się zatem w kierunku dokładnie przeciwnym do ostatecznego celu podróży. Aby dostać się do Parwanu, trzeba było zawrócić, później zrobiliśmy kółko, cofnęliśmy się, pokręciliśmy trochę w tę i we w tę, a potem znów zawróciliśmy. Inni uciekinierzy odkryli nowe, prowadzące przez pola trasy, tajemnicze skróty i objazdy. Niektóre wiodły donikąd, inne prowadziły do kolejnych okrężnych dróg. To była potworna podróż. Jechaliśmy bez ustanku przez dwanaście godzin, przerażeni, że wpadniemy na minę, zostaniemy napadnięci albo dostaniemy się pod ostrzał. Nikt z nas nie ośmielił się zatrzymać nawet na krótką przerwę, ani żeby nabrać wody.

Znowu czułam, że porzucam swoje marzenia. Za każdym razem, gdy próbowałam rozpocząć wszystko na nowo, coś krzyżowało mi plany. Co to za życie – wciąż w drodze, podczas nieustannej ucieczki, w wiecznych nerwach, z wyczerpującymi się powoli resztkami nadziei?

Porzucałam również Hamida. Nie miałam nawet możliwości skontaktować się z nim i przekazać mu, że wyjeżdżam. Nie widziałam się z nim od dnia, w którym po raz ostatni byłam na uniwersytecie, a on podszedł się ze mną przywitać. Pamiętam, że gdy wracał do samochodu, przyglądałam się, jak wiatr mierzwi jego jedwabiste włosy z tyłu głowy. Zamieniłam z nim ledwie kilka zdań, ale czułam, że zaczynam go naprawdę kochać. Wyjeżdżając z rodziną, nie miałam najmniejszego pojęcia, kiedy będę go mogła zobaczyć.

Gdy oficjalnie ogłoszono koniec wojny, cały świat zajął się swoimi sprawami. Zimna wojna dobiegła końca, ZSRR się rozpadł, afgańskie zwycięstwo nad Sowietami przestało mieć szczególne znaczenie dla Zachodu. Z wieczornych serwisów informacyjnych zniknęły relacje o tym, co się dzieje w naszym kraju. Skończyła się również wojna domowa i w oczach wszystkich talibowie stanowili obecnie nasz nowy rząd. Dla świata znaczyliśmy tyle, co zeszłoroczny śnieg. Na pierwszych stronach gazet znalazły się teraz doniesienia o innych tragediach.

Nasze nieszczęścia jednak nie minęły. Pod wieloma względami dopiero się zaczynały. Na kilka lat świat o nas zapomniał, a dla nas były to wyjątkowo trudne i ponure lata.

Kochane Szuhro i Szaharzad,

o ile w czasie wojny wszyscy żyliśmy w świecie pogrążonym
w mroku, o tyle w latach, jakie wkrótce po tym nastąpiły,
zostaliśmy wtrąceni w najczarniejsze otchłanie. Było to prawdziwe piekło na ziemi, które zgotowali nam ci, którzy mienili
się ludźmi Boga i islamu. Nie mieli oni jednak nic wspólnego
z zasadami islamu, którymi kierujemy się na co dzień ja oraz
miliony innych Afgańczyków. Nasz islam jest religią pokojo-
wą, tolerancyjną i pełną miłości, zgodnie z którą wszystkim
ludziom przysługują równe prawa.

Chcę, abyście zrozumiały, że prawdziwy islam przyznaje
Wam jako kobietom polityczne i społeczne prawa. Daje poczucie godności, wolność i możliwość nauki oraz realizowa-
nia marzeń, byście mogły żyć własnym życiem. Jednocześnie
wymaga od Was przyzwoitego i skromnego postępowania,
a także życzliwości dla innych. Wierzę, że islam stanowi
prawdziwy przewodnik dobrego życia na tym świecie, i jestem
dumna, że mogę nazywać się muzułmanką. Was również
starałam się wychować na dobre i silne muzułmanki.

Ci ludzie nazywali siebie talibami. Ich islam był dla nas
tak obcy, jakby pochodził z innej planety. Wiele ich poglądów
zostało zaczerpniętych z innych kultur, głównie z krajów

arabskich. Uzbrojeni po zęby talibowie przyjechali samochodami terenowymi, obiecując Afgańczykom, że przywrócą bezpieczeństwo i porządek na ulicach, że zadbają o uczciwy wymiar sprawiedliwości i harmonię. Z początku wielu im uwierzyło, ale nadzieje rychło przeobraziły się w strach i odrazę, jakie wobec talibów odczuwały zwłaszcza kobiety i dziewczęta.

Macie szczęście, że ominął Was los młodych kobiet żyjących w tamtych czasach. Naprawdę, duże szczęście.

Ściskam Was,
mama

UCIECZKA NA PÓŁNOC
1996

W Parwanie zatrzymaliśmy się u kierowcy mojego brata. Choć ani on, ani jego rodzina nie należeli do ludzi zamożnych, pozwolili nam zamieszkać w przylegającej do ich domu przybudówce. Nie zgodzili się, byśmy gotowali; sami przygotowywali nam każdy posiłek. Traktowali nas niczym poważanych gości, a nie jak uciążliwych intruzów.

Sytuacja w Kabulu stawała się coraz gorsza, dołączyła więc do nas moja siostra wraz z mężem, który jako oficer policji też miał prawo obawiać się talibów. Następnie oboje mieli się przenieść dalej na północ – do oddalonego o dwieście pięćdziesiąt kilometrów Pol-e

Chomri i znaleźć tam dom, do którego wszyscy moglibyśmy się przeprowadzić. Mimo że Parwan, jak na razie, był jeszcze bezpieczny, nie znajdował się dostatecznie daleko od Kabulu, byśmy mogli tu zostać na dłużej. Co zaś najważniejsze, na północy nikt nikogo nie zmuszał do noszenia burki. Dla mnie stanowiło to wystarczający powód, żeby wyjechać.

Siostra spędziła z mężem prawie tydzień w Pol-e Chomri, lecz nie udało im się znaleźć dla nas domu. Tymczasem talibowie zaczęli zyskiwać coraz większą popularność w okolicach Parwanu i powoli zbliżali się do miejsca naszego pobytu. Pewnej nocy Mirszakaj wyrwał mnie z głębokiego snu, krzycząc, że mamy natychmiast iść do samochodu. Mudżahedini zamknęli właśnie liczący blisko trzy kilometry tunel na przełęczy Salang. To obecnie drugi co do wysokości położenia tunel drogowy na świecie, wybudowany przez Sowietów w samym środku góry. Biegnie przezeń jednopasmówka przejezdna jedynie w suchszych miesiącach. To istny cud inżynierii i swoista brama do północnego Afganistanu.

Mudżahedini obawiali się, że tysiące ludzi będzie próbowało teraz uciec na północ, przyczyniając się tym samym do wzrostu zagrożenia – mogli bowiem ściągnąć za sobą talibów. Bojownicy zdecydowali się więc na krok radykalny, ale słuszny strategicznie – zamknięcie tunelu – co sprawiło, że w potrzasku znaleźli się ludzie zarówno z jednej, jak i z drugiej strony gór. Dla nas oznaczało to, że nie będziemy mogli dołączyć do krewnych w Pol-e Chomri.

Tymczasem bratu udało się uzyskać od któregoś z dowódców Sojuszu Północnego pozwolenie na przejazd dwóch samochodów: naszego i eskorty. Jedna z towarzyszących nam kobiet nie miała ani nikabu, ani burki, więc oddałam jej swój nikab. Do zakrycia głowy pozostała mi tylko jaskrawa, czerwona chusta. Walki toczyły się już tak blisko, że gdyby dopadli nas talibowie, niechybnie spotkałby mnie straszliwy los.

Terenowa toyota hilux, którą poruszała się nasza eskorta, też była, jak na ironię, czerwona. Nie mogliśmy być bardziej widoczni na drodze (w oczy w szczególności rzucałam się ja). Wyjechaliśmy na ulicę – wszędzie było pełno uciekających. W naszym kierunku toczył się autobus, wypełniony po brzegi przerażonymi ludźmi (z każdego okna zwisało ich troje lub czworo, a jeszcze więcej leżało na dachu). Byli jak rój wysypujących się z ula pszczół.

Dołączyliśmy do sznura samochodów na głównej drodze. Tysiące ludzi próbowało uciec przed zbliżającymi się talibami. W samochodach wieźli ubrania, sprzęty kuchenne, koce i zwierzęta. Wszystko, co posiadali. Ludzie zwisali z boków samochodów, chwytając się, czego tylko mogli.

Zauważyłam mężczyznę uwieszonego u drzwi taksówki. Wyglądał na Uzbeka – miał okrągłą twarz i migdałowate oczy – a do tego na mudżahedińskiego bojownika. Po nodze spływała mu krew. W pewnym momencie zeskoczył z taksówki, najwyraźniej nie będąc w stanie dłużej się jej trzymać. Podszedł do naszego samochodu, wymachując bronią i żądając, abyśmy się zatrzymali. Nasz kierowca go zignorował. Wtedy mudżahedin przestrzelił oponę. Wóz skręcił gwałtownie, omal w niego nie uderzając. Siedziałam na przednim siedzeniu i bałam się, że mężczyzna wyciągnie mnie z samochodu, na szczęście kierowca zachował zimną krew i udało nam się odjechać. Mężczyzna, strzelając niczym desperat, ruszył w kierunku kolejnych samochodów. Nie miałam odwagi spojrzeć do tyłu, by sprawdzić, czy nie zabił jakiejś nieszczęsnej rodziny.

Ludzie wokół nas nie myśleli, dokąd jadą. Chcieli się po prostu stąd wyrwać. Zaczynała się właśnie zima i gdy jechaliśmy przez góry w kierunku przełęczy Salang, zimno porządnie dało nam się we znaki. Z powodu dużej wysokości oddychaliśmy z trudem, a panujący nawet wewnątrz samochodu ziąb sprawił, że kostniały nam palce u rąk i nóg. Droga została już zamknięta i ci, którzy nie zdobyli zezwolenia na przejazd, mieli do wyboru albo czekać tu na mrozie, albo wrócić do domu i wpaść wprost w ręce talibów. Nawet jeśli ktoś miał takie zezwolenie, przedostanie się przez tunel zajmowało kilka godzin. Dowódcy nie chcieli wzbudzać niepokoju wśród żołnierzy stacjonujących po drugiej stronie góry, którzy na widok tylu uciekinierów mogliby uznać, że przegrywają walkę z talibami. Przepuszczano więc tylko kilka aut, aby wszystko wyglądało w miarę normalnie.

W jednym ze stojących w kolejce wozów bratowa wypatrzyła swoją kuzynkę, młodą dziewczynę, która niedawno wyszła za mąż. Była z mężem i sześciotygodniowym dzieckiem. Wyglądali na przerażonych i nie mieli pozwolenia na przejazd. Na tym przenikliwym mrozie dziecko na pewno by umarło. Uzgodniliśmy więc, że zostawimy za sobą samochód z ochroną, a oni zajmą jego miejsce. W toyocie znajdował się cały nasz dobytek: torby podróżne, pieniądze, biżuteria. Obiecano nam jednak, że zostanie on przepuszczony później.

Pokonawszy bez problemu tunel Salang, wybraliśmy nie drogę wiodącą przez samą górę, ale biegnącą wokół niej, przez co nasz samochód musiał niebezpiecznie balansować nad przepaścią. Zazwyczaj panicznie boję się jazdy takimi lichymi, górskimi szlakami, lecz tego dnia czułam jedynie ulgę, że znaleźliśmy się poza zasięgiem talibów.

Bratowej udało się zorganizować dla nas miejsce, w którym mogliśmy się zatrzymać. W zaledwie kilku pokojach mieszkało już około sześćdziesięciu osób – głównie znajomi mojego brata, byli policjanci, którzy nie mieli się teraz gdzie podziać. Właśnie dlatego w Afganistanie działa tak wiele uzbrojonych, wyjętych spod prawa grup. Kiedy rząd upadł, ludzie ci nie mieli innego wyjścia, jak przyłączyć się do swojego oficera lub przełożonego i sformować oddział milicyjny. Mirszakaj nie chciał jednak, żeby otaczało nas tylu mężczyzn, kazał im więc wrócić do swoich domów i rodzin.

O północy przyjechał samochód eskorty z naszymi rzeczami. Gdy tylko wniesiono torby podróżne do środka, zabrałam się do ich rozpakowywania. Chyba od razu dotarło do mnie, że nasze kosztowności przepadły. Ludzie mający nam zapewnić ochronę zabrali wszystko. Eskortujący nas bojownicy należeli do pewnego lokalnego przywódcy, który przydzielając ich nam, wyświadczał przysługę tylko mojemu bratu, niewiele więc mogliśmy zrobić. Bratowa, płacząc, raz po raz przetrząsała bagaże i jak opętana przeglądała wszystkie schowki w poszukiwaniu biżuterii. Zachowywała się jak histeryczka. Nagle z jednej kieszeni wyciągnęła chusteczkę i głośno wydmuchała w nią nos. Wybuchnęłam śmiechem, a ona po chwili poszła w moje ślady. Cóż innego mogłyśmy zrobić? Ta chusteczka była wszystkim, co jej zostało. Ale przynajmniej znów byliśmy bezpieczni. Na razie.

Nieszczęścia, jakie po raz kolejny spadły na Afganistan, sprawiły, że straciłam kontrolę nad swoim życiem. Marzenia o zostaniu lekarzem legły w gruzach. Talibowie zakazali kobietom nauki w szkołach oraz na uniwersytetach. Nawet jeśli Kabul stałby się na tyle bezpieczny, byśmy mogli tam wrócić – na co się nie zanosiło – nie miałam najmniejszej nadziei, że będę mogła kontynuować studia. Dni w Pol-e Chomri upływały mi na gotowaniu, sprzątaniu i piciu herbaty w ogrodzie. Ugrzęzłam w kieracie tych samych monotonnych zajęć, którego zakładniczkami były moja matka i siostry, a z którego za wszelką cenę próbowałam uciec. Ogarnęło mnie obezwładniające przygnębienie. Dni przechodziły płynnie w bezsenne noce, a te z kolei w koszmarne poranki, podczas których z całych sił zaciskałam powieki, by nie dopuścić do siebie szyderczego światła kolejnego budzącego się do życia dnia.

Do tej pory już tylu studentów, nauczycieli i profesorów opuściło kraj, że dalsze istnienie uniwersytetów nie miało sensu. Rządy talibów przekształciły Kabul ze stolicy rozdartej wojną w martwe miasto. Naprawdę nie potrafię powiedzieć, co było gorsze.

Ludzi aresztowano i bito za najbłahsze wykroczenia. Talibowie chodzili od drzwi do drzwi, żądając wydania broni. Nie wierzyli, że nie wszyscy kabulczycy trzymają w domu broń – w ogóle nie przyjmowali takiego tłumaczenia do wiadomości.

Jeśli ktoś odmawiał im oddania broni albo rzeczywiście żadnej nie miał, trafiał do więzienia. Niektóre rodziny musiały więc kupić jakąś broń tylko po to, by przekazać ją talibom w zamian za uwolnienie aresztowanego.

Najstraszniejsze miejsce, do jakiego można było trafić, stanowił Departament Wspierania Cnoty i Walki z Występkiem. Samo wspomnienie tej nazwy potrafiło zmrozić krew w żyłach najdzielniejszych ludzi. Otynkowana na biało ładna willa z ogrodem porośniętym bujną winoroślą i wonnymi różami stała w dzielnicy Shar-e-Naw (Nowym Mieście). Tutaj sądzono ludzi oskarżonych o przestępstwa religijne lub – jak to określano – zbrodnie przeciwko moralności. Przyprowadzano tu mężczyzn, którzy nosili nie dość długie brody, oraz kobiety przyłapane bez burki i bito ich w podeszwy stóp stalowym kablem, podczas gdy siedzący na zewnątrz talibscy strażnicy popijali wśród róż herbatkę i opowiadali sobie dowcipy. Tutaj brodaci mułłowie z konserwatywnych południowoafgańskich wiosek doprowadzali oskarżone o niemoralność, przerażone kabulskie kobiety. Kabul i wioski na prowincji to pod względem kulturowym i społecznym zupełnie różne światy. Kobiety, które zaledwie kilka miesięcy wcześniej w najmodniejszych ubraniach chodziły na uniwersytet, z dumą niosąc w ręku książki, teraz były sądzone przez brudnych, nieumiejących czytać i pisać mężczyzn.

Ogromny stadion olimpijski w Kabulu, który niegdyś rozbrzmiewał dźwiękami braw podczas meczów krykieta lub piłki nożnej, stał się areną nowego sportu – publicznych egzekucji. Cudzołożników oraz złodziei kamienowano na śmierć lub odcinano im ręce na oczach wiwatującego tłumu. Podczas makabrycznego widowiska, przypominającego sceny z rzymskiego Koloseum, więźniów przywożono pikapami na środek stadionu, zrzucano ich z bagażników i oprowadzano dookoła ku uciesze widowni. Następnie strzelano im w głowę albo zakopywano ich do pasa w ziemi i kamienowano. Dla ich sędziów ani dla wykonawców wyroków nie miało żadnego znaczenia, że złodziej mógł ukraść bochenek chleba dla swoich głodnych dzieci, a kobieta oskarżona o cudzołóstwo w istocie padła ofiarą gwałtu.

A wszystko to rzekomo w imię Boga. Nie wierzę, że tymi ludźmi kierował Bóg. Jestem pewna, że widząc to, Bóg odwróciłby się i zapłakał.

W ślad za talibami do Kabulu ściągnęły tysiące ich zwolenników. Ultrakonserwatywne rodziny z południa przeprowadzały się do miasta, kupując domy po najniższych możliwych cenach od tych, którzy chcieli stąd uciec. Wazir Akbar Khan, jedna z najbardziej pożądanych i ekskluzywnych części Kabulu – z nowoczesnymi, świetnie zaprojektowanymi domami, urokliwymi ogrodami i basenami – stała się znana jako „dzielnica gości". Rezydowali tam pakistańscy i arabscy bojownicy mający powiązania z talibskim dowództwem. Jeśli jakiś budynek stał pusty, po prostu się wprowadzali. A jeśli nawet zajmowali go jacyś mieszkańcy, wyrzucali ich stamtąd siłą.

Część rodzin w dalszym ciągu nie odzyskała utraconych w tamtym czasie posiadłości. Kiedy w 2001 roku USA wraz z siłami Sojuszu Północnego pokonały talibów, wiele osób wróciło do Afganistanu z emigracji w Europie lub Ameryce, licząc, że zdoła przejąć kontrolę nad swoim mieniem. Jednakże bez dokumentów, w czasie powojennego chaosu i w przeżartym korupcją kraju okazało się to niezmiernie trudne. Ludzie proszą mnie dziś o pomoc w odnalezieniu aktów własności ich domów. Udało się to niewielu. Boom mieszkaniowy ostatnich kilku lat zniszczył (często bezprawnie) setki pięknych, eleganckich willi otoczonych przez ogrody z drzewkami owocowymi i altankami oplecionymi winoroślą. Zastąpiono je „makowymi pałacami" – brzydkimi budynkami w pakistańskim lub irańskim stylu, z tandetnymi ozdobami, szybami ze szkła dymnego i kafelkami w krzykliwych kolorach. To architektura niemająca nic wspólnego z kulturą Afganistanu, ale za to ściśle związana z zyskami, które po zakończeniu wojny czerpano z korupcji i handlu heroiną.

Domy w Wazir Akbar Khan, które przetrwały wojnę i najazd deweloperów, wyglądają tak samo stylowo, jak w czasach swojej świetności. Obecnie zamieszkują je inni „goście": pracownicy pomocy społecznej z całego świata i dziennikarze, między innymi BBC, CNN i France24. O poczuciu zagrożenia, jakie im na co dzień towarzyszy (dochodzi tu przecież do tylu samobójczych zamachów bombowych), może świadczyć mnogość obszarów, które w tej okolicy są po prostu zabarykadowane. Ulice w „zielonej strefie" są blokowane żelbetowymi słupkami i posterunkami – na wypadek gdyby jakiś terrorysta próbował się tu przedostać. Osoby bez dowodu tożsamości lub odpowiedniej przepustki nie mają prawa wstępu ani przejazdu. Wywołuje to prawdziwy chaos komunikacyjny i stanowi źródło nieustannej frustracji i złości wielu kabulczyków. Ostatnio brytyjska ambasada zajęła wszystkie domy przy jednej z ulic, zamykając do niej wjazd z obu stron. Niegdyś tętniąca życiem, zamożna dzielnica, z dziećmi grającymi na dworze w piłkę, przekształciła się w twierdzę, do której wstęp mają tylko wybrani Afgańczycy.

W Pol-e Chomri czekaliśmy całymi dniami. Wciąż żyłam nadzieją, że wrócimy do Kabulu. Linia frontu nieustannie się zmieniała, a wraz z nią obszary kontrolowane przez talibów i ludzi Masuda. Niestety, stawało się dla nas oczywiste, że zdobycze terytorialne talibów się powiększają, a siły Masuda są spychane coraz to dalej.

Nie miałam pojęcia, czy Hamid wciąż przebywa w Kabulu, czy tak jak my uciekł wraz z rodziną. Myślałam o nim bez ustanku, ale wiedziałam też, że moi bracia wciąż mają sporo zastrzeżeń do perspektywy poślubienia go. Pewnego dnia siedziałam na podwórku, ciesząc się słońcem i przyglądając śniegowi padającemu w oddali, w górach. Tęskniłam za życiem w mieście i zastanawiałam się, jaka pogoda panuje w Kabulu – kiedy w bramie stanęli siostra Hamida, jej dzieci i jeden z jego wujów.

Okazało się, że Hamid poszedł do naszego domu w Kabulu i zobaczył, że nikogo w nim nie ma, a zasłony w oknach są zaciągnięte. Od sąsiadów dowiedział się, dokąd wyjechaliśmy. Wtedy doszedł do wniosku, że jego małżeńskie plany mają wreszcie szansę na realizację. Przebywałam na terenie kontrolowanym przez mudżahedinów, otaczali mnie uzbrojeni bojownicy i wojskowi dowódcy, w większym stopniu groziło mi zatem, że zostanę zgwałcona. Według Hamida Mirszakaj miał wystarczająco dużo na głowie, ochraniając swoje dwie żony, żeby jeszcze dodatkowo martwić się mną. To mogło spowodować, że spojrzy na oświadczyny nieco przychylniejszym okiem.

I tak w naszych drzwiach stanęła siostra Hamida. Wraz z wujem i dwójką swoich dzieci w wieku trzech i czterech lat przyjechała tu z Kabulu, by raz jeszcze prosić Mirszakaja o moją rękę. Wokół toczyły się zacięte walki, więc nasi goście, udając się w tę podróż, wiele ryzykowali. Utknęli ponadto w górach z powodu lawiny, która zatarasowała im drogę. Całą noc spędzili na mrozie, ryzykując śmiercią. Byłam zła na Hamida, że narażał swoich bliskich z mojego powodu. Jednocześnie w środku cała drżałam z podekscytowania – z taką determinacją walczy o to, by móc mnie poślubić!

Tak jak przypuszczał Hamid, brat nie dysponował już taką władzą, jaką miał w Kabulu. Był wyczerpany i zestresowany. Ale wciąż nie chciał ustąpić. Jeśli w naszej kulturze chce się odrzucić czyjeś oświadczyny, nie można powiedzieć po prostu „nie". Niemile widzianemu zalotnikowi przedstawia się listę żądań, którym nie może on sprostać. Mirszakaj zdawał sobie sprawę, że krewni Hamida ryzykowali własne życie, by złożyć propozycję małżeństwa, nie mógł więc zachować się niegrzecznie i po prostu odesłać ich z kwitkiem. Mimo to nie był jeszcze gotowy, aby zgodzić się na ten związek. Zatem po skończonej kolacji powiedział półgłosem, że zaręczyny mogą dojść do skutku tylko pod warunkiem, że rodzina Hamida kupi dom i przepisze go na moje nazwisko, a ponadto podaruje naszej rodzinie znaczne ilości złota i kosztowności oraz dwadzieścia tysięcy dolarów w gotówce.

To było mnóstwo pieniędzy, zwłaszcza w czasie wojny. Choć rodzina Hamida nie żyła w skrajnej nędzy, z pewnością nie miała takiej sumy. Oczywiście ja nie mogłam brać udziału w negocjacjach. Razem z siostrą Hamida siedziałyśmy w sąsiednim pokoju, przyciskając uszy do ściany i starając się nie uronić ani słowa z tych pertraktacji. Gdy więc usłyszałam postawione przez mojego brata warunki, musiałam stłumić okrzyk trwogi. O dziwo, wuj Hamida przystał na nie. Wydawał się nieco oszołomiony i nie do końca zadowolony, ale zrobił dobrą minę do złej gry i nie stracił rezonu. W środku musiało się w nim wszystko gotować ze złości, lecz zdjął z głowy turban i położył go przed moim bratem jako wyraz podziękowania za zgodę na nasze małżeństwo.

Siostra Hamida zebrała dzieci, uściskała mnie i uśmiechnęła się ciepło na pożegnanie, a potem zarzuciła na siebie burkę. Mężczyźni, zanim wyszli na zewnątrz, włożyli turbany. Talibowie nakazali bowiem wszystkim mężczyznom obowiązkowo nosić turbany i brody.

Kilka dni później Mirszakaj udał się do Pandższiru, by pomóc siłom rządowym w opracowaniu nowego planu ataku na Kabul. Po jego wyjeździe tunel Salang ponownie został zamknięty, brat został więc uwięziony po drugiej stronie gór. Przez czterdzieści dni nie mieliśmy od niego żadnej wiadomości. Ta udręka była nie do zniesienia. Nie mieliśmy pojęcia, co byśmy zrobili, gdyby Mirszakaj zginął.

Wreszcie jednak przyszła informacja, że brat znajduje się w Badachszanie. Został tam oddelegowany do zorganizowania nowej linii obrony. Talibowie zdobywali coraz większe terytorium i dowódcy mudżahedińscy obawiali się, że wkrótce ich przeciwnicy zajmą większą część centralnych oraz północnych prowincji. W końcu Mirszakaj wrócił do nas cały i zdrowy.

Zaczęły się już pojawiać pierwsze zwiastuny wiosny, a ja znów popadłam w depresję. Wiosną powinnam rozpocząć nowy semestr. Tak bardzo chciałam wrócić na uczelnię. Pewnego dnia bratowa poprosiła mnie, bym poszła z nią na zakupy na bazar. Z jakiegoś powodu wydawało mi się, że gdzie się nie obejrzę, wszędzie widzę Hamida. Gdy wychodziłam ze sklepu lub skręcałam za róg, jego twarz migała mi w tłumie. Nagle jednak zniknął. Zaczęłam myśleć, że powoli tracę zmysły. Kiedy wróciłam do domu, okazało się, że mamy gościa. Był nim nastoletni chłopiec, jeden z naszych dalekich krewnych, spowinowacony również z rodziną Hamida. Czułam się tak przygnębiona, że grzecznie przeprosiłam i poszłam do swojego pokoju. Chłopak, żegnając się ze mną, wcisnął mi w dłoń skrawek papieru.

Zamknęłam za sobą drzwi i rozwinęłam go. To był list. Oczami przeskoczyłam od razu na dół strony, żeby sprawdzić, kto go napisał, ale w sercu już to wiedziałam. Hamid. Znaczyło to, że jest tu, w Pol-e Chomri. Tak więc nie oszalałam. Naprawdę widziałam go na bazarze. Śledził mnie po kryjomu. W liście napisał mi, że jutro przyjdzie, żeby porozmawiać z moim bratem o ślubie. Tym razem, jak mnie zapewniał, na pewno do niego dojdzie.

Tej nocy prawie w ogóle nie spałam. Nazajutrz, zgodnie z obietnicą, Hamid pojawił się w naszym domu i poprosił o widzenie z moim bratem. Musiał nieźle zaskoczyć Mirszakaja i pewnie też nieco przerazić, gdy położył przed nim dwadzieścia tysięcy dolarów w żywej gotówce oraz dokumenty potwierdzające kupno domu. Mimo to brat wciąż nie miał zamiaru oddać mnie Hamidowi za żonę. Nawet w takiej sytuacji nie mógł zmusić się do powiedzenia ostatecznego i jednoznacznego „tak", na które Hamid tak bardzo czekał.

Chociaż jego rodzina nie należała do bogatych, posiadała kawałek ziemi w Badachszanie. Teraz, aby zdobyć pieniądze na ślub, ziemię sprzedano. Nie można powiedzieć, by Hamid był nędzarzem, ale mój brat, który miał cztery domy w Kabulu i jeden w Lahore, sądził inaczej.

Negocjacje ponownie odbywały się wyłącznie w męskim gronie, a kobiety siedziały wspólnie w innym pomieszczeniu. Jako przedmiot transakcji biznesowej czułam się dość dziwnie. W pewnym sensie przypominało mi to zakradanie się w dzieciństwie pod pokoje gościnne ojca, by podsłuchać toczące się tam dyskusje. Słuchając rozmowy Hamida z Mirszakajem, czułam dziwną mieszaninę dumy, ciekawości i bezsilności.

Usłyszawszy, że Hamid ma obiecane pieniądze, mimowolnie pisnęłam z radości. Po wyjeździe do Pol-e Chomri moje życie rozsypało się w proch. Żadnych szans, by wrócić na uniwersytet, żadnej stymulacji, nic ciekawego do roboty. Nie wiedziałam, jakie okaże się to małżeństwo, ale nie mogło być nudniejsze niż moja obecna egzystencja.

Zaręczyny w Afganistanie są równie istotne i tak samo wiążące jak umowa małżeńska. Można je zerwać tylko w wyjątkowych okolicznościach. Nagle uderzyło mnie, jaka spoczywa na mnie odpowiedzialność. Zaczęłam roztrząsać wszystkie udzielane mi przez Mirszakaja przestrogi. Jego głos wciąż powtarzał mi w głowie: „Fawziu, nie wychodź za tego biedaka. Możesz mieć każdego mężczyznę, którego zapragniesz. Nie będziecie w stanie wyżyć z jego miesięcznej pensji. Wyjdź za bogatego, potężnego człowieka". Muszę przyznać, że naszły mnie wątpliwości. Trudno planować sobie życie tuż po ślubie, kiedy cały kraj znajduje się w ruinie. Od własnych marzeń ważniejsze stają się wówczas bezpieczeństwo i przetrwanie. Nie miałam pojęcia, co przyniesie przyszłość, jak długo zostaną tu jeszcze talibowie, czy walki kiedykolwiek się skończą, gdzie będziemy mieszkać i czy będę mogła znów studiować albo pójść do pracy.

Mariam, moja starsza siostra, zauważyła, że zbladłam. Spojrzała na mnie z powagą i powiedziała:

– Fawziu, musisz podjąć decyzję. Teraz. Natychmiast. Jeśli nie chcesz tego małżeństwa, masz ostatnią szansę, by o tym powiedzieć. Rozumiesz?

Kilka dni wcześniej, podczas ostatniej próby odwiedzenia mnie od ślubu z Hamidem, Mirszakaj powiedział mi, że mogę pojechać do Pakistanu, zamieszkać z jego drugą żoną w Lahore i zapisać się na tamtejszy uniwersytet. Myśl o tym, że mogłabym studiować medycynę w kraju nieogarniętym wojną, wydała mi się cudowna. Choć ledwo znałam Hamida, wiedziałam o nim wystarczająco dużo, by uwierzyć, że możemy stworzyć udane małżeństwo. Wiedziałam, że jak na Afgańczyka był niezwykłym człowiekiem, który będzie mnie traktował jak osobę równą sobie i naprawdę wspierał moje plany pójścia do pracy. Hamid nie miał dużego majątku i nasza przyszłość rysowała się bardzo niepewnie, lecz wciąż wydawał się właściwym wyborem. Ponieważ to był MÓJ wybór.

Jak to już nieraz się działo w historii naszej rodziny, to kobieta musiała podjąć ostatecznie stanowcze kroki. Kiedy siostra kazała mi wreszcie coś zdecydować, skinęłam jej w milczeniu głową, co miało oznaczać „tak". Mariam weszła do pokoju, w którym znajdowali się mężczyźni, i poprosiła brata o rozmowę. Na osobności nader odważnie i kategorycznie zażądała, by przestał stawiać tym ludziom coraz większe wymagania. Wszak przynieśli już obiecane pieniądze. Czas, żeby podjął decyzję. „Tak" lub „nie". Mirszakaj zacisnął usta, przewrócił teatralnie oczami, głęboko westchnął i w końcu się z nią niechętnie zgodził.

Mariam przygotowała misę ze słodyczami, do której włożyła również kwiaty oraz chusteczkę z małym czerwonym kwiatkiem na wierzchu. Wciąż mam tę chusteczkę. Był to znak ostatecznego przyjęcia oświadczyn. Misa została uroczyście zaniesiona do pokoju, w którym przebywał Hamid. Szkoda, że nie mogłam zobaczyć jego twarzy, gdy – ujrzawszy misę – zrozumiał, że jego marzenia się spełniają. Poczęstunek ze słodyczy stanowi tradycyjny afgański zwyczaj po sformalizowaniu zaręczyn. Rodzina pana młodego wkłada następnie do misy pieniądze na opłacenie wesela. Hamid wziął jeden cukierek, odwinął go starannie z papierka i zjadł, po czym na jego miejsce włożył do środka kolejne pięć tysięcy dolarów. Na ten wydatek również był przygotowany.

Następnego dnia Hamid miał przyjść do nas z rodziną na obiad. Od wczesnego ranka krzątałam się więc w kuchni. Gdy umyłam ryż i obrałam ogórki, uśmiechnęłam się. Uświadomiłam sobie bowiem, jak wiele miłości wkładam w gotowanie. Wszystkie kobiety od czasu do czasu odczuwają tę prostą przyjemność z przygotowywania posiłku dla ukochanych osób. To już nie kwestia kultury; to naturalna potrzeba, coś niemal pierwotnego. Przypomniała mi się matka gotująca dla ojca, a wraz z nią jej dbałość o to, by wszystko wyszło idealnie. Ja postępowałam dokładnie tak samo. Gdy kroiłam warzywa, starałam się ciąć je na zgrabne, małe i równe kawałki, aby mój ukochany mógł je zjeść z prawdziwą przyjemnością.

W dalszym ciągu nie pozwalano mi się zobaczyć z moim przyszłym mężem. Widziałam go jedynie w przelocie, kiedy opuszczał nasz dom wraz ze swoją rodziną. Schowałam się w oknie za zasłoną i ukradkiem zerknęłam na niego, gdy szedł w stronę bramy. Chyba podejrzewał, że będę go obserwować, ponieważ zatrzymał się na moment, udając, że drapie się w głowę. Myślę, że rozważał, czy nie obrócić się i nie rzucić na mnie szybko okiem, ale najwyraźniej doszedł do wniosku, że lepiej nie ryzykować – mógł to przecież zauważyć mój brat.

Kiedy Hamid szedł do samochodu, poczułam nagłe podniecenie. Od czasu jego pierwszych oświadczyn minęły prawie cztery lata. Nigdy się nie poddał ani nie zrezygnował z zamiaru poślubienia mnie. Skończyłam już dwadzieścia jeden lat i wreszcie miałam zostać panną młodą.

Kochane Szuhro i Szaharzad,

dobroć innych ludzi już wielokrotnie ocaliła mnie i pozostałych członków naszej rodziny. Jest tylu ludzi, którzy ryzykowali własne życie, by nam pomóc, udzielając schronienia lub ukrywając przed niebezpieczeństwem. I nie tylko nam. W całym kraju otwierali oni drzwi przed tymi, którzy znaleźli się w potrzebie. Sąsiedzi przymykali oko, gdy małe dziewczynki pod osłoną nocy przekradały się do tajnych szkół mieszczących się w piwnicach. Szkoły te były prowadzone przez wspaniałe, odważne afgańskie kobiety, które mimo grożącego im niebezpieczeństwa wiedziały, że nie mogą pozwolić, by talibowie pozbawili wykształcenia całe pokolenie dziewcząt.

W tamtych czasach tysiące kobiet straciło mężów i ojców. Wdowy stały się głównymi żywicielkami rodzin, odpowiedzialnymi za to, by ich dzieci nie chodziły głodne. Tymczasem talibowie odmawiali im prawa do pracy. Tak więc kobiety te spotykała kolejna tragedia: musiały żebrać i zdać się na łaskę obcych ludzi. Matki i dzieci umierały z powodu chorób i głodu. Niektóre jednak przetrwały – dzięki ludziom, którzy nie przeszli obok żebrzących obojętnie. Choć Afgańczycy sami nie mieli zbyt wiele, dawali, ile tylko byli w stanie. Oto, co znaczy być prawdziwym muzułmaninem. Wspieranie jał

mużną ubogich stanowi jedną z podstawowych zasad islamu,
a Święty Koran nakazuje ofiarować datki biednym nie tylko
w czasie wielkich świąt (jak Id al-Fitr na zakończenie rama-
danu), lecz także każdego dnia naszego życia.

Wiem, że nieustające kolejki ludzi stojących pod naszymi
drzwiami czasami mogą być nie do zniesienia. Ci ludzie
jednak nie mają złych intencji – chcą ze mną porozmawiać
lub potrzebują mojej pomocy. Co rano, już od samego świtu, przed naszym domem zbiera się mała grupka. Niekiedy,
zanim jeszcze zdążymy zjeść śniadanie, czeka tam już kilka-
naście osób. Zdaję sobie sprawę, że to dla Was trudne. Nie-
umówionym na spotkanie nieznajomym poświęcam tak wiele
czasu i uwagi – często Waszym kosztem. To trudne zwłaszcza
rano, gdy pomagam się Wam spakować do szkoły i – gdyby
nie ludzie w potrzebie – moglibyśmy się cieszyć tymi kilko-
ma spędzonymi wspólnie chwilami, zanim porwie mnie wir
codziennej pracy w parlamencie. Dziewczynki, jakkolwiek
frustrujące może się Wam to wydawać, proszę – spróbujcie
zrozumieć. Nie mogę odwrócić się od tych ludzi.

Pragnę, byście tej lekcji się nauczyły. Nigdy nie odprawiaj-
cie od swych drzwi ludzi potrzebujących pomocy. Przecież
kiedyś i Wy możecie być zmuszone zdać się na czyjąś łaskę.

Ściskam Was,
mama

WSZYSTKO STAJE SIĘ BIAŁE

1997

Po początkowych sukcesach i zajęciu Kabulu talibowie zaczęli zdobywać tereny na północy kraju. Mudżahedini wciąż próbowali stawiać opór, lecz znajdujące się pod ich kontrolą kolejne obszary padały stopniowo łupem wroga. Nagle w wioskach położonych w samym środku terytoriów, które były kontrolowane przez siły rządowe, pojawiały się białe flagi.

Talibowie umieszczali chorągwie wszędzie tam, gdzie znajdowali zwolenników lub mieli powiązania z miejscowymi. Flagi powiewały już nad dawnymi bastionami mudżahedinów – Mazar-i-Szarif, Baghlanem i Kunduzem. Gdy talibowie zaczęli na północy rosnąć w siłę, zabrali się do uśmiercania afgańskich zwyczajów. Zakazali kobietom noszenia białych elementów garderoby: spodni, skarpetek, a nawet burek. Ubiór w tym kolorze świadczył bowiem ich zdaniem o braku szacunku dla talibskiej flagi. Tymczasem w wielu północnych prowincjach burki mają zwyczajowo biały kolor (tylko w Kabulu i na południu kraju dominują zasłony niebieskie). Talibowie nie zważali na to, że większość Afganek z północy nie miała niebieskich nakryć. Najpierw bili kobiety z powodu braku burek, a teraz za ich kolor. Istny obłęd.

Fundamentaliści błyskawicznie zajmowali kolejne obszary. Przejęli kontrolę nad Baghlanem i Kunduzem. Odpór stawiały już tylko Tachar i Badachszan. A gdy talibowie podbili prowincję, natychmiast zamykali szkoły i dokonywali aresztowań. Zachowywali się jak barbarzyńcy. Torturowali ludzi, nie dając im nawet szansy na sprawiedliwy proces. Wyglądało to tak, jakby nowe prawa były wymyślane na poczekaniu. Ludzie z północy, bardziej wyzwoleni kulturowo od mieszkańców południa, przeżyli prawdziwy szok w zetknięciu z tą siłą.

W końcu niektórzy przywódcy Sojuszu Północnego (dawni mudżahedini), a nawet byli komuniści, zaczęli zawierać z talibami porozumienia w zamian za gwarancję bezpieczeństwa. Oczywiście, ze względu na skrajnie tradycjonalistyczne i ortodoksyjne poglądy religijne nowych rządców Afganistanu pełen konsensus nie był możliwy. Poza tym talibowie zdobywali broń i pieniądze głównie z zagranicy, dlatego w gruncie rzeczy nie potrzebowali żadnych wewnętrznych sojuszy. Mimo to zawierali przymierza – a gdy partnerzy przestawali być potrzebni, zazwyczaj ich likwidowali. Według fundamentalistów bowiem albo jesteś jednym z nich, albo nie ma cię wcale.

Nasza niegdyś tak zżyta ze sobą rodzina była teraz rozrzucona po całym kraju. Większość starszych sióstr, za którymi bardzo tęskniłam, wciąż mieszkała w Badachszanie – z pochodzącymi stamtąd mężami. Mirszakaj, który po śmierci Mukima nie był już taki jak dawniej, stwierdził, że ma dość Afganistanu. Postanowił zabrać z Pakistanu drugą żonę i wyemigrować do Europy.

Zanim jednak przystąpił do realizacji planu, dostał wiadomość od Masuda i Rabbaniego, którzy potrzebowali go w prowincji Tachar, aby zorganizować nowe oddziały do walki z talibami. Udałyśmy się tam razem z nim i znów zamieszkałyśmy w wynajmowanym domu. Kilka tygodni później przybył sam Masud, który zezwolił bratu i jego rodzinie na wyjazd przez Kabul do Pakistanu. Gdy Mirszakaj przebierał się w cywilne ubranie, my – kobiety – w pośpiechu się pakowałyśmy. Potem pojechaliśmy taksówką w kierunku Kabulu.

Do Pol-e Chomri dotarliśmy, gdy zaczęło się ściemniać. Zatrzymaliśmy się tam na noc u przyjaciół Mirszakaja, którzy również postanowili zabrać się z nami do Kabulu.

Oprócz mnie wszystkie kobiety w naszej grupie nosiły burki. Ja wciąż wolałam czarny nikab w arabskim stylu, który zakrywał mi twarz równie szczelnie jak burka. Kobiety wstały następnego dnia wcześnie, aby przygotować na podróż jajka na twardo i ziemniaki. Do Kabulu nie było daleko, ale z powodu walk nie mieliśmy pojęcia, ile czasu zajmie droga.

Wyruszyliśmy tuż przed świtem. Gdy wzeszło słońce, od razu dobiegły nas odgłosy wojny. Jechaliśmy dokładnie przez linię frontu. Na głównych drogach, ze względu na ostrzał artyleryjski, było zbyt niebezpiecznie, musieliśmy się więc trzymać bocznych tras. Po pewnym czasie, gdy odgłosy walk wydawały się narastać, zauważyliśmy przeprawę łączącą wioski położone na przeciwnych brzegach wartko płynącej rzeki. Już chcieliśmy wjechać na most, gdy trafił go pocisk z moździerza. W powietrze poleciały metalowe i drewniane odłamki. Nie mieliśmy innego wyboru, jak tylko iść dalej na piechotę.

Bratowa niosła na rękach swoje niedawno urodzone dziecko. Nie przypuszczała, że będziemy zmuszeni pokonać część trasy na własnych nogach i – niezbyt zresztą rozsądnie – włożyła na podróż buty na obcasach. Czekała nas blisko całodniowa wędrówka, a droga nie wiodła przez równy teren. Musieliśmy przedzierać się przez skaliste wzgórza, przejść przez zdziczałe ogrody pełne krzewów róż i drzew morwy, a następnie zejść w dół ścieżki biegnącej wzdłuż rzeki. Na głównej drodze stanowilibyśmy wyjątkowo łatwy cel. Ale i tak rakiety śmigały nad naszymi głowami tak często, że niejednokrotnie musieliśmy się zatrzymywać i szukać kryjówki w krzakach. Kilka razy na krótkich odcinkach jechaliśmy „taksówkami" – prywatnymi samochodami, których właściciele wozili ludzi za opłatą. Niektórzy ryzykowali życie dla najmniejszego zarobku.

Jeden z takich kierowców zawiózł nas aż na samą linię walki między ostrzeliwującymi się talibami i oddziałami Masuda. Biegnąca tam droga prowadziła przez równinę Szomali i Dżabal Saradż. Powoli zbliżaliśmy się do przedmieść Kabulu. Zwykle na drodze panuje duży ruch, ale teraz żaden taksówkarz nie śmiał tędy przejechać. Przyłączyliśmy się do wędrującego tłumu. Cóż za ironia: tych samych ludzi widzieliśmy uciekających z Kabulu, gdy talibowie opanowali stolicę! Teraz, w niegdyś spokojnych miastach, toczyły się zażarte walki, Kabul zaś z powrotem stał się w miarę bezpiecznym miejscem. Na równinie grasowały stada wygłodniałych dzikich psów, warczących wściekle na przechodzących ludzi. W pewnym momencie omal nie nadepnęłam na leżącego w trawie węża; przestraszyłam się go nie mniej niż eksplodujących wokół pocisków.

Tymczasem bratowa znajdowała się już na granicy wytrzymałości. Nie dość, że szła na obcasach, to jeszcze mały Irszad z każdą chwilą ciążył jej coraz bardziej. Miałam na nogach płaskie sandały, zaproponowałam więc, że zamienię się z nią butami. Z niejasnych dla mnie przyczyn zawsze dobrze sobie radziłam w pantoflach na wysokich obcasach, nawet pośrodku pola bitwy. W żartach wymieniam to jako jeden z moich niepospolitych talentów.

Gdy zatrzymaliśmy się, rozpoczął się ostry ostrzał; musieliśmy się czym prędzej ukryć. Usiadłam pod drzewem, korzystając z okazji do chwili odpoczynku. Na ziemi leżały jabłka, więc – wygłodniali – rzuciliśmy się na nie. Nagle drzewem zatrzęsło. Zamarłam. Usłyszałam przeciągły, brzęczący dźwięk przelatującej nad nami rakiety. Eksplodowała kilka metrów dalej. Z drzewa niewiele zostało. Wszystko wydarzyło się tak szybko. Zdążyłam tylko usiąść pod nim, a już w następnej chwili go nie było. Znowu cudem uniknęłam śmierci.

Ruszyliśmy dalej, ponaglani przez Mirszakaja. Mijaliśmy martwe ciała kobiet i dzieci, które nie miały tyle szczęścia co my. Po kolejnych dwóch godzinach marszu dotarliśmy do urokliwej okolicy położonej nad wartko płynącą rzeką Sajjad i łagodnymi wodospadami – niegdyś popularnego miejsca pikników.

Byliśmy wyczerpani. Buty na obcasie obtarły mi stopy. Na szczęście mieszkająca w pobliżu rodzina zaprosiła nas do swojego domu i poczęstowała herbatą, chlebem oraz owocami morwy. Ja dostałam nawet parę sandałów. Nigdy nie zapomnę tym nieznajomym okazanego nam serca.

Po krótkim odpoczynku ruszyliśmy w dalszą drogę. Musieliśmy teraz przeprawić się przez rzekę. Przejście wiodło przez bardzo chybotliwą kładkę z marnych desek związanych ze sobą niestarannie za pomocą drutu i sznurka. Cała konstrukcja sprawiała wrażenie, jakby w każdej chwili miała się rozpaść. Na brzegu kładki przystanął jeden z ochroniarzy Mirszakaja (ten, w którego kieszeni znajdowały się wszystkie nasze dokumenty wraz z paszportami) i kolejno pomagał nam w przejściu na drugą stronę.

Zapadł już zmrok i zaczął wiać tak silny wiatr, że utrzymanie się w wyprostowanej pozycji graniczyło z cudem. Mężczyzna złapał mnie za rękę i skłonił do wejścia na pierwszą deskę. Dzięki jego pomocy udało mi się przedostać na drugi brzeg – podobnie jak mojej bratowej, która w dodatku niosła na

rękach synka. Gdy żona brata zeszła z kładki, znowu się rozpłakała; po drodze zgubiła bowiem jeden z sandałów, które jej
oddałam. Wreszcie jako ostatni wszedł na mostek ochroniarz.
Kiedy dotarł mniej więcej do środka, deska pod jego stopą
nagle się zachwiała i nasz pomocnik wpadł do wody.

Gdy wpatrywaliśmy się przerażeni w nurt rzeki, przyszła
mi do głowy odrażająca myśl: jeśli on utonie, nasze paszporty
pójdą na dno razem z nim. Nagle mężczyzna się wynurzył.
W ręce wyciągniętej wysoko nad powierzchnię wody trzymał
dokumenty. Udało mu się jakoś dotrzeć do brzegu i przy pomocy mojego brata wydostać się na suchy ląd. Zdołał nie tylko
uratować nasze paszporty, lecz także ochronić je przed zamok-
nięciem. Wszyscy wybuchnęliśmy śmiechem; śmiał się nawet
ochroniarz. Mój brat serdecznie go uściskał.

Mirszakaj niezmiernie cenił tego bardzo lojalnego człowieka, który – niestety – po wyjeździe brata z kraju dołączył do
talibów. Straciwszy źródło dochodów, nie miał innego wyjścia.
Tysiące Afgańczyków właśnie dlatego przystawało do fundamentalistów; wcale nie wyznawali ich ideologii, ale tylko w ten
sposób mogli wyżywić swoje rodziny.

Po półgodzinie doszliśmy do strefy kontrolowanej przez
talibów i tam znaleźliśmy taksówkę. Opadłam na tylne siedzenie i zasnęłam. Gdy się obudziłam, zapadła już noc. Mirszakaj
kazał taksówkarzowi zawieźć nas do mieszkania w Makrorian;
przez okna oglądałam ulice mojego ukochanego Kabulu. Podczas naszej nieobecności mieszkaniem opiekowali się teściowie
brata. Powitała nas tam ciepła i przyjazna atmosfera. Ulgi, jaką
czułam, biorąc gorący prysznic oraz jedząc porządny posiłek,
po prostu nie da się opisać. Nawet najprostsza potrawa smakuje
wyśmienicie po całym dniu spędzonym na uchylaniu się przed
pociskami i kulami w szpilkach na nogach.

Kochane Szuhro i Szaharzad,

uwielbiam to, że jesteśmy ze sobą tak blisko.

Kiedy się Wam przysłuchuję, uświadamiam sobie, jak wiele się zmieniło od czasu, gdy byłam w Waszym wieku. Opowiadacie o filmach przyrodniczych, które możecie obejrzeć w telewizji, i pokazujecie bollywoodzkie tańce, których nauczyłyście się z ekranu. Mówicie mi o komputerach i o tym, czego dowiedziałyście się w internecie. Macie tak szeroki dostęp do świata, o jakim mnie się nawet nie śniło.

Uwielbiam Wasze opowieści o znajomych, nawet jeśli są smutne. Pamiętasz, Szuhro, opowiadałaś mi o swojej przyjaciółce, którą gnębi macocha. Popłakałaś się, tak bardzo było Ci żal tej dziewczynki.

Jestem szczęśliwa, że ze wszystkiego możecie mi się zwierzyć. Ja nigdy nie miałam z kim porozmawiać, nikogo nie obchodziło, co myślę. Braci nie interesowały moje marzenia ani drobiazgi, które mi się przydarzały. Słuchali mnie jedynie wtedy, gdy przynosiłam szkolne świadectwo, z pierwszą lub drugą średnią w klasie. Dopiero wtedy czuli się dumni, że mają mądrą siostrę.

Ilekroć znajomi ze szkoły zapraszali mnie na przyjęcia urodzinowe albo opowiadali o prezentach, jakie dostali, zawsze sprawiało mi to ból. Marzyłam o tym, aby również móc świętować własne urodziny, a później opowiadać o tym kolegom. Czasem kusiło mnie, by im skłamać i udawać, że będę mieć ogromne przyjęcie z muzyką i tańcami. Ale bałam się, że zechcą, bym ich zaprosiła, a to przecież nie było możliwe. W naszej rodzinie nie świętowało się urodzin dziewcząt.

Chciałam, żeby Wasze życie wyglądało inaczej. Dlatego, gdy zbliżają się urodziny którejś z Was, już kilka tygodni wcześniej zaczynamy planować przyjęcie, koniecznie z balonami i tortem, a po Waszych przyjaciół zawsze wysyłamy rodzinny samochód. Chcę, żebyście cieszyły się życiem i aby radość przynosiły Wam rzeczy zarówno duże, jak i niewielkie.

Wiedzcie jedno: bez względu na okoliczności w życiu zawsze znajdzie się coś, z czego można się cieszyć.

Ściskam Was,
mama

TALIBSKIE WESELE
1997

Niemal każda dziewczynka śni o dniu swojego ślubu. Ja nie należałam do wyjątków.

Uważam, że życie składa się z serii ważnych chwil, które powodują, że jesteśmy indywidualni, niepowtarzalni. Pamiętamy zwłaszcza te najlepsze momenty naszego życia, na przykład uroczyste przyjęcie, zapach świeżej trawy tuż po deszczu, piknik nad rzeką, wesoły wieczór spędzony z bliskimi, narodziny dziecka czy też ukończenie studiów.

Jedną z takich chwil powinien być dzień, w którym przyszła panna młoda idzie kupić suknię ślubną. Tego ranka, gdy wybrałam się po suknię na bazar, czułam się jak chodzące widmo.

Ponieważ byłam najmłodszą córką, matka i siostry zawsze z wielką przyjemnością roztrząsały, jak będzie wyglądać moje wesele. Przez lata zdążyły przewałkować już wszystko, co z tym związane, począwszy od tego, w co będę ubrana, przez to, jak zostanę uczesana, a skończywszy na tym, co podamy do jedzenia. Przed wojną byliśmy dość zamożni, więc wszyscy zawsze zakładali, że będę mieć duże wesele. Przyjadą na nie goście z najdalszych okolic, wszyscy będą mnie podziwiać... Kiedy byłam małą dziewczynką, ten pomysł niezbyt mi się podobał; teraz jednak, gdy wreszcie wychodziłam za mąż, zapragnęłam takiego wesela, o jakim marzyła dla mnie matka. Niczego nie chciałam bardziej, niż jeszcze raz usłyszeć, jak opowiada o dniu mojego ślubu. Na myśl o jej stracie wciąż czułam tępy ból.

Nigdy nie przypuszczałam, że najważniejszy dzień w moim życiu przypadnie na czas rządów talibów. Z powodu wprowadzonych przez nich przepisów wesele miało się odbyć bez kamery wideo, bez muzyki i tańców. Wszystkie restauracje i domy weselne zamknięto, a wszelkie radosne uroczystości zostały zakazane. Chyba każda kobieta – bez względu na to, w której części świata żyje – oczekuje, że dzień jej ślubu będzie doskonały. Choć może to dziecinne i głupie, przez wiele nocy poprzedzających ceremonię zasypiałam z płaczem. Płakałam za matką oraz za tym, że podczas wesela nie będę mogła błyszczeć jako piękna panna młoda.

Mimo że noszenie burki stało się obowiązkowe, wciąż nie mogłam się przełamać, żeby ją sobie sprawić. Gdy musiałam wyjść na ulicę, nakładałam zasłonę matki. Była znacznie piękniejsza od tanich, masowo produkowanych w Pakistanie burek z niebieskiego nylonu, które są dziś tak powszechne. Za czasów matki kobiety postrzegały ten element stroju jako symbol statusu społecznego. Zasłona Bibi Jan odpowiadała zatem wysokiej pozycji żony potężnego, bogatego człowieka – ciemnoniebieski jedwab układał się w luźne, delikatnie szeleszczące fałdy, nakrycie twarzy finezyjnie wyszyto, a otwór na oczy zakrywała srebrzysta siateczka. Zabrudzoną burkę matka nosiła do fachowca, który czyścił ją i ostrożnie zaprasowywał. Dla matki zasłona stanowiła powód do dumy, dla mnie był to symbol upokorzenia. Nawet po ślubie chodziłam w burce matki: jeśli już musiałam jakąś nosić, to przynajmniej taką, która by coś dla mnie znaczyła.

Na weselne zakupy wybrałam się z bratową, narzeczonym i jego siostrą. Z Hamidem spotkałam się wtedy po raz pierwszy od wielu miesięcy. Ostatni raz tak naprawdę widziałam go na uniwersytecie dzień przed tym, jak talibowie przejęli władzę. W Pol-e Chomri, kiedy brat nareszcie zgodził się na nasze małżeństwo, zza kotary, za którą się ukryłam, mignął mi tylko tył jego głowy. Podczas ostatniego spotkania na uniwersytecie krajem rządzili jeszcze mudżahedini i Hamid nosił starannie przystrzyżoną, małą bródkę. Pod rządami talibów musiał zapuścić brodę oraz włosy i nie był już tak przystojny jak kiedyś. Przez znienawidzoną burkę wciąż rzucałam w jego kierunku ukradkowe spojrzenia, nie mogąc przestać myśleć o tym, jak bardzo jest mu nie do twarzy z tym zarostem. I znów ogarnęło mnie to obezwładniające uczucie, że Afganistan po prostu cofa się w czasie. Miałam wrażenie, jakby cały kraj pogrążał się w mroku i nie widać było żadnej nadziei, że coś zmieni się na lepsze.

Talibowie wprowadzili kolejne rozporządzenie: każdej kobiecie, która z jakiegokolwiek powodu wychodzi z domu, musi towarzyszyć *muharram*, czyli spokrewniony z nią mężczyzna. Jak większość talibskich przepisów, miało to znacznie więcej wspólnego z kulturą arabską niż tradycją afgańską. Za czasów mojej babki kobiety nie wychodziły same, ale w wyniku postępu cywilizacyjnego zwyczaj wyginął w kolejnych pokoleniach. Talibowie znów jednak wrzucali Afganistan w odmęty przeszłości.

Jeśli na jednym z niezliczonych punktów kontrolnych w mieście fundamentaliści zatrzymali samochód, którym jechała kobieta (rzecz jasna w asyście mężczyzny), przesłuchiwali ją, żądali podania jej personaliów (nazwiska – zarówno obecnego, jak i rodowego) oraz nazwiska towarzyszącego jej mężczyzny. Kobieta była maglowana na wszystkie strony – talibowie musieli mieć pewność, że jest krewną mężczyzny, a nie jego przyjaciółką. Za wprowadzenie w życie takiej procedury (a także kar cielesnych dla kobiet) odpowiadał Departament Wspierania Cnoty i Walki z Występkiem. Na targu weselnym bito kobiety, które – podobnie jak ja – próbowały kupić suknię ślubną. Jedna z nich miała na sobie białe spodnie. Może nie wiedziała o zakazie noszenia takiego stroju, może była niewykształcona i biedna albo ze strachu do tej pory w ogóle nie wychodziła z domu. Mniejsza o przyczynę; w pewnym momencie usłyszałam tylko, jak ktoś krzyczy na nią po arabsku (w Kabulu pojawiło się mnóstwo arabskich bojowników, którzy przyłączyli się do talibów). Wrzeszczący mężczyzna przycisnął dziewczynę do ziemi, jego kompani zaś zaczęli okładać ją po nogach gumowym kablem. Ofiara talibskiej zawziętości wyła z bólu. Odwróciłam się, przygryzając wargę do krwi. Aż gotowałam się ze złości, widząc taką niesprawiedliwość i nic nie mogąc z tym zrobić.

Nigdy nie zapomnę odgłosu, jaki wydawały samochody departamentu. Funkcjonariusze jeździli zazwyczaj terenowymi toyotami hilux z przymocowanymi na dachu głośnikami, z których rozbrzmiewały modlitwy z Koranu. Słysząc nadjeżdżające auto, kobiety znajdujące się na ulicy natychmiast szukały kryjówki. Mogły zostać pobite nawet za najdrobniejsze przewinienie. Czasami zresztą maltretowano je bez konkretnej przyczyny. Pewnego dnia widziałam, jak grupka talibów biczuje młodą dziewczynę za pomocą kabla. Na pomoc rzuciły się jej matka oraz siostra, próbując zasłonić ją własnymi ciałami. Mężczyźni nic sobie z tego nie robili. Po prostu bili dalej wszystkie trzy. Czyste szaleństwo.

Gdy wybraliśmy się w czwórkę na weselne zakupy, talibowie na szczęście nie zwrócili na nas uwagi. Udało się nam kupić

1. Moja ukochana mama, Bibi Jan.

2. Mój ojciec, wakil Abdul Rahman.

3. Szczęśliwe lata w otoczeniu rodziny.

4. *Hooli* w dystrykcie Koof – ponadstuletni dom ojca.

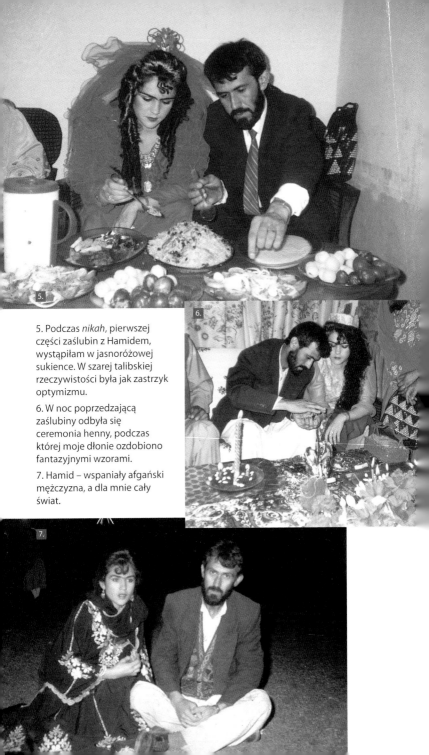

5. Podczas *nikah*, pierwszej części zaślubin z Hamidem, wystąpiłam w jasnoróżowej sukience. W szarej talibskiej rzeczywistości była jak zastrzyk optymizmu.

6. W noc poprzedzającą zaślubiny odbyła się ceremonia henny, podczas której moje dłonie ozdobiono fantazyjnymi wzorami.

7. Hamid – wspaniały afgański mężczyzna, a dla mnie cały świat.

8. Hamid z córką.

9. W 2003 roku Hamid przegrał walkę z gruźlicą.

10. Mirszakaj, tutaj z dziećmi podczas rodzinnej uroczystości, zawsze jest dla mnie oparciem.

11. Pielgrzymka do Mekki. Wiara to podstawa mojego życia.

12. Podczas pracy w terenie z badachszańskimi robotnikami i nomadami.

13. Twarzą w twarz z wyborcami ze społeczności wiejskich Badachszanu podczas kampanii we wrześniu 2010 roku.

Podczas rozmowy z grupą prostych niepiśmiennych kobiet z wiejskich terenów Badachszanu we wrześniu 2010 roku.

Rozdawanie dzieciom długopisów podczas kampanii w 2010 roku.

To Fawzia Koofi
(With best wishes,

Uroki pracy polityka – oficjalne spotkania...

16. z George'em i Laurą Bushami, prezydentem i pierwszą damą USA.

17. ze Stephenem Harperem, premierem Kanady, i Sabriną Saqib, najmłodszym członkiem afgańskiego parlamentu.

18. z Condoleezzą Rice, sekretarz stanu USA.

For Fawzia Koofi   Best wishes   Condoleezza Rice

19. W samolocie podczas mojej kampanii wyborczej 2010 roku. Moje wspaniałe córki – Szuhra i Szaharzad – wspierają mnie, jak potrafią.

Chwila matczynej czułości.

Szuhra i Szaharzad na tle rzeki przepływającej przez moją rodzinną wieś w dystrykcie Koof.

22. Jestem politykiem patrzącym na świat oczami zwykłej kobiety. I czuję się z tego powodu dumna.

23. Garderoba Afganki.

obrączki, co dziś jest jedynym miłym wspomnieniem z tamtego dnia. Hamid pewnie nawet przez siatkę burki mógł dojrzeć mój szeroki uśmiech, gdy patrzyłam, jak płaci za obrączki. Ze względu na tak surowe przepisy dotyczące wesel większość sklepów z ubraniami przestała sprowadzać nowy towar. Stoiska były tak słabo zaopatrzone, że miałam problem ze znalezieniem czegoś, co choć trochę by mi się podobało. Zawsze marzyła mi się suknia z bufkami, lecz odkryte ramiona były teraz zakazane.

Podczas uroczystości ślubnej afgańska panna młoda występuje w trzech lub czterech sukniach (każda zakładana jest na inny moment ceremonii). Na przyjęcie weselne Afganka wkłada zazwyczaj białą suknię i welon – podobne do tych, jakie nosi się na Zachodzie – ale wcześniej ma na sobie kreacje w innych kolorach.

Na wieczór henny wybrałam sukienkę zielonkawoniebieską, a na *nikah* (pierwszą część zaślubin) – jasnoróżową. Choć najczęściej w czasie *nikah* występuje się w ciemnozielonym stroju, ja chciałam czegoś oryginalnego. Piękna różowa sukienka była dla mnie jak zastrzyk niczym niezmąconej radości w szarym świecie talibów. Już od patrzenia na nią robiło mi się lżej na sercu.

Zgodnie z afgańską tradycją moje wesele powinno być tak duże, jak to tylko możliwe. Gdyby nie reżim, zaproszono by na nie nie tylko rodzinę i przyjaciół, lecz także politycznych sojuszników, zwolenników i sąsiadów z Badachszanu. W tej kulturze, a już zwłaszcza w rodzinie tak mocno związanej z polityką jak nasza, wesele traktuje się jako znakomitą okazję do nawiązywania kontaktów. Niestety, sale weselne zostały zamknięte i nie mieliśmy gdzie urządzić tak dużej imprezy. Poza tym wątpię, czy byłoby nas stać na taki wydatek. Mimo to moja rodzina zaprosiła na wesele ponad tysiąc osób. Ostatecznie zjawiło się na nim blisko tysiąc pięćset gości. A że na afgańskich weselach mężczyźni oraz kobiety z dziećmi bawią się oddzielnie, trzeba przygotować osobne pomieszczenia lub przedzielić salę olbrzymią kotarą – my zdecydowaliśmy się zorganizować wesele w dwóch domach: przyjęcie dla kobiet i dzieci u mojego brata, a dla mężczyzn u sąsiada.

Przed weselem dłonie panny młodej maluje się henną; w tym celu wybrałyśmy się do salonu piękności. Zwykle lubię tam chodzić, teraz jednak wcale mnie to nie cieszyło. Nic w związku z weselem – łącznie z sukienką i fryzurą – nie zależało ode mnie ani nie było zgodne z moimi życzeniami. Czułam, że wszystko jest tandetne. Ceremonia henny trwa niemal całą noc. Zwykle odbywa się kilka dni przed weselem, aby panna młoda miała czas odpocząć, my jednak nie mieliśmy innego wyboru, jak urządzić ją tuż przed weselem. Przez całą noc grupka siedzących w kręgu kobiet grała na przypominającym tamburyn instrumencie o nazwie *daira* i śpiewała pieśni. Rano słaniałam się na nogach ze zmęczenia. Ale prawdę mówiąc, gdyby wieczór henny odbywał się nawet tydzień wcześniej, to w noc poprzedzającą wesele i tak nie zmrużyłabym oka.

Dzień wesela wspominam jako słodko-gorzki. Moja matka nie żyła, a siostry mieszkały rozproszone po całym kraju i nie mogły przyjechać. Matka, która przy narodzinach życzyła mi śmierci, a później tak ciężko pracowała, by zapewnić mi dobrą przyszłość, i która na łożu śmierci wybrała dla mnie męża, nie mogła ze mną być tego dnia. Przygotowania do ślubu bez żadnego wsparcia i podtrzymywania mnie na duchu z jej strony były równie bolesne jak spacer po rozżarzonych węglach.

O szóstej rano fryzjerka nawinęła mi włosy na wałki. Kręciła z niezadowoleniem głową, mówiła, że fatalnie wyglądam i powinnam się wyspać. Zasnęłam więc na krześle. Obudziłam się około wpół do jedenastej i wtedy zaczęła mi robić makijaż. Ciągle narzekała na mój stan. Spojrzałam w lustro. Wyglądałam naprawdę okropnie – miałam zaczerwienione i podkrążone oczy oraz pokrytą krostami twarz. Wróciłam do domu straszliwie przygnębiona, a tam czekało mnie kolejne wielkie rozczarowanie. Chciałam, aby wesele zostało potajemnie sfilmowane kamerą wideo albo żeby jakiś profesjonalny fotograf zrobił nam zdjęcia. Chociaż talibowie zakazali używania kamer, niektórzy operatorzy i tak pracowali. Po prostu liczyli potrójną stawkę, która miała im zrekompensować ponoszone ryzyko. Mirszakaj się jednak nie zgodził. Część jego dawnych przyjaciół pracowała teraz na posadach rządowych – wprawdzie na niskim szczeblu, ale jednak – i martwił się, że mogą donieść na nas władzom. Nie mam żadnych pamiątek z wesela, z wyjątkiem kilku ziarnistych zdjęć, które znajomi zrobili swoimi aparatami.

Wielu zaproszonych osób nie znałam. Wśród gości znajdowali się głównie przyjaciele Mirszakaja, jego koledzy z pracy i ich żony. Trochę mnie to złościło i zastanawiałam się, czy nie przyszli przypadkiem na darmowe jedzenie. Trudno mi uwierzyć, żeby zjawili się tu dla mnie.

Religijna część uroczystości – prowadzona przez mułłę – odbywała się w osobnym pomieszczeniu i udział w niej braliśmy tylko ja, Hamid oraz dwoje świadków. Wtedy płakałam w tym dniu po raz pierwszy, lecz nie ostatni. Oczywiście, cały makijaż, który sprawiał, że czułam się choć odrobinę atrakcyjna, spłynął mi po policzkach. Wytarłam oczy i przez nieuwagę usmarowałam tuszem do rzęs moją piękną różową sukienkę. Na szczęście tuż po tej ceremonii miałam przebrać się w białą suknię z koronkowymi rękawami i długim welonem, dzięki czemu – mam nadzieję – wyglądałam nieco lepiej.

Jak nakazuje tradycja, wieczorem ktoś z rodzinnej starszyzny, zwykle ojciec lub brat, przywiązuje do nadgarstka panny młodej zawiniątko ze słodyczami – na znak, że zostaje ona odesłana do domu męża. To bardzo osobisty i wzruszający moment. Oboje z Mirszakajem rozpłakaliśmy się podczas tej uroczystości. Obejmowaliśmy się i nie mogliśmy przestać płakać. Myślę, że chodziło o coś więcej niż tylko o tę poruszającą chwilę. Płakaliśmy głównie z powodu tych, których wśród nas zabrakło: mojej matki, Mukima, ojca. Płakaliśmy za nieobecnymi bliskimi oraz za tym wszystkim, co utraciliśmy – naszym statusem społecznym, domem i poprzednim życiem. Płakaliśmy w milczeniu i docierał do nas powoli ogrom tych strat, ból, jaki się wiąże z nadchodzącymi zmianami, ale też radość, że możemy żyć dalej. Wreszcie Mirszakaj zebrał się w sobie i powiedział poważnie:

– Idź już, Fawziu – po czym delikatnie dotknął koniuszka mojego nosa, uśmiechnął się i wyprowadził mnie na zewnątrz.

Kochane Szuhro i Szaharzad,

Wasz ojciec był miłością mojego życia. Był więcej niż tylko dobry dla takiej „biednej dziewczyny" jak ja. Wychodząc za niego za mąż, stałam się najszczęśliwszą dziewczyną na ziemi.

Ślub to bardzo ważny rytuał w życiu kobiety i, moim zdaniem, nie musi on przekreślać marzeń, jakimi każda z nas żyje. Mąż powinien wspierać marzenia żony, a ona powinna zacząć żyć marzeniami męża. Powinni razem, jako małżeństwo, ramię w ramię walczyć o taki świat, jakiego dla siebie pragną.

Czasami wprost nie mogę się doczekać dnia, w którym wyjdziecie za mąż. Oczywiście, są też chwile, kiedy tego nie chcę; boję się, że wtedy przestaniecie być moimi małymi dziewczynkami. Wolałabym, żebyście nie stały się dojrzałymi kobietami zbyt szybko.

Mam nadzieję, że pewnego dnia znajdziecie miłość. Bo miłość jest ważna, choć wiele osób uważa, że obowiązek, szacunek, religia i prawa są od niej ważniejsze. Nie sądzę, by te sprawy należało traktować oddzielnie. Miłość może współistnieć z poczuciem obowiązku. Tam, gdzie są poczucie obowiązku oraz szacunek, miłość się rozwija i kwitnie.

Ściskam Was,
mama

KONIEC, NIM ZDĄŻYŁ NASTAĆ POCZĄTEK

1997

Dzień wesela otworzył nowy rozdział w moim życiu – stałam się żoną. Nie podejrzewałam jednak, że rozdział ten skończy się tak szybko i w tak tragiczny sposób.

Mój mąż mieszkał w Makrorian pod numerem czwartym – w prostym, solidnym i funkcjonalnym mieszkaniu z trzema sypialniami. Hamid włożył w jego udekorowanie wiele wysiłku – przypuszczam, że z pomocą swoich sióstr. Kupił do naszej sypialni różowe zasłony, różową narzutę na łóżko, a nawet jedwabne, różowe kwiaty, które wstawił do wazonu – także w kolorze różu. Było to bardzo miłe z jego strony, ale wszystko wyglądało zbyt...

słodko. Gdy zobaczyłam pokój po raz pierwszy, siłą musiałam się powstrzymać od śmiechu. Kiedy nadeszła noc poślubna, byłam już na nogach od dwudziestu czterech godzin. Na szczęście Hamid też padał ze zmęczenia po tak długim dniu i nie oczekiwał ode mnie wypełniania małżeńskich obowiązków. Oboje niemal natychmiast zasnęliśmy.

Rankiem w pierwszej chwili wpadłam w panikę. Otworzywszy oczy, zobaczyłam słońce prześwitujące przez różowe zasłony. Znajdowałam się w obcym łóżku, a obok mnie spał mężczyzna. Przez ułamek sekundy musiałam się zastanowić, gdzie jestem, i wszystko stało się jasne. To przecież Hamid, mój świeżo poślubiony mąż. Jeszcze delikatnie pochrapywał. Uśmiechnęłam się łagodnie i pogłaskałam go po policzku. Zaczynał się pierwszy dzień mojego nowego życia.

Bratowa Hamida niedawno owdowiała i nie miała się gdzie podziać z dwojgiem dzieci, więc cała trójka zamieszkała razem z nami. Było mi to na rękę i bardzo się cieszyłam, że mogę liczyć na pomoc drugiej kobiety w domu. Khadidża pracowała jako nauczycielka, była inteligentna i miała silny charakter. Dogadywałyśmy się więc doskonale. Nareszcie czułam się zadowolona z życia. Hamid był dobrym, serdecznym człowiekiem, w co zresztą nigdy nie wątpiłam. Wręcz nie mogliśmy się nacieszyć sobą nawzajem, bez przerwy się śmialiśmy i snuliśmy plany na przyszłość. Ostatnio taka szczęśliwa czułam się w dniu, kiedy po raz pierwszy poszłam do szkoły, a miałam wtedy siedem lat. Życie w końcu zaczęło się układać po mojej myśli.

Tydzień po ślubie miała miejsce uroczystość *takht jami*. Państwo młodzi, siedząc pod dekoracją z kwiatów i wstążek, przyjmują wówczas gości przychodzących do nich z gratulacjami oraz prezentami. W dzieciństwie matka i siostry raczyły mnie opowieściami o niezliczonych bogactwach, jakie otrzymam podczas *takht jami* – być może nowy samochód albo dom w górach, albo całą furę złota. Ale pod rządami talibów ludzie nie byli już tak ostentacyjnie rozrzutni. Nasi krewni i znajomi przynieśli więc to, na co mogli sobie pozwolić: obrus, nowe naczynia, pięćdziesiąt dolarów.

Pożegnawszy się z ostatnimi gośćmi, Hamid wyskoczył na pół godziny do biura, żeby coś sprawdzić. Miałam zaparzyć herbatę, gdy rozległo się pukanie do drzwi. Khadidża poszła otworzyć. W progu stanęli brodaci mężczyźni w czarnych turbanach. Mułła Omar, przywódca talibów, dowiedział się, że Mirszakaj wrócił do Kabulu i wydał nakaz jego aresztowania. Szukano go już od trzech dni, ale mój brat jakby zapadł się pod ziemię. Nikt z rodziny mnie o tym nie powiadomił, ponieważ nie chciano mi psuć miesiąca miodowego.

Teraz jednak w moim mieszkaniu pojawili się talibowie. Wtargnęli w moje dopiero co poznane małżeńskie szczęście niczym posłańcy zagłady. Bez pytania weszli do salonu, gdzie siedziałam w makijażu i odświętnym stroju pod girlandami kwiatów. Na ich widok cała krew odpłynęła mi z twarzy. Spotkało mnie już w życiu dostatecznie dużo nieszczęść, by wiedzieć, że ich przybycie nie wróży niczego dobrego. Warknęli na mnie i Khadidżę, byśmy nie ruszały się z miejsc, i weszli do sypialni. Zaczęli zdzierać pościel z łóżka, na którym wraz z Hamidem rozpoczęłam niedawno wspólne małżeńskie życie.

Było to szokujące naruszenie naszej prywatności i poczucia przyzwoitości, była to też straszna zniewaga dla afgańskiej kultury. Ale ci nikczemnicy nic sobie z tego nie robili. Zajrzeli pod łóżko, wyrzucili wszystko z szaf, nie odzywając się ani słowem, poprzewracali brudnymi łapskami wszystkie meble. Bałagan był koszmarny. A potem zaczęli wrzeszczeć:

– Gdzie jest Mirszakaj?

– Gdzie jest generał policji?

Machali mi przed oczami nakazem aresztowania. Zrobiło mi się niedobrze, gdy zrozumiałam, kogo szukają. Odpowiedziałam im spokojnie, że nie mam pojęcia. Zdążyli już do szczętu zdemolować mój dom, wiedzieli więc, że nie kłamię. Nagle serce mi stanęło. Hamid! „Proszę, nie wracaj jeszcze

– zaklinałam go w myślach. – Zostań w pracy, nie wracaj jeszcze do domu. Proszę, nie wracaj do domu".

Wyszli, a ja słuchałam z zapartym tchem, jak schodzą pięć pięter w dół do głównego wyjścia. Z oddalaniem się stukotu ich butów na stopniach oddychałam coraz swobodniej – jeszcze tylko cztery piętra, trzy, dwa. Gdy dotarli już na pierwsze piętro, usłyszałam dźwięk otwieranych drzwi. Krzyknęłam przerażona:

– Nie! Proszę, niech to nie będzie Hamid!

Znajdował się o włos od niebezpieczeństwa. Radośnie wmaszerował przez frontowe drzwi, niosąc dla mnie w prezencie czekoladki, i wpadł wprost na talibów. Gdyby tylko zatrzymał się na chwilę, żeby kupić owoce, pogawędzić z sąsiadem, zawiązać sznurowadło, pewnie by się z nimi rozminął.

Talibowie, rozwścieczeni tym, że nie znaleźli mojego brata, aresztowali Hamida. Zabrali go, choć nie popełnił żadnego przestępstwa. Zbiegłam po schodach, błagając ich:

– On nic nie wie, jesteśmy małżeństwem zaledwie od siedmiu dni. Jesteśmy nowożeńcami, a to dom mojego męża. Jesteśmy niewinni, zostawcie nas w spokoju.

Zapytali mnie tylko:

– Gdzie jest Mirszakaj?

A potem zakuli Hamida w kajdanki. Był w takim szoku, że nie mógł się poruszyć ani nic powiedzieć. Czekoladki, które dla mnie kupił, leżały na ziemi. Wszystkiemu przyglądała się grupka sąsiadów, lecz nikt nie odezwał się ani słowem. Założyłam burkę i pobiegłam za mężem. Znał mnie na tyle dobrze, że wiedział, iż na nic się zda przekonywanie mnie, bym została w domu.

Zaprowadzili Hamida do czerwonego pikapa. Gdy próbowałam wsiąść razem z nim, talibowie ze śmiechem odepchnęli mnie na bok. Zatrzymałam taksówkę. Kierowca opuścił szybę i powiedział:

– Bardzo mi przykro, siostro, ale czy jest z tobą *muharram*?

– Co? – warknęłam na niego. – Wpuść mnie. Muszę jechać za tamtym samochodem.

– Musisz mieć ze sobą *muharram*, siostro. – Pokręcił głową. – Jeśli ci głupi ludzie, za którymi chcesz jechać, zobaczą mnie z tobą samego, obydwoje trafimy do więzienia – dodał i odjechał.

Podążyłam wzrokiem za oddalającymi się talibami: wjechali na główną drogę, następnie skręcili w lewo w kierunku nowego miasta. Pod żadnym pozorem nie mogłam stracić ich z oczu. Przywołałam kolejną taksówkę. Tym razem nawet nie pozwoliłam kierowcy się odezwać. Od razu zaczęłam błagać go ze wszystkich sił:

– Drogi bracie, proszę, pomóż mi. Proszę. Zabierają mojego męża. Muszę za nim jechać. Nie mam nikogo, kto by mi pomógł. Czy możesz mnie zawieźć? Błagam...

Taksówkarz powiedział, żebym wsiadła, i szybko mnie poinstruował:

– Jeśli nas zatrzymają, powiedz, że jesteś moją siostrą.

Nieznajomy wyjawił mi swoje nazwisko i miejsce zamieszkania oraz w skrócie przedstawił wszystkie kluczowe informacje dotyczące jego życia, na wypadek gdybym musiała udawać, że jesteśmy rodzeństwem. A przecież byłam tylko przypadkową pasażerką. Zupełny absurd. Zachowanie kierowcy stanowiło jednak kolejny dowód, że bez względu na to, jakie jarzmo narzuci nam władza, afgańskie poczucie przyzwoitości i uczciwości okaże się silniejsze.

Hamida zabrali do siedziby agencji wywiadu, która znajdowała się w centrum miasta w pobliżu budynku Ministerstwa Spraw Wewnętrznych. Nie wiem, ile wtedy zapłaciłam taksówkarzowi, ale wydaje mi się, że sporo. Chciałam mu podziękować, że zdecydował się mi pomóc, mimo że sam narażał się na ogromne niebezpieczeństwo. Pomyślałam, że jeśli sowicie go wynagrodzę, może kiedyś przyjdzie z pomocą innej kobiecie, która także znajdzie się w potrzebie.

Podeszłam do bramy, ale nie wpuścili mnie. Podjęłam więc maksymalne ryzyko. Okłamałam talibskich strażników. Powiedziałam im, że zostałam aresztowana przez innych talibów, którzy nakazali mi tu przyjść, ponieważ nie mogłam przyjechać z nimi samochodem wraz z innymi zatrzymanymi mężczyznami. Zagroziłam, że jeśli mnie nie wpuszczą, na pewno poniosą karę. Dopiero to poskutkowało.

Za główną bramą udało mi się znaleźć budynek więzienia. Hamid stał tam w asyście dwóch talibów. Musiał być w szoku, ponieważ nawet nie zareagował na mój widok. W jednej chwili wracał radośnie z czekoladkami do swojej młodej żony, a już w następnej trafił do aresztu. Podbiegłam do niego i chwyciłam go za rękę. Spojrzałam przez otwór w burce wprost na dwóch talibów i powiedziałam:

– Spójrzcie. Popatrzcie na moje dłonie. To ślubna henna. Wciąż tyle mówicie o islamie, a nie zachowujecie się jak prawdziwi muzułmanie. Dopiero co się pobraliśmy. Jeśli wsadzicie go do więzienia, nie będę miała swojego *muharram*. Jak mam wtedy żyć? Jak sobie poradzę? Nie będzie nikogo, kto zrobi zakupy, kto się mną zaopiekuje. Jestem jeszcze dziewczyną. Poza nim nie mam nikogo.

Miałam nadzieję, że zdołam wzbudzić w nich współczucie i Hamid zostanie puszczony wolno. Ale talibów nie wzruszyły prośby zwykłej kobiety. Potraktowali mnie jak powietrze i odprowadzili Hamida do kolejnej bramy. Ja szłam za mężem, wciąż trzymając go za rękę i nie ustając w błaganiach. Gdy otworzyli bramę, straciłam resztki nadziei. Ujrzałam setki więźniów stłoczonych na cuchnącym wewnętrznym dziedzińcu. Niektórzy byli skuci kajdanami, inni – po prostu związani.

Jeden z talibów wziął Hamida za rękę (ja zaś wciąż trzymałam go za drugą). Właśnie rozpoczęliśmy nowe życie, a oni już nas rozdzielali. Bałam się, że zabiją go tak po prostu, bez procesu. Było to całkiem możliwe, w końcu aresztowali go, nie stawiając żadnych zarzutów. Trzymałam go kurczowo i wręcz żebrałam o litość:

– Idę razem z nim. Nie mogę zostać sama. Jestem kobietą, nie mogę żyć sama, bez niczyjej opieki. Jesteście przecież muzułmanami, jak więc możecie robić coś takiego?

Talib odpowiedział mi w języku pasztuńskim, ale z prostackim, chłopskim akcentem:

– Zamknij się, kobieto, za dużo gadasz.

Po czym odepchnął mnie z taką siłą, że upadłam wprost w cuchnącą kałużę. Wciąż miałam na sobie buty na wysokich obcasach i elegancką sukienkę. Niecałą godzinę temu przyjmowaliśmy przecież gości. Hamid odwrócił się, by pomóc mi wstać, ale talib popchnął go w kierunku bramy. Gdy z trudem podnosiłam się z ziemi, mój mąż mignął mi po raz ostatni za zamykającą się bramą.

Tymczasem skierowałam myśli ku bratu. Przecież to jego przyszli aresztować. Czy był bezpieczny? Gdzie przebywał? Nie miałam więcej pieniędzy na taksówkę, więc tak szybko, jak tylko mogłam w butach na obcasie, pobiegłam przez całe miasto do domu Mirszakaja. Zastałam tam jego żonę, która powiedziała mi, że mój brat ukrywa się w domach różnych krewnych. Aby nie zostać schwytanym, każdą z ostatnich trzech nocy spędził w innym miejscu. Obecnie, jak mi powiedziała, przebywał w Karte Seh, miejscu położonym na zachód od Kabulu, które bardzo ucierpiało podczas wojny domowej. Miałam nadzieję, że skoro nic nie mogę zrobić dla Hamida, może będę chociaż w stanie pomóc mojemu bratu.

Dotarłszy na miejsce, w którym ukrywał się Mirszakaj, bez zbędnych ceregieli weszłam do domu. Nie zatrzymałam się nawet, by pozdrowić mieszkającą tam rodzinę. Po prostu musiałam zobaczyć brata na własne oczy. Dom należał do pewnego małżeństwa nauczycieli. On był profesorem na wydziale ekonomicznym Uniwersytetu Kabulskiego, ona – mimo zakazu wykonywania zawodu i narażając się na ogromne ryzyko – potajemnie prowadziła szkołę. Nie mieli dzieci.

W pokoju nie było żadnej kanapy. Jej miejsce zajęło mnóstwo poduszek wzdłuż ścian. Mirszakaj leżał na materacu z twarzą do ściany. Ujrzawszy mnie, pobladł cały ze strachu. Widział się ze mną po raz pierwszy od dnia wesela, gdy żegnał mnie z płaczem, a ja wkraczałam w nowe życie. Teraz jednak chaos znów zapanował nad naszym życiem.

Na jednym oddechu oznajmiłam mu, że szukają go talibowie, a Hamid został aresztowany. Mirszakaj nie był tu bezpieczny: fundamentaliści będą sprawdzać domy naszych krewnych, jeden po drugim. Jazda taksówką też wiązała się z ryzykiem. Na każdym kroku znajdowały się przecież posterunki talibów. Gdyby nas zatrzymano, Mirszakaj mógł zostać rozpoznany na podstawie zdjęcia. Postanowiliśmy iść na piechotę. Wciąż miałam na nogach te cholerne szpilki, więc stopy potwornie bolały mnie i piekły.

Po raz pierwszy nosiłam na sobie burkę przez tak długi czas. Poruszanie się w niej nigdy nie wychodziło mi najlepiej, a buty na obcasach i ogólne zdenerwowanie jeszcze pogarszały sprawę. Potykałam się więc niemal o każdy kamień i każdą szczelinę w chodniku.

Szliśmy z centrum miasta w kierunku jego najdalszych peryferii. Nie mieliśmy zresztą zbyt dużego wyboru. W bardziej uczęszczanych miejscach, bliżej centrum, znajdowały się posterunki talibów; na przedmieściach zaś nie spotykało się zbyt wielu ludzi, poza tym można się tam było ukryć między budynkami. Idąc, rozmawialiśmy. Mirszakaj zapytał, czy Hamid jako mąż sprostał moim oczekiwaniom. Pomijając obecne okoliczności, czułam się szczęśliwa, mogąc mu odpowiedzieć, że owszem – Hamid okazał się wspaniałym mężem i dobrze zrobiłam, że za niego wyszłam.

Powiedziałam bratu, że zastanawialiśmy się z Hamidem, czy nie wyemigrować z Afganistanu. Hamid zaproponował, byśmy zaczęli wszystko na nowo w Pakistanie, ale przecież nie mogłabym wyjechać, dopóki Mirszakaj jest w Kabulu. Potem zaczęliśmy rozważać przeprowadzkę do Fajzabadu, gdzie poszłam do szkoły. Badachszan nie znajdował się pod kontrolą talibów, mieszkały tam moje siostry, a także rodzina Hamida, poza tym oboje tęskniliśmy za tamtymi stronami. Zatem decyzja zapadła: mieliśmy się przenieść na wieś, gdzie ja mogłabym uczyć, a Hamid – prowadzić swój interes.

Opowiadanie bratu o tych planach okazało się bardziej bolesne niż pęcherze na moich stopach. Wszystkie marzenia obróciły się w gruzy. Po czterech godzinach wędrówki bez celu zatrzymaliśmy taksówkę. Przypomniałam sobie o jednej z krewnych Hamida, mieszkającej tylko z synem. Nie znałam jej dokładnego adresu, lecz wiedziałam, że zajmowała mieszkanie w Makrorian niedaleko mnie i Hamida. Po drodze, przerażeni, mijaliśmy posterunek talibów. Mieliśmy szczęście – strażnicy przepuścili nas, nie zaglądając do samochodu.

Mój brat już kiedyś spotkał się z krewną Hamida; była ona jedną z osób, które przyszły prosić o moją rękę. Mirszakaj nie darzył jej sympatią. Twierdził, że była zbyt mocno umalowana i miała za długie paznokcie, co według niego świadczyło o lenistwie kobiety. Teraz jednak musiał się zdać na jej łaskę. Któryś z sąsiadów wskazał nam jej mieszkanie. Szybko wyjaśniłam powinowatej naszą sytuację i poprosiłam, by przyjęła brata na jedną noc. Zgodziła się, choć nie miała zadowolonej miny. To zrozumiałe: przyłapana na goszczeniu mężczyzny, który nie jest z nią spokrewniony, zostałaby aresztowana przez Departament Wspierania Cnoty i Walki z Występkiem. Czułam się okropnie, stawiając ją w takiej sytuacji, ale nie miałam innego wyboru.

Zostawiłam u niej brata i poszłam do domu. Gdy tam dotarłam, moje stopy płonęły żywym ogniem, a pot zalewał mi oczy i zlepiał włosy w gruby, tłusty kołtun. Zrzuciłam z siebie tę przeklętą burkę i padłam na łóżko, płacząc z bólu i bezsilności.

Kochane Szuhro i Szaharzad,

strata jest jedną z najtrudniejszych rzeczy, z jaką musi się zmierzyć człowiek, a strata ukochanej osoby stanowi, niestety, część naszego życia i nikt nie może się przed nią obronić. Być może czytacie ten list dlatego, że straciłyście mnie – umarłam lub zostałam zamordowana. Wiecie, że to nastąpi pewnego dnia: rozmawiałyśmy o tym i chcę, żebyście były świadome nieuchronności mojej śmierci.

Równie okropna, zwłaszcza dla dzieci, jest utrata domu, czego nieraz doświadczyliśmy podczas wojny. A przytrafiło się to milionom biednych afgańskich dzieci. Wiedzcie, ile szczęścia Was spotkało: macie ciepły i przytulny dom, przyjemne, miękkie łóżko, lampkę, przy której możecie czytać, i stół do odrabiania lekcji.

Być może zaś najgorszą i najsmutniejszą rzeczą, jaka przydarza się niekiedy kobiecie, jest utrata samej siebie – utrata poczucia, kim lub czym jest, utrata wiary w marzenia. Modlę się, abyście nigdy nie straciły swoich marzeń.

Ściskam Was,
mama

OGARNIA NAS MROK

1997

Przez całą noc nie mogłam zasnąć. Szalałam z niepokoju i strachu, gorączkowo próbując wymyślić, do kogo mogłabym się zwrócić o pomoc. Rano, stojąc przed lustrem w łazience i myjąc zęby, wpadłam na pomysł.

Przypomniałam sobie, że jedna z moich przyjaciółek uczyła haftowania żonę pewnego talibskiego urzędnika. Narzuciłam burkę i pobiegłam do domu znajomej. Ze współczuciem i oczami otwartymi ze zdumienia wysłuchała opowieści o tym, co przydarzyło się Hamidowi. Obiecała, że zabierze mnie ze sobą i przedstawi urzędnikowi. Nie wiedziałyśmy, czy nasze działania odniosą jakikolwiek skutek.

Szłyśmy przez niesamowicie ciche ulice tak przecież gwarnego niegdyś miasta. Kilka taksówek i innych samochodów ruszyło z charkotem, pierwsze promienie słońca zamigotały na pokrytych kurzem, pustych straganach ulicznych i zabitych deskami sklepach. Spostrzegłam posępną, zgarbioną kobietę w niebieskiej burce. Dopiero po chwili uświadomiłam sobie, że patrzę na własne odbicie w brudnej szybie wystawowej opuszczonego studia fotograficznego. Burka tak bardzo pozbawiała mnie tożsamości, że nie poznawałam samej siebie.

Zaskoczona tym osobliwym uczuciem, zajrzałam do wnętrza zakładu. Dawno został on porzucony. Na ścianach wisiały wyblakłe fotografie: młodzi mężczyźni pozują niczym bollywoodzcy gwiazdorzy na tle wodospadów, małe dzieci z balonami szczerzą się w bezzębnych uśmiechach (zapewne do rodziców stojących za aparatem i próbujących ich rozbawić), dziewczynki w koronkowych sukienkach i skarpetkach uśmiechają się nieśmiało, a panny młode w białych welonach stoją dumnie obok mężów w garniturach.

Przyglądałam się zdjęciom, zastanawiając się, co się stało z tymi uśmiechniętymi ludźmi. Kim byli? Gdzie są teraz? Zanim talibowie doszli do władzy, niemal jedna trzecia z osiemnastu milionów Afgańczyków zginęła w walkach. Mniej więcej tyle samo osób uciekło z kraju. Pozostało nie więcej niż sześć milionów. Czy ci, na których teraz patrzyłam, już nie żyli? A gdzie się podział właściciel studia? Pod dyktaturą talibów robienie zdjęć zostało zakazane. Straciwszy źródło utrzymania, fotograf musiał zamknąć interes i poszukać innego sposobu na życie. A może robił to, co dotychczas, tylko potajemnie, łamiąc talibskie prawo? Mógł także siedzieć w więzieniu. Razem z Hamidem. Myśl o nieznanym mi fotografie siedzącym w jednej celi z Hamidem nieco mnie otrzeźwiła. Przyjaciółka delikatnie wzięła mnie pod ramię i poszłyśmy dalej, aż dotarłyśmy do strzeżonego apartamentowca – domu taliba. Na zewnątrz bawił się mały chłopiec. W powietrzu czuć było zapach gotowanej baraniny.

Mężczyzna był w domu razem z żoną, sympatyczną kobietą o zielonych oczach, która razem z mężem zdawała się rozumieć moją sytuację. Przywitali nas serdecznie i poczęstowali gorącą zieloną herbatą. On był dość młody, miał nie więcej niż trzydzieści lat. Obiecał pomóc, ale przyznał, że nie wie, czy cokolwiek wskóra. Rano, gdy tylko otworzą urzędy, pójdzie popytać o Hamida. Czułam ogromną wdzięczność wobec tego człowieka. Zdziwiło mnie, że talib, jakikolwiek talib, może okazywać ludzkie uczucia. Starał się mi pomóc, choć wcale nie musiał. Byłam przecież kompletnie obcą mu osobą. Dzięki niemu zmieniłam stosunek do niektórych talibów. Sam fakt, że nie podziela się moich poglądów ani przekonań politycznych, niekoniecznie oznacza, że jest się złym człowiekiem.

Wielu Afgańczyków przyłączało się do talibów ze względu na wspólne pochodzenie etniczne i kulturę albo z powodów finansowych. Podobnie rzecz ma się zresztą i dzisiaj. Co zrobić, jeśli w wiosce nie ma pracy, a talibowie oferują dobrą zapłatę? Afgańczycy – zwłaszcza z południowych prowincji, takich jak Kandahar i Helmand – wybierali więc często bardziej ekstremalną, talibską odmianę islamu. Choć stanowi ona absolutne przeciwieństwo wyznawanych przeze mnie wartości, staram się ją szanować – tak jak szanuję inne grupy etniczne, języki oraz kultury współtworzące Afganistan. Niewielu mieszkańców Zachodu wie, że w naszym kraju używa się ponad trzydziestu języków. Moim zdaniem ta różnorodność stanowi o naszej sile – przynajmniej w czasie pokoju. Podczas wojny podziały etniczne stają się naszą największą słabością i główną przyczyną wielu bezsensownych rzezi.

Talib odprowadził nas do samej bramy, raz jeszcze dając mi jasno do zrozumienia, że nie wie, czy zdoła pomóc. Choć serce nie dopuszczało do głosu takich ewentualności, rozum przygotowywał mnie na najgorsze – na wiadomość o śmierci Hamida albo skazaniu go na dożywocie. Próbowałam odegnać od siebie myśli o tym, jak talibowie wyciągają mojego męża, związanego, na więzienny dziedziniec i jak strzelają mu w głowę, jak przemarznięty, wychudzony leży w ohydnej celi i powoli zaczyna tracić zmysły z głodu oraz zimna. Sama myśl o tym wystarczyła, żeby i mnie doprowadzić do szaleństwa.

Weszłam do domu zaprzątnięta tymi dręczącymi wizjami, gdy z łazienki wyłoniła się znajoma twarz.

Przede mną stał Hamid! Na jego zapadniętych policzkach błyszczała jeszcze woda i skapywała z jego brody.

Myślałam, że śnię. Albo że ogarnia mnie obłęd.

Mój mąż stał w przedpokoju i uśmiechał się, jakby to była najnormalniejsza rzecz na świecie. Ruszył w moim kierunku, wciąż powtarzając moje imię. Ledwo powłóczył za sobą nogami, więc podbiegłam do niego i go objęłam, żeby nie upadł. Razy, jakie wymierzyli mu strażnicy więzienni, zdecydowanie nadwerężyły jego siły. Oboje rozpłakaliśmy się ze szczęścia. Hamid, mój ukochany Hamid wrócił do domu!

Od aresztowania minęły zaledwie dwadzieścia cztery godziny, wypuszczono go więc dość niespodziewanie. Przygotowałam Hamidowi jajka i słodką herbatę; po posiłku położył się, aby odpocząć. Sama czułam się wyczerpana tą emocjonalną huśtawką, ale nie miałam czasu na odpoczynek. Skoro talibowie uwolnili Hamida, na pewno wznowią poszukiwania Mirszakaja. Musieliśmy znaleźć mu inną kryjówkę. I to szybko.

Przypomniałam sobie pewną kobietę – obdarzoną bardzo silnym charakterem – która niegdyś chodziła na prowadzone przeze mnie lekcje angielskiego. Mieszkała niedaleko, zaledwie kilka bloków od nas. Miała chorą nogę, która bardzo utrudniała jej poruszanie się, a odkąd zmarł jej mąż, sama opiekowała się dwiema córkami. Nie interesowała się polityką, była tylko zwykłą kobietą próbującą przetrwać szaleństwo, jakie opanowało cały Kabul. Nikomu nie przyszłoby do głowy, żeby szukać Mirszakaja w jej domu. To byłoby dla niego idealne miejsce: mógłby się tam przyczaić na jakiś czas, dopóki nie wymyślimy sposobu, jak wydostać go z kraju.

Założyłam burkę i pobiegłam do domu mojej byłej uczennicy. Panowały w nim nadzwyczaj skromne, wręcz spartańskie, warunki, do których w dużym stopniu przyczyniły się wojenne niedostatki. Na podłodze w salonie leżało kilka wytartych dywaników. Było tu niewiele cennych przedmiotów; większość sprzętów zapewne dawno już sprzedano, aby kupić ryż, olej i butle z gazem do gotowania. Kobieta, utykając, wprowadziła mnie do pokoju gościnnego i zachęciła, bym usiadła. Starszej córce kazała zrobić dla nas herbatę.

Wyjaśniłam kobiecie powód niespodziewanej wizyty. Poprosiłam, aby zatrzymał się u niej mój brat, i dodałam, że ewentualne nakrycie go przez talibów może się dla niej źle skończyć, więc zrozumiem, jeśli się na to nie zgodzi. Po tonie jej głosu poznałam, że poczuła się nieco urażona – bynajmniej nie moją prośbą, lecz dopuszczeniem możliwości odmowy. Cóż za głupie pytanie! Oczywiście, że Mirszakaj może tu zostać.

Dopiłam zatem herbatę i popędziłam po brata. Zabraliśmy trochę ubrań i jedzenia. Wiedziałam, że gospodyni znów będzie udawać obrażoną – tym razem o to, że przynieśliśmy własne jedzenie. Skoro jednak wystawialiśmy kobietę na niebezpieczeństwo, jak moglibyśmy jeszcze narażać ją na wydatki?! Kolejna osoba do wyżywienia zapewne wyczerpałaby jej skąpe zapasy do cna. Przyprowadziłam Mirszakaja. Musiałam iść tam razem z nim – obcy mężczyzna wchodzący sam do czyjegoś domu wzbudzał bowiem wiele podejrzeń. Wyglądało to, jakby właśnie popełniał przestępstwo przeciwko moralności, co niechybnie wywołałoby mnóstwo plotek wśród sąsiadów i zwabiło talibów. Widok towarzyszącej mężczyźnie kobiety w burce sprawiał, że przypominało to zwykłe przyjacielskie odwiedziny.

Gospodyni oraz jej córki były bardzo miłe dla Mirszakaja. Miałam wrażenie, że wreszcie będzie się mógł odrobinę odprężyć. Został z nimi dziesięć dni. Po tym czasie doszliśmy do wniosku, że sytuacja uspokoiła się na tyle, by brat przeniósł się do mojego mieszkania. Wciąż jednak było zbyt niebezpiecznie, aby wrócił do rodziny. Talibowie często nękali jego żonę, składając jej niezapowiedziane wizyty i grożąc złowieszczo ściszonymi głosami:

– Gdzie jest twój mąż? Kiedy z nim ostatnio rozmawiałaś? Gadaj.

Mirszakaj stał się zwierzyną, na którą polowali bez chwili spoczynku. Koniec końców jego żona zaczęła żyć w takim strachu, że także zamieszkała z nami.

Hamid i ja wciąż byliśmy nowożeńcami, powinniśmy się więc cieszyć wspólnym życiem. Ja jednak byłam tak zajęta prowadzeniem domu, że z trudem udawało nam się urwać kilka wspólnych chwil. Jak przypuszczam, na całym świecie młode żony żyją romantycznymi wyobrażeniami o pierwszych miesiącach po ślubie. W moim przypadku – który pewnie nie należy do odosobnionych – realia dorosłego życia szybko wzięły górę nad dziewczęcymi rojeniami o małżeńskim szczęściu. Początkowo czułam się nieco dotknięta, że ktoś nam zakłóca ten z założenia najbardziej radosny okres życia, wkrótce jednak do głosu doszło we mnie poczucie obowiązku. Zresztą, chodziło przecież o mojego ukochanego brata. Dobrze pamiętałam, ile dobroci mi zawsze okazywał i jak ogromny wywarł na mnie wpływ. Miałam wyrzuty sumienia, że przychodzą mi w ogóle do głowy takie egoistyczne myśli. Teraz moja kolej, by zaopiekować się nim oraz jego rodziną. Wiedziałam, że to samo zrobiłby dla mnie, bez względu na ryzyko i wiążące się z tym wyrzeczenia.

Mirszakaj postanowił uciec z Afganistanu. Tylko w ten sposób mógł być bezpieczny, nawet jeśli czekał go niepewny los uchodźcy. Przez trzy miesiące nie golił się, zapuszczając długą, gęstą i ciemną brodę. Z trudem go rozpoznawaliśmy. Mieliśmy nadzieję, że talibowie nie rozpoznają go w ogóle.

Według planu miał się dostać taksówką do Torkham, najruchliwszego miasta przy granicy z Pakistanem, które leżało w pobliżu osławionej Przełęczy Chajberskiej, tuż przy pakistańskich Terytoriach Plemiennych Administrowanych Federalnie (czyli regionie rządzonym przez starszyznę plemienną i cieszącym się dużą niezależnością od władz w Islamabadzie). Granica między Afganistanem a Pakistanem, zwana linią Duranda, nigdy nie została formalnie uznana przez Afganistan i do dziś stanowi źródło nieustających konfliktów między rządami obu państw. Afgańczycy jej nie respektują. Amerykanie i siły NATO biorące udział w wojnie z terroryzmem twierdzą, że to pogranicze stało się domem dla tysięcy bojowników Al--Kaidy. Pakistan temu zaprzecza, ale nie robi zbyt wiele, by opanować działających na tym obszarze fundamentalistów.

Kod honorowy w tamtych rejonach jest tak silnie rozwinięty, że nawet gdy trwały naloty amerykańskich bombowców, a wojska lądowe prowadziły poszukiwania Osamy bin Ladena i jego sympatyków, nikt nie ujawnił miejsca ich pobytu. Na domy tych ludzi mogły spadać bomby, a mimo to nie zdradziliby swych „honorowych gości". Zachodnim społeczeństwom trudno to zrozumieć. Podróż do tego regionu przypomina cofnięcie się w czasie o pięćset lat. Ludzie, którzy to sobie uświadomią, zyskają klucz do zrozumienia całego obszaru, natomiast ci, którzy tego nie pojmą (jak na przykład kolejne afgańskie rządy oraz obce armie), będą ciągle ponosić porażki.

Gdy w 1997 roku planowaliśmy ucieczkę mojego brata, Afgańczycy – inaczej niż dziś – nie potrzebowali wiz, aby wjechać do Pakistanu. Mirszakaj liczył na to, że przedostanie się przez granicę niezauważony, wmieszawszy się w korowód ciężarówek, handlarzy i podróżników, nieustannie przejeżdżających przez Torkham.

Taksówka miała po niego przyjechać wcześnie rano. Biegałam po całym mieszkaniu, pomagając mu przygotować się do wyjazdu i szykując na drogę jedzenie – trochę *naan* i jajka na twardo – jego żona zaś pakowała walizkę. Nagle rozległo się pukanie do drzwi. Bez namysłu, przekonana, że to taksówkarz, otworzyłam. Zamiast kierowcy w drzwiach pojawiły się dwa czarne turbany – talibowie. Wymachując bronią, wepchnęli się do mieszkania. Wszyscy znieruchomieliśmy. Nie mieliśmy czasu na żadną reakcję, nie było szans, żeby się ukryć. To był koniec. Wpadliśmy.

Mężczyźni z triumfującym wyrazem twarzy złapali Mirszakaja i przycisnęli go do ziemi. Większy z nich (obaj wyglądali na nie więcej niż dwadzieścia kilka lat) przygniótł mojemu bratu plecy kolanem, aż ten jęknął z bólu. Drugi, z czystą złośliwością, chwycił Hamida za kark i rzucił nim – niczym szmacianą lalką – o podłogę w salonie. Wlokąc naszych mężów przez korytarz i popychając ich w stronę swojego pikapa, bez przerwy śmiali się oraz drwili ze mnie i mojej bratowej. Mirszakaj krzyknął, żebyśmy zostały w domu. Nawet w takiej chwili męska duma nie pozwalała mu na to, by kobieta próbowała wydostać go z więzienia. Dla niego byłaby to hańba.

Na posterunku policji bratu udało się przekonać strażnika, by przeszmuglował dla nas list. Napisał w nim, w jaki sposób mamy się skontaktować ze znajomym, który za czasów komunistów był generałem i pełnił wysoką funkcję w Ministerstwie Obrony, a teraz pracował dla talibskiego rządu jako starszy doradca wojskowy. Mirszakaj miał nadzieję, że użyje on swoich wpływów i zdoła wydostać i jego, i Hamida z więzienia. W liście znajdował się również adres mieszkania niedaleko lotniska.

Ponownie rozpoczęło się okrutne czekanie. Zawiodły mnie wszystkie siły i przez dwa dni nie ruszałam się z łóżka, absolutnie sparaliżowana ze strachu. Znowu utraciłam Hamida. Tym razem jednak opuścił nie tylko mnie, lecz także nasze nienarodzone dziecko.

O tym, że jestem w ciąży, dowiedziałam się trzy dni wcześniej. Nabrałam podejrzeń, gdy zaczęłam się źle czuć i wymiotować z rana. Byliśmy z Hamidem bardzo szczęśliwi. Naszą radość studziła tylko sytuacja polityczna. Urodzenie pierwszego dziecka w czasie wojny to chyba jeden z najtrudniejszych i najbardziej stresujących momentów w życiu. To okres, gdy trzeba walczyć o przeżycie każdego dnia, a szansę na przetrwanie mają wyłącznie najsilniejsi. Czy sprowadzanie bezbronnego dziecka w sam środek tego piekła jest uczciwe? Być może nie. Ale życie toczy się na przekór pociskom i bombom, i w pewnym sensie pragnienie celebracji życia oraz cudu stworzenia – bez względu na okoliczności – stanowi nieodłączną część ludzkiej natury. Owszem, byłam wówczas przerażona, ale zarazem marzyłam o tym, by móc poświęcić całą swoją uwagę czemuś tak drogiemu i kochanemu jak nowo narodzone dziecko.

Mimo całej mojej radości od początku zdawałam sobie jasno sprawę, że nie będzie to łatwa ciąża. Afganistan ma jeden z najwyższych na świecie współczynników umieralności okołoporodowej kobiet i niemowląt. Brak środków na opiekę zdrowotną oraz zakorzeniona w naszej kulturze niechęć do mówienia o problemach ginekologicznych i pediatrycznych sprawiają, że trudno znaleźć jakiegokolwiek lekarza, a ci, którzy praktykują, czasami są zupełnie niekompetentni. Rodzina często wstrzymuje się z oddaniem kobiety przy nadziei pod opiekę medyczną aż do momentu, gdy staje się jasne, że bez pomocy lekarskiej ciężarna z pewnością umrze. Wielokrotnie jednak nie daje się już wówczas uratować ani dziecka, ani matki. Praca lekarza w takich warunkach wymaga ogromnych umiejętności, cierpliwości i poświęcenia. Dawniej jednymi z najlepszych afgańskich adeptów medycyny były kobiety. Myślę, że wszędzie kobiety czują się bardziej komfortowo, gdy ich intymnymi dolegliwościami zajmują się osoby tej samej płci. Przez długi czas sama chciałam zdobyć kwalifikacje medyczne i wstąpić w szeregi lekarzy.

Talibowie zakazali jednak kobietom pracować zawodowo, co znacznie przetrzebiło personel medyczny w Afganistanie. Następnie, w kolejnym przypływie bezwzględnego okrucieństwa, zabroniono mężczyznom leczenia kobiet. Lekarze płci męskiej nie mogli przepisać kobiecie zwykłej aspiryny na przeziębienie. Efekt? Za rządów talibów całkowicie bezsensowną śmierć poniosły setki kobiet – z powodu grypy, nieleczonych infekcji bakteryjnych, zakażenia krwi, gorączki, złamanych kości czy powikłań ciążowych. Zmarły tylko dlatego, że rządzący krajem mężczyźni uznali bez litości, iż życie kobiety jest warte tyle, co życie muchy. Ci samozwańczy „posłańcy Boga" nie mieli żadnego poszanowania dla jednego z najwspanialszych boskich tworów: kobiety.

Miałam naprawdę potworne poranne mdłości. I nie ograniczały się tylko do kilku pierwszych godzin dnia. Teraz mogę już z tego żartować, ale gdy za wszelką cenę starałam się nie zwymiotować do wnętrza burki, wcale nie było mi do śmiechu. Mam nadzieję, że żadna młoda matka nigdy nie będzie musiała się uczyć, jak podciągnąć do góry zakrywający głowę kaptur, pochylić się do przodu i wycelować dokładnie w przestrzeń między stopami – a wszystko to przy próbie powstrzymania się przed naturalnym odruchem padnięcia na kolana.

Przez pierwsze trzy miesiące ciąży zwracałam niemal wszystko, co zjadłam. Chętnie obeszłabym się bez tej męczarni, zwłaszcza w dzień, gdy z listem od Mirszakaja wyruszyłam na poszukiwania domu jego dawnego kolegi. Mój brat wiedział, że proszenie tego człowieka o pomoc było dość ryzykowne, ale nic więcej nam nie pozostało.

Kiedy weszłam do jego domu, zrobiło mi się żal samej siebie. Gdy jednak moje oczy przyzwyczaiły się do panującego tam mroku, dotarło do mnie, że wciąż mam jeszcze za co dziękować. Większość Afgańczyków, mimo że żyje w strasz-liwej nędzy, nie utraciła swej godności. Dumę czerpią przede wszystkim z własnych domów – bez względu na to, jak prosto i skromnie się prezentują – zawsze podejmują gości czymś do jedzenia, herbatą i słodyczami. Być może dlatego przeżyłam taki wstrząs, ujrzawszy pokój gościnny. Podłogi lepiły się od brudu, najwyraźniej od dawna nikt już ich nie zamiatał ani nie zmywał. Miałam ochotę czym prędzej wynieść na zewnątrz dywany i porządnie je wytrzepać. Ściany również wymagały czyszczenia, a okna powinno się otworzyć szeroko, aby wpuścić do środka trochę światła oraz świeżego powietrza i pozbyć się wszechobecnego smrodu stęchlizny.

Przywitała mnie pani domu. Szybko zdałam sobie sprawę, że ta prosta kobieta nigdy nie żyła w lepszych warunkach. Nawet maniery, z jakimi przyjmowała gości, oraz jej zachowanie były sztuczne i niezdarne. Przyjrzałam się gromadce dzieci z brudnymi buziami i dalszym członkom rodziny – trudno powiedzieć, kto z nich był najbardziej zapuszczony. Ich wygląd wyjaśniał unoszący się w pomieszczeniu zapach.

Nie mogłam znaleźć żadnego czystego miejsca, by usiąść, więc przykucnęłam w takim, które wydawało się najmniej brudne. Dostałam okropnych mdłości. Mimo że przebywałam w środku domu i byłam przygotowana na długie oczekiwanie, nie ściągnęłam burki. Coraz lepiej radziłam sobie w kontaktach z talibami. Najważniejsza była cierpliwość. Powiedziano mi, że gospodarz porozmawia ze mną za dwadzieścia minut, ale byłam gotowa czekać nawet i cały dzień, gdyby zaszła taka potrzeba. Z dzisiejszej perspektywy wydaje mi się to dziwne, ale martwiłam się o Hamida znacznie mniej niż poprzednio. Pocieszała mnie myśl, że tym razem znajduje się w więzieniu nie sam, lecz z moim bratem. Wiedziałam, że będą wspierać się wzajemnie i dodawać sobie sił, choćby robili z nimi nie wiem jak straszne rzeczy.

Czekałam, bezmyślnie przyglądając się, jak kobieta wyciera strugę czarnych i zielonych smarków ściekających z nosa jednego z chłopców. Próbowałam nawiązać z nią jakąś rozmowę, ale nie było to łatwe. Z trudem zdobywałam się na uprzejmość, siedząc w tak obskurnym pokoju, w brudnym domu, czekając na – jak sądziłam – jakiegoś niedomytego mężczyznę, który pełnił obecnie funkcję jednego z kluczowych doradców rządu w sprawach bezpieczeństwa. Jakie państwo może zbudować ktoś, kto nawet własny dom doprowadził do tak opłakanego

stanu, a jego żona i dzieci żyją w nim niczym więźniowie igno-
rancji? Czy jest jeszcze jakaś nadzieja dla Afganistanu, skoro
rządzą nami tacy ograniczeni umysłowo ludzie? I wtedy aż
zadygotałam z przerażenia. Wreszcie do mnie dotarło. Jeśli
bowiem tak wygląda salon w domu wyższego rangą talibskiego
urzędnika, to jakie warunki muszą panować w ich więzieniach?

Pan domu prezentował się równie niechlujnie i prymityw-
nie jak reszta rodziny; w ogóle nie przypominał godnego szacunku człowieka u władzy, jakiego mogłabym się spodziewać.
Wyjaśniłam mu, w jaki sposób Hamid i Mirszakaj trafili do
więzienia. Mężczyzna zareagował przychylnie, przyznając też,
że bardzo dobrze wspomina mojego brata. Wysłuchał mnie
w skupieniu i zapewnił, że uwolni moich bliskich. Poprosił,
bym zaczekała, a on wykona kilka telefonów, po czym wyszedł.
Postarałam się jak najwygodniej usadowić na brudnej podłodze
i czekałam dalej. Tymczasem smród zniknął. A może zwyczajnie już się do niego przyzwyczaiłam.

Gdy pan domu pojawił się z powrotem, nie miał dla mnie
dobrych wieści. Z głębokim westchnieniem spojrzał na swoje
brudne ręce i powiedział, że wydostanie Hamida i Mirszakaja
z więzienia zajmie trochę czasu. Obiecał, że będzie bacznie
obserwował rozwój wydarzeń i jeśli tylko czegoś się dowie, natychmiast da mi znać. Jego głos nie brzmiał do końca szczerze.
Odniosłam wrażenie, że poczuwa się do obowiązku, by nam
pomóc, lecz robi to niezbyt chętnie i z pewnością nie chce za-
dawać sobie zbyt wiele trudu. To nieco mnie zmartwiło. Przygnębiona wróciłam do domu. Hamid wciąż był bardzo słaby.
Ledwo co zaczął dochodzić do siebie po pierwszym pobycie
w więzieniu, poza tym robiło się chłodno. Jesień zadomowiła
się już na dobre, a w górach wokół miasta spadł pierwszy śnieg.
Wkrótce i Kabul pokryje się śniegiem, a temperatury spadną
do minus piętnastu stopni Celsjusza. Wyobrażałam sobie Hamida i Mirszakaja w ubraniach, w których ich aresztowano,
jak tulą się do siebie na lodowatym więziennym dziedzińcu,

by choć odrobinę się rozgrzać. Nie mają ocieplanych kurtek, kamizelek ani wełnianych skarpet. Zacisnęłam usta, próbując powstrzymać płacz na myśl o tym, jak palce u stóp Hamida sinieją z zimna. Nie wiedziałam, ile delikatny organizm mojego męża jest w stanie jeszcze znieść. Jego umysł stanowił prawdziwą twierdzę, mógł wytrzymać wszelkie męki. Ciało każdego z nas ma jednak granicę wytrzymałości. Gdy nocą czułam podmuchy mroźnego wiatru i powietrze tak zimne, że każdy oddech sprawiał ból, wiedziałam, że Hamid zbliża się do tej granicy bardzo szybko.

Ranek zastał mnie w typowej dla mnie w tym czasie pozycji – zgiętą wpół nad muszlą klozetową. Tego dnia jednak moje poranne mdłości miały jeszcze jedną przyczynę. W nocy spadł śnieg. Gdy wyskoczyłam z łóżka, by dopaść łazienki, zauważyłam przez okno, że dachy domów pokryte są świeżym, skrzącym się puchem. Czy Hamid i Mirszakaj spędzili całą noc na śniegu? Czy na więziennym dziedzińcu przybyły dwa ciała złączone lodową skorupą pokrywającą je ze sobą?

Ubrałam się i popędziłam do domu taliba, ale tym razem w towarzystwie Khadidży. Co i raz ślizgałyśmy się na oblodzonych ulicach, które zmieniły się w prawdziwy tor łyżwiarski. Burka zapewniała mi dodatkową ochronę przed zimnem, ale utrudniała rozpoznanie zamarzniętych konturów drogi i krępowała ruchy. Za każdym razem, gdy któraś z moich stóp odjeżdżała w sobie tylko znanym kierunku, wyrzucałam jedną rękę przed siebie, by utrzymać równowagę, drugą zaś chwytałam się za brzuch, by ochronić dziecko, gdybym jednak upadła.

Od poprzedniego dnia w domu taliba zaszła pewna zmiana. Wciąż panował okropny smród, ale zauważyłam, że ktoś zadał sobie odrobinę trudu, aby pozamiatać podłogę i wyczyścić dziecięce buzie (prawdopodobnie brudną szmatką, bo nadal były usmarowane).W samym gospodarzu również dostrzegłam zmianę. Uśmiechnął się do mnie szeroko, ukazując sczerniałe zęby.

– Chcę, żebyś uczyła moje dzieci angielskiego – powiedział.
To była prośba, nie rozkaz. Ale prośba, której raczej nie
mogłam odmówić.

– Oczywiście – zgodziłam się. – Może będą przychodzić do
mojego domu. Jest tam dużo miejsca do zabawy, więc będzie
mi się lepiej je uczyło.

Całe szczęście, takie rozwiązanie chyba mu odpowiadało.
Zdecydowanie nie miałam ochoty spędzać tutaj więcej czasu,
niż to było absolutnie niezbędne. Starałam się, by mężczyzna
czuł się zadowolony, ale sama też po części czułam się podbu-
dowana – jeśli uda mi się choć odrobinę pokazać tym dzieciom,
jak wygląda życie poza obmierzłymi murami, być może będzie
jeszcze jakaś nadzieja dla tego kraju. Nie miałam pojęcia, co
przyniesie kolejny dzień ani czy będę w stanie wywiązać się
z obietnicy uczenia, ale wiedziałam, że dzieci, i to wszystkie
dzieci, mają ogromną wartość. Przy odpowiedniej pomocy
i wsparciu w nauce każde może wyrosnąć na kogoś, kto będzie
decydował o przyszłości swojego narodu.

Wyszłam z domu taliba podniesiona na duchu. Nie dowiedziałam się zbyt wiele o mężu i bracie, lecz rozmowa o lekcjach
angielskiego i zmiany, jakie zauważyłam w domu, pozwalały mi
sądzić, że naprawdę zamierza nam pomóc.

Tej nocy ktoś gwałtownie załomotał do drzwi. Uchyliłam
je ostrożnie, jednak owłosiona ręka pchnęła je tak mocno, że
uderzyły mnie w czoło. Zatoczyłam się do tyłu. Spod czarnego
turbana i krzaczastych brwi przyglądało mi się uważnie dwoje
ciemnych oczu. Ale nie bałam się. Szczerze mówiąc, nawet
nie zdążyłam się przyjrzeć twarzy mężczyzny, ponieważ obok
niego stali Hamid i Mirszakaj. Talib popchnął ich do środka gestem rozpuszczonego dziecka, które musi podzielić się
z innymi swymi zabawkami. Mamrotał jeszcze pod naszym
adresem jakieś nic nieznaczące pogróżki, kiedy zamknęłam
mu drzwi przed nosem i rzuciłam się Hamidowi w ramiona.
Bratowa wybiegła z salonu i piszcząc z radości, wpadła w obję-

cia Mirszakaja. Komunistyczny generał, który został doradcą talibów, dotrzymał danego słowa.

Nie było chwili do stracenia. Załatwiliśmy taksówkę, która miała nas odebrać z samego rana. Musieliśmy się dostać do Pakistanu. Choć mój mąż i brat byli wolni, nie mogliśmy ufać talibom. W mgnieniu oka mogli zmienić zdanie i aresztować ich ponownie. Nie było mowy, żebyśmy znów do tego dopuścili.

Rankiem wraz z Hamidem, Mirszakajem, jego żoną oraz ich dzieckiem zapakowaliśmy się na tylne siedzenie czekającego na nas samochodu. Hamid usiadł z jednej strony, ja ubrana w burkę wcisnęłam się obok niego, mojego brata upchnęliśmy w sam środek, mając nadzieję, że nikt go nie rozpozna, bratowa zaś usiadła z drugiej strony przy oknie. Miejsce pasażera z przodu zajął przyjaciel rodziny – kolejny generał w stanie spoczynku, z pochodzenia Pasztun, który zaoferował nam pomoc. Liczyliśmy na to, że w razie kłopotów jego wojskowa sława zadziała na naszą korzyść. Gdyby to nie poskutkowało, na przygranicznych posterunkach nie mniej przydatne mogło się okazać jego pochodzenie, gdyż talibowie w większości również byli Pasztunami. Podróż z nami stanowiła czysty akt bezinteresowności z jego strony. Wciąż zresztą nie mogę wyjść ze zdumienia, kiedy pomyślę o wszystkich naszych przyjaciołach czy sąsiadach, którzy przez lata udzielali nam pomocy, nie zważając na swoje bezpieczeństwo. To dlatego moje drzwi zawsze stoją otworem dla osób w potrzebie. Poza tym – jak uczy islam – za każdy dobry uczynek, jaki nas spotyka, musimy się odpłacić innym dobrym uczynkiem.

Taksówkarz gadał jak nakręcony, próbując zapewnić nas, że jego samochód jest solidny i niezawodny. Nie byłam co do tego przekonana, ale Mirszakaj uparł się, żebyśmy tym razem wszyscy pojechali do Pakistanu. Zgodziłam się. Po tym, co się wydarzyło w mijających tygodniach, czułam, że muszę po prostu wyjechać z kraju, choćby na kilka dni. Korzystając z okazji, moglibyśmy również poszukać fachowej pomocy lekarskiej dla

Hamida. Drugi pobyt w więzieniu jeszcze bardziej go osłabił. Mój mąż wprost marniał w oczach, z kolei ja wciąż cierpiałam na poranne mdłości i przez większą część drogi trzymałam pod burką miskę, gdyby zebrało mi się na wymioty. Podróż była okropna. Siedzieliśmy ściśnięci jak śledzie, a nerwy mieliśmy napięte jak postronki. Lada moment mogliśmy zostać zatrzymani na którymś z posterunków i aresztowani. Nasz generał jednak nie tracił zimnej krwi i ilekroć natykaliśmy się na jakichś zbrojnych, żartował z nimi jak gdyby nigdy nic. Większość talibów uspokajała się na dźwięk znajomego pasztuńskiego akcentu, a naturalna charyzma wywoływała szacunek – nawet buńczuczni młodzi talibowie czuli respekt przed generałem ze starej szkoły.

„Możecie jechać, wujku" – ilekroć słyszeliśmy te słowa, mogłam na chwilę odetchnąć z ulgą. A gdy wreszcie przekroczyliśmy w Torkham granicę z Pakistanem, w samochodzie wybuchła nieopisana radość. Wolność czuło się tu nieomal w powietrzu. Straszliwy reżim talibów został za nami i poczuliśmy się, jakby z naszych ramion zdjęto olbrzymi ciężar.

O czwartej po południu dotarliśmy do Peszawaru na północy Pakistanu. Wsiedliśmy do nocnego autobusu jadącego do Lahore, starożytnego miasta królów, gdzie mój brat miał dom. W jego progu czekała już na nas pierwsza żona Mirszakaja, która mieszkała tam ze swoimi rodzicami. Tego wieczoru jedliśmy kebab chapli, fantastyczną pakistańską potrawę z mielonym mięsem wymieszanym z owocami granatu i papryczką chili, a wszystko to popiliśmy coca-colą. To była iście boska uczta, a w dodatku mój pierwszy od wielu miesięcy posiłek wolny od toksycznych wyziewów talibskiej dyktatury.

W Lahore czuliśmy się wspaniale. Po raz pierwszy od ślubu mogliśmy z Hamidem wyjść na ulicę jak normalne młode małżeństwo. Lahore to naprawdę przepiękne miasto, pełne wiekowych meczetów zdobionych płytkami oraz bazarów z krętymi wąskimi alejkami. Zwiedzaliśmy je całymi godzinami. Urządziliśmy sobie też piknik w urokliwym parku przeznaczonym tylko dla kobiet oraz rodzin. Hamid przez lata walczył o to, by mnie poślubić, a od wesela nie mieliśmy nawet kilku chwil, by spokojnie usiąść, rozluźnić się i cieszyć swoim towarzystwem. Po pobycie w ogarniętym zamętem Kabulu Lahore wydało nam się nadzwyczaj czyste i funkcjonalne. Duża część wspaniałych kabulskich budowli została zniszczona w trakcie wojny domowej, tym bardziej więc zachwycałam się tutejszą zabytkową architekturą. Od XVI do XVIII wieku miasto znajdowało się we władaniu Wielkich Mogołów, muzułmańskiej dynastii, która w okresie swojego rozkwitu sprawowała kontrolę nad niemal całym subkontynentem indyjskim. Byli oni znakomitymi budowniczymi – na przykład Tadż Mahal jest dziełem cesarza Szahdżahana. Mogołowie stworzyli też wiele spośród najbardziej znanych obecnie zabytków Lahore, choćby spektakularne ogrody Szalimar i fort Lahore, które wpisano na listę światowego dziedzictwa UNESCO.

Byłam już w trzecim miesiącu ciąży i w dalszym ciągu nie czułam się najlepiej. Stan Hamida, po dwóch wizytach w talibskim więzieniu, również był kiepski. Jednak przez te kilka krótkich dni udało nam się nabrać nieco sił – zarówno duchowych, jak i fizycznych – dzięki panującemu w Lahore spokojowi. Być może „spokój" nie jest najtrafniejszym słowem na opisanie kipiącego życiem pakistańskiego miasta liczącego ponad pięć milionów mieszkańców, jednak po tym, co przeszliśmy, tak właśnie się tu czułam. Spokojnie.

Po tygodniu od przyjazdu otrzymaliśmy wiadomość, że w Peszawarze przebywa prezydent Rabbani. Choć talibowie go obalili, zarówno dla nas, jak i dla reszty świata wciąż był on formalnym przywódcą Afganistanu. Mianowany przez niego ambasador w dalszym ciągu reprezentował nasz kraj na Zgromadzeniu Ogólnym ONZ. Rząd talibów został oficjalnie uznany tylko przez Arabię Saudyjską i Pakistan. Mirszakaj, który pracował w Ministerstwie Spraw Wewnętrznych i dobrze znał

Rabbaniego, skontaktował się z nim. Obaj z Hamidem zostali zaproszeni na spotkanie, podczas którego miano omówić plan pozwalający Rabbaniemu na odzyskanie kontroli nad krajem.

Prezydent, podobnie jak moja rodzina, pochodził z Badachszanu. Przyjaźnił się z moim ojcem i choć zdarzało im się rywalizować, niezmiennie darzyliśmy go głębokim szacunkiem. W latach sześćdziesiątych i siedemdziesiątych zasłynął z wystąpień przeciwko komunistom, a w czasie sowieckiej okupacji kierował z Pakistanu militarnym i politycznym ruchem oporu. Gdy w wyniku upadku rządu komunistów władzę stracił prezydent Nadżibullah, zastąpił go właśnie Rabbani. Jednak ówczesny rząd mudżahedinów był rozbity na wiele frakcji i podziały te doprowadziły do starcia między siłami Rabbaniego i Ahmada Szaha Masuda a oddziałami Dostuma i Hekmatjara, a w efekcie – do wybuchu wojny domowej.

W posiadłości Rabbaniego znajdowało się bardzo dużo osób i Hamid z Mirszakajem wrócili ze spotkania bardzo rozentuzjazmowani. Nabrali przekonania, że Rabbani stanowi klucz do ustabilizowania sytuacji w Afganistanie – choć w obliczu tak silnej pozycji talibów nawet sam prezydent nie mógł wyobrazić sobie, jak to osiągnąć. Ich optymizm był jednak zaraźliwy i sama zaczęłam wierzyć, że dla Afganistanu nie wszystko jest jeszcze stracone.

Perspektywa odzyskania przez Rabbaniego władzy tak nas wszystkich podekscytowała, że wspólnie z Hamidem niemal z miejsca podjęliśmy decyzję o natychmiastowym powrocie do Kabulu. Zostawiliśmy tam zresztą owdowiałą bratową Hamida, zupełnie samą z dziećmi, i postanowiliśmy wrócić, żeby jej pomóc. Dla Mirszakaja powrót wiązał się ze zbyt dużym ryzykiem, postanowił więc zostać w Pakistanie i kursować między domami w Lahore i Peszawarze. Rozstanie z bratem i jego żonami było strasznym przeżyciem; nie miałam pojęcia, kiedy (a nawet czy) ich znowu zobaczę. Miejsce żony jest jednak przy mężu.

Wielkimi krokami zbliżała się zima i coraz częściej padał śnieg. W drodze powrotnej do Kabulu wysokie partie gór w okolicach Przełęczy Chajberskiej stały się białe. Postrzępione skały były jak talibowie, świeży śnieg zaś, pokrywający ich ostre, bezlitosne granie, oznaczał nowy początek dla Afganistanu. Miałam przynajmniej taką nadzieję.

Bez problemów wjechaliśmy do Afganistanu i szybko dotarliśmy do mieszkania w Kabulu. W ciągu tego tygodnia odsapnęłam na tyle, że powrót do rodzinnego kraju dał mi dużo radości. Nawet pod rządami talibów nigdy nie utraciłam poczucia patriotyzmu. To był w końcu mój Kabul i mój Afganistan.

Rozpoczynał się właśnie ramadan i jak wszyscy praktykujący muzułmanie pościliśmy od wschodu do zachodu słońca. Wstawaliśmy jeszcze przed świtem na *sahaar*, czyli obfite śniadanie, które jedliśmy, gdy jeszcze było ciemno, aby móc przetrwać dzięki niemu cały dzień postu. Po zapadnięciu zmierzchu znów mogliśmy jeść. Zazwyczaj jedliśmy bardzo wcześnie rano, a potem szliśmy jeszcze chwilę pospać przed porannymi modlitwami.

Dopiero co położyliśmy się do łóżka z Hamidem, gdy dobiegło nas pukanie do drzwi. Myśleliśmy, że to sąsiad czegoś potrzebuje, więc Hamid poszedł otworzyć. Usłyszałam czyjeś głosy, a po chwili kroki męża wracającego do sypialni. Jego twarz przybrała szaroziemisty kolor. Wyglądał, jakby zaraz miał zwymiotować. Poprosił mnie o swój płaszcz. Przyszli po niego talibowie. Na dole czekał już samochód. Hamid nie miał wyboru – musiał z nimi iść. Chciałam pobiec za nim i błagać talibów, by zostawili nas wreszcie w spokoju. Wróciliśmy do Kabulu z nadzieją na zwykłe, spokojne życie. A oni znów mi go odbierali.

Hamid zachowywał się z charakterystyczną dla siebie godnością. Stanowczo, lecz delikatnie nakazał mi zostać w sypialni. Miałam na sobie tylko koszulę nocną, więc nie byłam odpowiednio ubrana, by rozmawiać z obcymi mężczyznami, nawet jeśli stali oni w progu mojego mieszkania o piątej rano. Nie wiedzieliśmy, czego chcą od Hamida. O nic go nie oskarżyli. Powiedzieli mu tylko, że ma się z nimi udać. Usłyszałam trzaśnięcie drzwi i przytuliłam się z płaczem do poduszki, obejmując brzuch i po raz kolejny zastanawiając się, co też się z nami stanie.

Wiedziałam, że pewien człowiek z Badachszanu zaczął współpracować z talibami. Odszukałam jego adres w starym notatniku. Był zatrudniony w więzieniu Pul-e Charkhi, które wybudowano w latach siedemdziesiątych, a podczas sowieckiej okupacji zasłynęło z wyjątkowo brutalnych tortur. Nie wiedziałam, dokąd talibowie zabrali Hamida, ale powoli zaczynało brakować ludzi, którzy mogliby nam pomóc. Poprosić kogoś o interwencję w czyjejś sprawie można było tylko raz, kolejne próby zaś wystawiały takiego protektora na wielkie niebezpieczeństwo. Nie mogłam więc zwrócić się o pomoc do ludzi, którzy wyświadczyli nam już kiedyś podobną przysługę.

Nie znałam za dobrze tego człowieka, ale liczyłam, że powołując się na nasze wspólne pochodzenie oraz jego znajomość z ojcem, uda mi się na niego wpłynąć. Następnego dnia wstałam wcześnie, narzuciłam na siebie burkę i poszłam go odnaleźć.

Więzienie Pul-e Charkhi znajduje się dziesięć kilometrów za Kabulem. Szłam przez przedmieścia, które stopniowo zmieniały się w niewielkie wioski, a te z kolei w małe skupiska lepianek, aż wreszcie wokół nie widziałam nic poza zakurzonymi pustynnymi szlakami. Kobieta nie powinna przebywać w takich miejscach sama, a już zwłaszcza w tamtych czasach. Gdy wydawało mi się, że droga, którą idę, prowadzi donikąd, nagle jak spod ziemi wyrosły przede mną ściany więzienia. Bagnety strażników oraz okalający mury drut kolczasty błyszczały w słońcu. Surowe, tynkowane gliną mury z wysokimi wieżami strażniczymi z kamienia wyglądały jak wyjęte wprost ze średniowiecza. To przerażające miejsce nazywane jest afgańskim Alcatraz, ponieważ nie ma z niego ucieczki.

Weszłam do wartowni, wyjaśniłam, co mnie tu sprowadza, i poprosiłam o widzenie z człowiekiem z Badachszanu. Strażnik wrócił po chwili z krótką odpowiedzią: „Nie". „Jaki z ciebie Badachszanin?" – dokładnie taką wiadomość kazałam przekazać jego zwierzchnikowi. Czy ten mężczyzna nie ma choć odrobiny *gharor*, honoru, że nie chce pozwolić kobiecie, by zapytała o swojego zaginionego męża. Spodziewałam się, że to oskarżenie może pobudzić go do działania. Byłam wszak młodą muzułmanką tuż po ślubie. Uważa się za niestosowne, by taką kobietę pozostawiono samą sobie, bez niczyjego wsparcia. Strażnicy wyglądali na nieco tym zawstydzonych i obiecali przekazać tę wiadomość szefowi. On wciąż jednak odmawiał spotkania ze mną. Zrozumiałam dlaczego. Zrugałam go przecież przed jego podwładnymi i pewnie teraz czuł się upokorzony. Powiedziano mi, żebym wróciła za kilka dni.

Głodna, spragniona, z maluszkiem pływającym w moim brzuchu, szłam do domu, nadal nie mając pojęcia, dokąd zabrano mojego męża.

Na miejsce dotarłam w wyjątkowo podłym nastroju. Jeden ze starszych krewnych Hamida niedawno zmarł i razem z Khadidżą miałyśmy wziąć udział w pogrzebie. Naprawdę nie miałam ochoty tam iść, ale obowiązek nakazywał mi złożyć rodzinie nasze kondolencje. Niewiele pamiętam z tego popołudnia. Bez przerwy martwiłam się o Hamida. Pogrążona w myślach, siedziałam cicho na dywanie, gdy podszedł do mnie starszy człowiek. Wieści o aresztowaniu rozeszły się szybko, choć minęło zaledwie kilka dni. Ciemne oczy mężczyzny były pełne współczucia, a jego długa siwa broda podskakiwała, gdy szeptem przekazywał mi to, czego dowiedział się o Hamidzie. Według jednego z jego krewnych – starszy człowiek nie wyjaśnił, co to za osoba ani jak udało się jej zdobyć tę informację – mój mąż był przetrzymywany przez najgroźniejszy z wydziałów służb bezpieczeństwa. Do jego zadań należała walka z opozycją i pozbycie się wszystkich ludzi mających poglądy inne niż talibowie. To sprawiło, że zaczęłam się jeszcze bardziej bać o Hamida, ale przynajmniej wiedziałam, gdzie przebywa.

Chodziłam tam więc dzień w dzień, lecz za każdym razem byłam odsyłana przez szydzących ze mnie strażników. Wreszcie siódmego dnia wpuszczono mnie do środka i pozwolono zobaczyć się z mężem. Hamid, normalnie mający szczupłą budowę ciała, teraz był wychudzony i przygarbiony. Nieustannie go bito i ból sprawiał, że nie był w stanie utrzymać się w wyprostowanej pozycji. Jego ciemna broda odbijała się od nienaturalnie bladej twarzy, oczy miał zapadnięte, a kości policzkowe – wystające.

Usiedliśmy przy prostym drewnianym stole i rozmawialiśmy ściszonymi głosami. Próbowałam go przytulić, ale talibskie więzienie nie jest najlepszym miejscem do okazywania sobie czułości, nawet między mężem a żoną. Hamid powiedział mi, że zmuszali go do stania przez całą noc na śniegu, w dzień zaś poddawali niekończącym się przesłuchaniom i torturom. Wciąż go pytali: „Dlaczego pojechałeś spotkać się z Rabbanim? Co cię z nim łączy? Jaki był cel waszego spotkania?".

Prezydent Rabbani był ochraniany przez pakistańskie służby specjalne. Od dawna podejrzewano, że wielu spośród agentów ma powiązania z talibami, i oto mieliśmy na to dowód. Pakistańscy agenci najwyraźniej przekazywali talibom nazwiska gości odwiedzających Rabbaniego, w tym – jak się okazało – nazwisko mojego męża i, zapewne, mojego brata.

Gdy opuszczałam więzienie, jeden ze starszych rangą talibów zapytał mnie:

– Ile możesz zapłacić za uwolnienie męża? Dwa i pół tysiąca dolarów? Pięć tysięcy?

Musiał już się zorientować, że Hamid nie ma nic wspólnego z polityką. Mogli go katować dniami i nocami, a i tak nic by im nie wyznał, ponieważ nic nie wiedział. Ale jego uwięzienie stanowiło świetną okazję, aby trochę zarobić. Zapłaciłabym za

Hamida każdą cenę, ale problem w tym, że nie miałam żadnych pieniędzy. Nie byliśmy zbyt bogaci, a już na pewno nie mieliśmy gotówki. A gdybym nawet poprosiła Mirszakaja o finansowe wsparcie, to i tak niemożliwe były przelewy pieniężne oraz pożyczanie większych kwot, ponieważ talibowie nader skutecznie doprowadzili system bankowy kraju do ruiny. Nie mogłam więc po prostu wykupić Hamida. Przyjdzie mi tego zresztą żałować do końca swoich dni.

Hamid po tym wszystkim, przez co przeszedł, coraz bardziej chorował. Przymierał głodem i był przemarznięty do kości. W pewnym momencie przeziębienie rozwinęło się w zapalenie płuc i jego stan systematycznie ulegał pogorszeniu. Słabnąca odporność, bliskie sąsiedztwo wielu bardzo chorych więźniów i brak miejsca do mycia się doprowadziły do tego, że zapadł na gruźlicę.

Napisałam list z prośbą o uwolnienie Hamida i chciałam go przekazać dowództwu służb specjalnych. Pisałam w nim, że mój mąż jest niewinny, i przekonywałam jednocześnie, że ze względu na swoją chorobę może stanowić zagrożenie dla zdrowia pozostałych więźniów. Sama dostarczyłam go do biura odpowiedniego urzędnika. Nie był talibem, lecz zwykłym biurokratą – oszołomionym, skonsternowanym okularnikiem, nieco zszokowanym z powodu nowych zwierzchników. Prawdopodobnie służył już Sowietom i mudżahedinom, a teraz przyszła pora na talibów. Różni panowie dla różnych epok Afganistanu.

Mężczyzna wziął ode mnie list, a ja zaczęłam mu opowiadać o Hamidzie, jego chorobie i naszym niedawnym ślubie. Chciałam zyskać jego sympatię, aby bezzwłocznie przedstawił moją prośbę zwierzchnikom. Urzędnik spojrzał na mnie badawczo znad okularów, następnie zerknął na list i zapytał:

– Kto napisał za ciebie ten list, siostro?

– Sama go napisałam – odrzekłam. – Jestem studentką medycyny i chcę po prostu wydostać mojego chorego męża z więzienia.

– Twój mąż to szczęściarz – powiedział referent. – Ma wykształconą żonę, która się o niego troszczy. Ale co się stanie, jeśli to mnie wsadzą do więzienia? Kto zatroszczy się o mnie? Moja żona nie jest wykształcona, kto napisze dla mnie taki list? – Westchnął głęboko, w bardzo teatralny sposób, i wsunął moje podanie pod stertę listów napisanych bez wątpienia przez wielu innych zrozpaczonych krewnych. – Idź już, siostro. Nie mogę niczego obiecać, ale zrobię, co w mojej mocy, by twój list trafił do stosownych władz.

Wyszłam z biura z piekącymi od łez oczami. Moja prośba o uwolnienie Hamida utonęła wśród setek podobnych pism. Szanse na to, że kiedykolwiek opuści ona biurko urzędnika w okularach, były minimalne.

Brnąc przez śnieg, wróciłam do domu. Gdy wchodziłam po schodach do naszego mieszkania, poczułam, jak nieznośnie pusty jest dom bez mojego męża. Khadidża wyszła mi na powitanie, pytając, czy mam jakieś wieści o Hamidzie. Pokręciłam tylko przecząco głową. Poszłam prosto do sypialni i położyłam się, próbując powstrzymać napływające do oczu łzy. Wreszcie zasnęłam. Obudził mnie dopiero głos mułły wzywającego wiele godzin później na *iftar*, czyli pierwszy wieczorny posiłek po całym dniu poszczenia. Leżałam i wsłuchiwałam się w nawoływanie: *Hajja ala-l-falah!* Przybywajcie po nagrodę!

Czułam się strasznie głodna, więc wstałam i poszłam do sąsiedniego pokoju, myśląc, że zastanę Khadidżę wraz z dziećmi przy jedzeniu. Ona jednak czuła się równie fatalnie jak ja i też przespała cały dzień. Nikt nie przygotował posiłku. Ruszyły mnie wyrzuty sumienia. To przecież dom Hamida, a ja jestem jego żoną. Pod jego nieobecność na mnie spoczywał obowiązek opiekowania się jego rodziną. W końcu to przez moich krewnych wylądował w więzieniu. Wyszłam kupić trochę ryżu i mięsa. Gdy po powrocie zabrałam się do gotowania, Khadidża wpadła do kuchni, rugając mnie, że jestem w ciąży i nie powinnam się przemęczać. Wyrwała mi z ręki nóż i zabrała się do krojenia cebuli. Dalej gotowałyśmy już razem, w przyjacielskim milczeniu. Była mroźna zimowa noc, mocno padał śnieg, a miasto trwało w wywołanej strachem oraz nudą martwocie.

Zwróciłam się do Khadidży z łzami w oczach:

– Tak mi przykro. Ściągnęłam na twoją rodzinę same kłopoty. Żałuję, że Hamid w ogóle mnie poślubił. To przeze mnie tak bardzo teraz cierpi.

Khadidża odłożyła nóż, otarła „cebulowe łzy” i wzięła mnie za rękę.

– Fawziu, Hamid jest silnym człowiekiem. A więzienie tylko wzmocni jego charakter. Nie powinno ci być przykro, powinnaś być z niego dumna. Nie jest przecież kryminalistą, ale więźniem politycznym.

Po raz pierwszy wówczas rozmawiałyśmy w ogóle o tym, dlaczego Hamid znalazł się więzieniu, i byłam zadziwiona, że Khadidża potrafi być taka spokojna i opanowana. Miała pełne prawo żywić urazę do mnie i mojej rodziny. Zawsze ją podziwiałam: była silna, inteligentna i niezwykle rozsądna. Ze wzruszenia nie mogłam wydusić z siebie słowa. Dalej więc mieszałam ryż w garnku, starając się przekazać samym tylko spojrzeniem, jak bardzo jestem jej wdzięczna, a ona przytuliła mnie i kazała iść do jadalni, żebym poszukała daktyli lub jakichś owoców. Chciała, bym wreszcie coś zjadła, bo – jak stwierdziła – przede wszystkim muszę teraz dbać o zdrowie dziecka.

Gdy siedziałam sama w jadalni, zaczęły mnie nawiedzać wspomnienia z dzieciństwa. Dawno już zapomniane albo wyparte do tej pory obrazy wypłynęły teraz, niesione melancholijnym nastrojem, na powierzchnię. Przypomniałam sobie *iftar* w naszym *hooli*, gdy jeszcze żył ojciec. Tradycyjna serweta, coś w rodzaju dużego obrusu, tyle że na podłogę, leżała pośrodku pokoju.

Serweta, zrobiona z najdelikatniejszych splotów, została utkana ręcznie przez wiejskie kobiety. Mieniła się pięknymi, żywymi kolorami, czerwonymi i pomarańczowymi pasmami, ufarbowanymi naturalnymi barwnikami z górskich roślin i kwiatów. Naokoło serwety rozłożono materace i poduszki, na których siadaliśmy ze skrzyżowanymi nogami.

Na serwecie zaś piętrzyły się góry smakowitego jedzenia: *bolani* (pyszny placek nadziewany warzywami), *manto* (kawałki gotowanego na parze mięsa mielonego z cebulą i jogurtem), *kabuli pilau* (ryż zmieszany z rodzynkami, soczewicą i marchewką). Starsze siostry zawsze bardzo się uwijały, by zdążyć z przygotowaniem posiłku na czas, ale zwykle kończyły wszystko na minuty przed tym, jak mijał post, i wygłodzone tłumy krewniaków zbiegały się na jedzenie.

Cała rodzina siadała razem – wszystkie żony i ich dzieci, wszyscy moi przyrodni bracia i siostry – z wyjątkiem ojca, którego albo nie było w domu, albo przebywał ze swoimi gośćmi. Siedzieliśmy, jedliśmy, rozmawialiśmy i śmialiśmy się. Choć byłam wtedy tylko małą dziewczynką, uwielbiałam te wspólne chwile. To był czas, kiedy wszyscy się odprężaliśmy i dzieliliśmy rozmaitymi opowieściami o wydarzeniach mijającego dnia. Serce mi się ściska, gdy myślę sobie o tych dniach sprzed wojny, gdy tworzyliśmy jedną wielką rodzinę, nietkniętą jeszcze przez śmierć i cierpienie. Tak bardzo tęskniłam za matką, za moimi braćmi i siostrami. Tak bardzo chciałam tam wrócić i znów być zwykłym wiejskim dzieckiem, zajmującym się jedynie podkradaniem czekoladek i przebieraniem się w za duże drewniane chodaki.

Z myśli wyrwała mnie Khadidża, która weszła do pokoju z talerzem parującego *pilau*. Uśmiechnęłam się do niej z wdzięcznością. Przypomniała mi bowiem, że nie byłam sama: rodzina Hamida stała się teraz również moją rodziną. Przybiegły do nas też dzieci Khadiży i gdy wszyscy zabraliśmy się do jedzenia, zrobiło mi się nieco lżej na duchu.

Każdego dnia zabiegałam o możliwość odwiedzenia Hamida, a przy tych kilku okazjach, gdy udawało mi się z nim zobaczyć, zawsze udawał twardego i twierdził, że jest dobrze traktowany. Nie chciał, żebym się martwiła. Nie potrafił jednak ukryć drżenia rąk, nad którym nie był już w stanie zapanować, ani sińców na coraz bardziej zmizerniałej twarzy. Ja udawałam, że mu wierzę, i odgrywałam rolę posłusznej żony, wiedząc, że rozmowa o męczarniach, jakim go tu poddawano, uczyniłaby je jeszcze cięższymi do zniesienia. Wydaje mi się, że próby ukrywania cierpienia przed ciężarną żoną w pewnym sensie dodawały mu sił. A zatem te krótkie, ale jakże cenne wspólne chwile upływały nam na rozmowie o zwykłych rodzinnych sprawach, jakby Hamid dopiero co wrócił z podróży służbowej albo z bazaru, albo z jakiegoś innego mało istotnego miejsca, do którego inni mężowie na całym świecie udają się każdego dnia. Udawanie, że tak po prostu wygląda nasze zwykłe życie, czyniło to wszystko znośniejszym – jakby nic w tym nie było dziwnego, przerażającego czy też niecodziennego. Niektórzy uważają, że życie w zaprzeczeniu to błąd – być może mają rację – ale gdy miotają tobą wzburzone wody oceanu rozpaczy, zaprzeczenie może stać się ostatnią deską ratunku. Czasami zaprzeczenie stanowi jedyną szansę, by utrzymać się na powierzchni.

Postanowiłam raz jeszcze poprosić o pomoc Badachszanina pracującego w więzieniu Pul-e Charkhi. Na szczęście, gdy dotarłam tam wreszcie po długim i wyczerpującym marszu, mężczyzna tym razem natychmiast zaprosił mnie do swego gabinetu. Wyjaśniłam mu ponownie, że Hamid nie popełnił żadnego politycznego przestępstwa, a jest poddawany okrutnym torturom, i że jeśli go nie wypuszczą, wkrótce umrze. Jakbym rzucała grochem o ścianę. Mężczyzna odparł, że nic nie może dla nas zrobić. Znów zaczęłam płakać, na co mężczyzna westchnął przeciągle, a potem z niechęcią obiecał mi, że spróbuje porozmawiać z dozorcą strażników w tym skrzydle więzienia, w którym przebywał Hamid.

Było piątkowe popołudnie – pora, w której zazwyczaj udawało mi się uzyskać możliwość widzenia z Hamidem. Khadidża włożyła niebieską burkę, a ja swój czarny nikab – i razem poszłyśmy do więzienia.

Strażnik wszedł do środka, aby wezwać Hamida, a my czekałyśmy przed bramą. Mężczyzna zostawił ją otwartą, więc mogłam zajrzeć do środka głównego budynku. Widziałam, jak drugi ze strażników, jeszcze nastolatek, myje ręce i stopy, dokonując ablucji wymaganych przed modlitwą. Po chwili spytał w języku paszto pierwszego strażnika:

– Co słychać?

– Przyszła żona Hamida.

Młody mężczyzna odłożył miskę z wodą i skierował się w naszą stronę. Odwróciłam się szybko, by nie zauważył, że podglądałam. Minął jakichś innych mężczyzn i zamienił z nimi kilka zdań w urdu, najczęściej używanym języku w Pakistanie. Ci ludzie nie byli więźniami, domyśliłam się więc, że to pracujący w więzieniu pakistańscy zwolennicy talibów. Złapałam Khadidżę za dłoń, spodziewając się, że ów młody strażnik może mieć jakieś wieści o uwolnieniu Hamida. Podszedł wprost do nas i zapytał:

– Która z was jest żoną Hamida?

Wysunęłam się do przodu, lewą ręką przytrzymując nikab:

– To ja.

Mężczyzna schylił się bez słowa, podniósł z ziemi kamień i rzucił nim w moją głowę. Przestraszona, ledwo odskoczyłam.

– Skarżysz się na nas swoim ziomkom z Badachszanu? Kim ty jesteś, kobieto, że masz czelność to robić? Wynoś się stąd.

Przez moment znajdowałam się w takim szoku, że nie byłam w stanie nawet się poruszyć. W końcu zaczęłam tłumaczyć, że próbowałam jedynie uwolnić mojego niewinnie uwięzionego męża. Mężczyzna podniósł jednak drugi kamień i rzucił go, prawie trafiając mnie w głowę. Podniosłam ręce, żeby się zasłonić, i wtedy mężczyzna zauważył, że mam pomalowane paznokcie.

Spojrzał na mnie szyderczo i splunął na ziemię.

– Popatrz na swoje paznokcie! Jesteś muzułmanką, a masz dłonie dziwki.

Z wściekłości krew napłynęła mi do twarzy. Chciałam mu powiedzieć, że nie ma prawa osądzać ani komentować wyglądu żony innego mężczyzny. Nie byłam jego krewną, więc nie powinien w ogóle odzywać się do mnie w ten sposób. To on był złym muzułmaninem, a nie ja.

Khadidża chyba odgadła, co zamierzam, bo zrobiła krok do przodu, by mnie powstrzymać. Tymczasem mężczyzna rzucił kolejnym kamieniem:

– Wynoś się stąd, ale już.

Khadidża chwyciła mnie i razem pobiegłyśmy do bramy wyjściowej. Gdy już znalazłyśmy się w bezpiecznej odległości, powiedziałam do Khadidży na tyle głośno, aby usłyszał mnie strażnik:

– Oni nie są muzułmanami, oni nie są nawet ludźmi.

Strażnik zamachnął się w moją stronę kolejnym kamieniem, a potem wszedł do środka, miotając przekleństwa, jakich żaden przyzwoity muzułmanin nigdy by nie użył.

Wtedy uderzyła mnie straszliwa prawda o tym, co właśnie zaszło: nie dość, że mnie znieważono, to moje próby uzyskania czegokolwiek za pośrednictwem znajomego z Badachszanu odniosły skutek odwrotny do zamierzonego. To zapewne tylko pogorszy sytuację Hamida.

Rozpłakałam się i zaczęłam trząść się pod nikabem jak osika. Khadidży także napłynęły do oczu łzy. Udało nam się znaleźć taksówkarza, który ani myślał przestrzegać zakazu wożenia obcych kobiet. Całe szczęście, bo nie mogłam polegać na swoich nogach. Cała aż dygotałam z gniewu, strachu i upokorzenia. W domu rzuciłam się na łóżko i zaczęłam przejmująco łkać.

Wieczorem podjęłyśmy z Khadidżą decyzję, że bezpieczniej będzie na razie nie odwiedzać Hamida. Obawiałyśmy się, że nasze wizyty uczynią jego pobyt w więzieniu jeszcze trudniejszym i sprowokują kolejne tortury. Tylko dlatego, że starałam się go uwolnić i miałam pomalowane paznokcie, strażnicy uznali, że jestem bezczelną dziwką. Straszliwie się wściekłam na człowieka z Pul-e Charkhi. Podejrzewałam, że nie tylko w ogóle nie chciał nam pomóc, lecz także rozmyślnie ściągnął na nas kłopoty. Tymczasem nawet nie skarżyłam mu się na warunki panujące w więzieniu. Mówiłam tylko o chorobie Hamida i powtarzałam, że jest niewinny.

Tej nocy straciłam resztki nadziei na uwolnienie męża.

Przez następne dwa tygodnie nawet nie próbowałam się spotkać z Hamidem. Chciałam uniknąć obelg i upokorzeń ze strony strażników, poza tym bałam się, że nawet jeśli talibowie pozwolą mi zobaczyć męża, zupełnie się załamię i rozpłaczę na jego oczach. A ostatnią rzeczą, jakiej teraz potrzebował Hamid, było zamartwianie się o mnie. Gdy nadszedł jednak kolejny piątek, nie mogłam już dłużej wytrzymać. Musiałam się z nim wreszcie zobaczyć, także po to, by zadać bardzo ważne pytanie. Postanowiłam bowiem, że wyjadę do brata do Pakistanu, aby tam urodzić, a jako zamężna kobieta musiałam uzyskać zgodę męża na podróż. Nie wyobrażałam sobie, że pierwsze dziecko miałabym wydać na świat w Kabulu, gdzie talibowie zakazali pracy wszystkim lekarkom, a mężczyznom w ogóle zabronili leczenia kobiet.

Khadidża uparła się towarzyszyć mi dla bezpieczeństwa. Gdy dotarłyśmy do bram więzienia, byłam kłębkiem nerwów. Nie robiłam sobie większych nadziei, że dopuszczą mnie do męża. Pozostałam więc kilka kroków z tyłu, a Khadidża podeszła do strażnika i poprosiła o widzenie z Hamidem. Mężczyzna zniknął, by wrócić z tym samym strażnikiem, który rzucał we mnie kamieniami. Nie odezwałam się ani słowem, podobnie jak Khadidża, spodziewając się, że w każdej chwili w moim kierunku mogą polecieć kolejne pociski. Strażnik spojrzał na mnie i rozkazał:

– Podejdź bliżej, kobieto.

Powoli zbliżyłam się do niego, obiecując sobie w myślach, że jeśli tylko rzuci we mnie jeszcze jednym kamieniem, odpowiem mu tym samym.

– Pokaż mi lewą rękę – powiedział.

Nic nie odparłam ani nie pokazałam ręki, tylko obie schowałam głębiej pod nikabem. Mężczyzna zachowywał się grubiańsko i obraźliwie, absolutnie obce mu były panujące w afgańskiej kulturze obyczaje dotyczące uprzejmości i dobrego wychowania.

Roześmiał się, widząc, jak chowam ręce, i powiedział:

– Powtarzam ci, nie maluj paznokci. Jeśli dalej będziesz to robić, to znaczy, że nie jesteś muzułmanką.

Rzuciłam mu gniewne spojrzenie spod zakrywającego mi twarz nikabu. Jak śmiał twierdzić, że nie jestem muzułmanką, skoro sam pozwalał sobie na komentowanie wyglądu cudzej żony.

– Po co malujesz paznokcie? Powiedz mi! – krzyknął.

– Jesteśmy małżeństwem zaledwie od czterech miesięcy – odparłam jak najspokojniej. – W naszej kulturze przyjęło się, że młoda żona przez pierwszy rok małżeństwa nosi makijaż i ładne ubrania. Jako Afgańczyk z pewnością o tym wiesz, prawda?

Strażnik wybuchnął szyderczym, gardłowym śmiechem, ukazując pożółkłe zęby:

– Rozumiem. To co, chcesz, żebym wypuścił twojego męża?

Nie wiedziałam, co odpowiedzieć. Sądziłam, że zwyczajnie ze mnie drwi. W końcu się odezwałam:

– Za co go trzymacie? Hamid nie popełnił przecież żadnego przestępstwa.

Strażnik wzruszył tylko ramionami i rzucił:

– Wróć z krewnym, z mężczyzną, który przedstawi jakiś akt własności i poręczy swoją nieruchomością, że twój mąż nie będzie próbował wyjechać z Kabulu. Jeśli dostanę taką gwarancję, wypuszczę twojego męża.

Bez słowa odwróciłam się i ile tylko sił w nogach pobiegłam do wyjścia. Khadidża pospieszyła za mną. Nie wiedziałyśmy, czy strażnik mówił poważnie, ale musiałyśmy spróbować. Zatrzymałyśmy się, patrząc na siebie. Stałyśmy tak pośrodku zdominowanego przez mężczyzn, kompletnie oszalałego świata. Nie miałyśmy pojęcia, kogo poprosić o pomoc ani co zrobić dalej. Wszyscy moi bracia wyjechali z Kabulu, a rodzina Hamida w większości mieszkała w Badachszanie.

Przypomniałam sobie o kuzynie, który miał sklep. Gdy dotarłyśmy na miejsce, ledwo łapiąc oddech po biegu przez całe miasto, okazało się, że drzwi są zamknięte. Podekscytowane perspektywą zwolnienia Hamida, dopiero teraz uświadomiłyśmy sobie, że jest piątek, dzień modlitwy i odpoczynku.

Nie chciałam dać strażnikowi pretekstu do zmiany zdania i stracić szansy na uwolnienie Hamida. Wróciłyśmy więc szybko do więzienia. Strażnik siedział na krześle, wygrzewając się w słońcu. Ucieszyłam się, widząc, że jest taki zrelaksowany. Jednak aby znów go czymś nie rozgniewać, nie podchodziłam do niego zbyt blisko. Khadidża poszła wyjaśnić mu sytuację. Strażnik wstał i zniknął za murami więzienia. Wrócił po kilku minutach, które wydały mi się wiecznością. Przyprowadził Hamida i strażnika wyglądającego na jeszcze młodszego.

– Hamid może iść z wami, ale tylko razem z tym człowiekiem. Jeśli przyniesiecie mi list gwarancyjny od jakiegoś sąsiada lub znajomego, uwolnię twojego męża.

Kazał talibskiemu kierowcy odwieźć nas terenową toyotą hilux. Zapakowaliśmy się wszyscy do samochodu. Ze względu na strażnika nie ośmielałam się nawet popatrzeć na Hamida, ale kilka ukradkowych spojrzeń wystarczyło, by się przekonać, że jest biały jak ściana i znajduje się na skraju załamania nerwowego.

Jadący z nami talib powiedział nam, że pochodzi z Wardak. Sprawiał wrażenie dobrego człowieka, ale był jeszcze bardzo młody i szczerze wątpiłam, czy miał jakąkolwiek władzę albo też wpływy w więzieniu. Bałam się, że nikt z naszych sąsiadów nie będzie w stanie pomóc Hamidowi i strażnik zabierze go z powrotem do więzienia. Gdy wjechaliśmy do Makrorian, zapadł już zmierzch. Khadidża przypomniała sobie, że jeden z naszych sąsiadów jest właścicielem mieszkania, i choć nie znała go zbyt dobrze, uznałyśmy, że nie mamy innego wyjścia, jak tylko poprosić go o poręczenie. Gdy szwagierka poszła porozmawiać z sąsiadem, ja z Hamidem oraz młodym talibem czekaliśmy w mieszkaniu. Przeżywaliśmy istne katusze. Mimo że Hamid siedział we własnym salonie, nie miałam prawa odezwać się do niego. W każdej chwili mógł znowu trafić do więzienia.

Wciąż byłam ubrana w nikab, ale zauważyłam, że talib uważnie mi się przygląda, jakby próbował wyczytać coś z moich oczu. Wystraszona, spuściłam wzrok. Chyba dostrzegł, jak bardzo byłam przygnębiona i przerażona. Jego naturalnym językiem był pasztuński, lecz odezwał się w łamanym dari, którym – jak musiał słyszeć – posługiwaliśmy się z Hamidem:

– Nie martw się, siostro. Ja też jestem tuż po ślubie, ledwie dwadzieścia dni, więc rozumiem twój ból. Nawet jeśli nie zdołasz zdobyć dziś poręczenia, to zostawię tu Hamida na noc, a po list gwarancyjny przyjdę jutro rano.

Składając taką propozycję, narażał się na straszliwy gniew ze strony zwierzchników. To kolejny akt zupełnie bezinteresownej dobroci okazanej nam w najmniej spodziewanym momencie. Oboje z Hamidem serdecznie mu podziękowaliśmy.

I dalej siedzieliśmy w milczeniu, czekając na powrót Khadidży.

Nagle na korytarzu przed naszym mieszkaniem usłyszałam męskie głosy. Wyszłam sprawdzić, co się dzieje, i zobaczyłam kilku roześmianych sąsiadów, cieszących się z uwolnienia Hamida. Powiedzieli mi, żebym się nie martwiła i że wspólnie poręczą za mojego męża. Byłam im tak wdzięczna, że nie mogłam wydusić ani słowa, tylko się rozpłakałam. Weszli wszyscy do naszego salonu i wyściskali się z Hamidem. Dwóch z sąsiadów, będących właścicielami mieszkań, podpisało list gwarancyjny, stwierdzający, że Hamid, inżynier z wykształcenia, nie wyjedzie z Kabulu i będzie się stawiał w Ministerstwie Spraw Wewnętrznych na każde wezwanie. W przeciwnym razie mieszkania obu mężczyzn zostaną zarekwirowane. Nasi sąsiedzi brali więc na siebie olbrzymie ryzyko i raz jeszcze byłam zdumiona, jaką wielkoduszność potrafią okazywać sobie nawzajem niektórzy ludzie w trudnych wojennych czasach.

Talibowi – jako prezent dla jego młodej żony – podarowałam koronkową chusteczkę, którą niedawno sama wyhaftowałam. Chłopak serdecznie mi za nią podziękował. Jak to się stało, że ten dobry i miły człowiek wstąpił w szeregi talibów? Ani trochę do nich nie pasował.

Minęło jeszcze sporo czasu, zanim wyszli też nasi sąsiedzi i wreszcie zostaliśmy z Hamidem sami. Mąż wyglądał jak cień samego siebie. Próbowałyśmy z Khadidżą nieco go rozbawić, ale jego śmiech zaraz przerodził się w kaszel. Okropny, suchy kaszel, który nie chciał ustać. Spojrzałyśmy na siebie z Khadidżą z posępnymi minami. Hamid miał gruźlicę, kaszel zaś zwiastował coś znacznie gorszego.

Kochane Szuhro i Szaharzad,

przyjdą w Waszym życiu takie chwile, gdy stracicie wszelkie siły i nadzieję. Chwile, gdy będziecie chciały się po prostu poddać i odwrócić od świata. Wiedzcie jednak, Córeczki, że nasza rodzina się nie poddaje.

To prawda, kiedy w pierwszych dniach naszego małżeństwa aresztowano Waszego ojca, myślałam o tym, żeby się poddać. Gdybym nie była wówczas w ciąży i nie czułabym w brzuchu pierwszych kopnięć Szaharzad, być może tak bym właśnie postąpiła. Wiedząc jednak, że niebawem dam życie nowemu człowiekowi, tym mocniej walczyłam o własne życie. Zwłaszcza że miałam w pamięci moją matkę, a Waszą babkę. Co by się stało, gdyby ona poddała się po śmierci mojego ojca? Gdyby zdecydowała się pójść na łatwiznę i poślubiła mężczyznę, który nie chciał jej dzieci i umieścił nas w sierocińcu lub pozostawił samym sobie bez opieki? Matka nigdy do czegoś takiego by nie dopuściła; nie wiedziała, co to znaczy poddać się.

Wyobraźcie sobie, że Wasz dziadek zrezygnowałby z wybudowania drogi przez przełęcz Atanga, po tym jak urzędnicy rządowi stwierdzili, że to niemożliwe. Pomyślcie o ludziach, którzy zginęliby w górach. Swoim uporem wakil Abdul Rahman doprowadził do uratowania tysięcy istnień.

Dziękuję Bogu, że w moich żyłach płynie krew ich oby-
dwojga. Dlatego też poddawanie się w obliczu przeciwności
losu jest sprzeczne z moją naturą.

Moje kochane Córeczki, Wy również macie w sobie tę
krew. Jeśli więc nadejdzie w Waszym życiu taki dzień, że
strach Was sparaliżuje i pozbawi sił do walki, przypomnijcie
sobie te słowa: my się nie poddajemy. My walczymy, żyjemy
i zwyciężamy.

Ściskam Was,
mama

POWRÓT
DO KORZENI
1998

W więzieniu Hamida bito do nieprzytomności, zakuwano w kajdany oraz zostawiano na całe dnie na wietrze, deszczu i śniegu. Nabawił się od tego śmiertelnej choroby. A wszystko to bez powodu. Hamid nie popełnił przecież żadnego przestępstwa, o nic go nie oskarżono. Co smutne, podobny los spotkał za rządów talibów wielu innych niewinnych ludzi.

Nadszedł rok 1998. Pojawiły się pierwsze oznaki wiosny i z każdym coraz cieplejszym dniem śnieg topniał szybciej. Pojawiło się wreszcie tak długo wyczekiwane słońce. Łagodniejsza pogoda bardzo korzystnie wpływała na Hamida, który nieustająco kaszlał.

Byłam już w siódmym miesiącu ciąży. Dziecko stawało się coraz aktywniejsze, kopało i wierciło się w moim brzuchu. Miałam spore kłopoty ze spaniem, bo maluch wypróbowywał na mnie swoją rosnącą z dnia na dzień siłę, a Hamida męczyły gwałtowne ataki kaszlu. Był zbyt chory, by pracować, a środki przepisane przez lekarza wcale nie poprawiały jego stanu.

W Kabulu – mimo coraz cieplejszych słonecznych dni – panowała przytłaczająca atmosfera. Talibowie sprawowali w mieście władzę absolutną. Żyliśmy w nieustannym lęku, że pewnego dnia staną w naszych drzwiach i z powrotem zaciągną Hamida do więzienia. Nie mieliśmy wątpliwości, że to się stanie. Pytanie brzmiało tylko: kiedy?

Pobyt w więzieniu tak mocno odbił się na zdrowiu męża, że czwarte aresztowanie byłoby dla niego równoznaczne z wyrokiem śmierci. Wiedzieliśmy, że musimy uciec, choć zobowiązaliśmy się nie opuszczać Kabulu. Hamid znajdował się na celowniku talibów, odkąd pakistańscy szpiedzy donieśli o jego wizycie u prezydenta Rabbaniego. Pakistan nie wchodził już zatem w grę – baliśmy się, że jeśli tam wrócimy, znów będziemy śledzeni. Postanowiliśmy udać się do Badachszanu. Życzliwi nam sąsiedzi, którzy podpisali poręczenie, w pełni poparli naszą decyzję.

Na północy siły Masuda i prezydenta Rabbaniego wciąż opierały się talibom. Nawet potężna machina wojenna Sowietów nie zdołała pokonać mudżahedinów w Badachszanie, zakładaliśmy więc, że uda się nam znaleźć tam schronienie. Podróż wiązała się jednak z wieloma niebezpieczeństwami.

Gdy lekarz przepisał Hamidowi lekarstwa na najbliższe pół roku, mogliśmy ruszyć w drogę. Wiodła ona przez trudne do przebycia, kręte górskie szlaki i była pod każdym względem męcząca. Choroba Hamida oraz moja ciąża sprawiały, że byliśmy jeszcze bardziej bezbronni. Decyzja o ucieczce z Kabulu w tak niełatwym dla nas momencie pokazuje, jak bardzo byliśmy zdesperowani. Miasto, niegdyś stanowiące bezpieczną przystań, zmieniło swoje oblicze, stając się więzieniem kontrolowanym przez sadystycznych strażników.

Wzięłam ze sobą niewiele – głównie prezenty ślubne i pamiątki rodzinne. Na dnie walizki (pod ubraniami, z dala od wścibskich spojrzeń talibów) chciałam ukryć fotografie mamy i Mukima, ostatecznie jednak zrezygnowałam z tego zamiaru. Gdyby talibowie znaleźli zdjęcia, na pewno by je zniszczyli, a do tego dopuścić nie mogłam: ich wartość była dla mnie przeogromna.

Khadidża postanowiła zostać z dziećmi w Kabulu. Próbowałam przekonać ją, by wyjechała z nami, lecz nie zmieniła zdania. Myślę, że czuła się zobowiązana wobec swego zmarłego męża, aby wychować jego dzieci w stolicy. Zdążyłyśmy się jednak tak bardzo zaprzyjaźnić, że rozstanie z nią przyszło mi z wielkim trudem.

Być może gdybym widziała choć cień szansy na to, że talibowie dadzą nam spokój, też bym została. Zdawaliśmy sobie jednak z Hamidem sprawę, że prędzej czy później jakiś talibski urzędnik przejrzy listy osób zatrzymanych i zwolnionych, a potem kierowany podejrzliwością wyśle kolejnych smarkatych fanatyków, by dokonali aresztowania. Talibowie zdawali się hołdować zasadzie: „On na pewno zamierza zrobić coś złego – aresztujmy go i poddajmy torturom, a wszystko nam powie". Naturalnie, ludzie torturowani dostatecznie długo są gotowi przyznać się do wszystkiego. Jeśli tak nie postąpią, to – zgodnie z logiką talibów – umrą, zabierając tajemnicę do grobu.

Aresztowano za najbłahsze „przewinienia". Hamid rozmawiał z taksówkarzami, którzy trafili do więzienia za podwiezienie kobiet bez opieki. Ich pasażerki spotykała zresztą znacznie gorsza kara – za „kuszenie" kierowców. Talibskie prawa były tak arbitralne i egzekwowane tak bezkompromisowo, że obywatele Afganistanu żyli jak z nieustannie przystawionym do głowy pistoletem. Wytworzyło to atmosferę paranoi. Bezpieczniej było nie wychodzić z domu, aby przypadkiem nie złamać jakiegoś dopiero co wprowadzonego przepisu.

Sytuacja przerażała i irytowała. Talibowie utrzymywali, że rządzą Afganistanem, chociaż najzwyczajniej w świecie go niszczyli. A wszystkie działania podejmowali w imię islamu, którym szafowali na prawo i lewo, by uciszyć politycznych oponentów. „Nie podoba ci się, jak traktujemy kobiety? To znaczy, że nie jesteś muzułmaninem". „Chcesz słuchać muzyki? Nie jesteś muzułmaninem". „Nie zgadzasz się z naszym systemem sprawiedliwości? Nie jesteś muzułmaninem". „Twierdzisz, że błędnie interpretujemy Koran, wykorzystując go do własnych celów? Nie jesteś muzułmaninem". Poglądy tych niewykształconych ludzi były mocno zakorzenione w wiekach ciemnych, w które zamierzali przenieść cały kraj. Z bólem uznaliśmy, że nie mamy innego wyjścia, jak opuścić Kabul.

Wyjechaliśmy o świcie, chyłkiem przekradając się przez miasto. Resory naszej taksówki skrzypiały na każdym wyboju w jezdni. Planowaliśmy jechać do Surobi (miasteczka, które od lat pięćdziesiątych dostarcza stolicy znacznych zasobów energii elektrycznej) – na wschód, wzdłuż rzeki Kabul. Wpływy talibów sięgały tylko kilkuset kilometrów na północ od stolicy, dalej rozciągało się terytorium kontrolowane przez opierające się atakom oddziały Masuda. Aby się do nich przedostać, musieliśmy się przedrzeć przez linię frontu. Trzeba było znaleźć drogę, na której nie zginiemy i nie zwrócimy na siebie uwagi talibów, podejrzewających wszystkich jadących na północ o szpiegostwo.

Choć Surobi leży nie dalej niż sześćdziesiąt kilometrów od Kabulu, w żyznej dolinie wśród jezior, podróż tam nie należała do łatwych. Stan drogi prowadzącej do miasteczka był bowiem katastrofalny – szlak został zniszczony podczas wojny domowej, gdy w okolicy toczyły się wyjątkowo zażarte walki. Dziury i wyboje powodowały, że nawet wytrzymali afgańscy podróżni pokonywali większą część trasy w spacerowym tempie, wlokąc się wraz z innymi samochodami zderzak w zderzak. Po obu stronach żwirowej drogi rozciągała się zabójcza matnia min lądowych.

W ciągu ostatnich dwudziestu lat na terytorium całego Afganistanu rozmieszczono w sumie ponad dziesięć milionów min. Do dziś ginie przez nie wielu ludzi, zwłaszcza dzieci.

Podenerwowani lub zmęczeni kierowcy czasami zbaczają z drogi – jedni mają szczęście i nie ponoszą żadnych konsekwencji, innych zaś spotyka tragiczny los: w niebo wystrzeliwuje gejzer dymu i płonącego metalu. Największe miny lądowe zaprojektowano do niszczenia sześćdziesięciotonowych czołgów opancerzonych. Wjechać na taką minę przerdzewiałym, dziewięćsetkilogramowym sedanem to jak przysunąć dmuchawiec do ryczącego silnika odrzutowego. Najbardziej przerażające sceny rozgrywały się, gdy na ładunek najechał autokar. Zuchwały kierowca autobusu, szukający drogi na skróty, ginął zazwyczaj pierwszy, a eksplozja rozrywała na strzępy cały przód pojazdu. Kiedy płomienie ogarniały resztę autokaru, pasażerowie, którzy przeżyli wybuch, stawali przed straszliwym wyborem: zginąć w płonącym wraku albo wyskoczyć przez okno i próbować przedrzeć się przez pole minowe. Tak naprawdę nie mieli żadnego wyboru. Niełatwo było wyjść z tej gry o życie zwycięsko.

Droga do Surobi wiedzie przez wyschnięte piaszczyste równiny oraz pobliże bazy lotniczej w Bagram. Obecnie to główny amerykański ośrodek wojskowy w Afganistanie, ale już Sowieci wykorzystywali go jako centrum sił powietrznych. Otwarta przestrzeń doliny wkrótce ustępuje miejsca stromym skalistym górom, w które trakt wrzyna się wąskimi wąwozami.

W Surobi skręciliśmy na północ w stronę Tagabu. Tam było jeszcze gorzej. Znajdowaliśmy się nie dalej niż sto pięćdziesiąt kilometrów na północny wschód od Kabulu, w okolicy, która doświadczyła wyjątkowo zaciętych walk w czasie sowieckiej inwazji. Droga została mocno zniszczona w wyniku bombardowań. Niektóre jej odcinki wysadzili mudżahedini, chcąc powstrzymać ofensywę Armii Czerwonej. W Tagabie przeżyłam szok: tak wiele zwykłych lepianek doszczętnie zrujnowanych... Ludzie żyli tam na gruzach swoich dawnych domów.

Jak dotąd udało nam się bez problemów przejechać przez wszystkie posterunki talibów. Czekał nas jednak o wiele trudniejszy etap podróży. Tagab oznaczał koniec talibskiej linii frontu w tej części gór, gdzie znajdowały się duże ilości sprzętu wojskowego oraz olbrzymie magazyny pełne paliwa do czołgów i ciężarówek, a także amunicji do karabinów, moździerzy i dział artyleryjskich. Utknęliśmy w korku tuż przed głównym posterunkiem, którego pilnowali młodzi brodaci mężczyźni o zmęczonych twarzach. Zesztywnieliśmy z Hamidem ze strachu. Właśnie miało się okazać, czy nasza ucieczka zakończy się sukcesem, czy raczej sromotną porażką. Obawialiśmy się, że Hamid znajduje się na liście poszukiwanych i sama jego obecność tutaj może stanowić dla talibów wystarczający powód do aresztowania go.

Sznur pojazdów wolno posuwał się naprzód. Widziałam zdenerwowanych mężczyzn oraz ich żony w burkach, którym nakazano wysiąść z samochodów i otworzyć bagaże do inspekcji. Mężczyźni w czarnych turbanach z wyjątkową zajadłością przetrząsali torby i walizki, wyrzucając na ziemię starannie spakowane ubrania oraz cenne przedmioty osobiste. Jeden z talibów wyprostował się nagle z okrzykiem triumfu, wyciągając kasetę wideo. Odkrył kontrabandę. Jedna z kobiet rzuciła się w kierunku kasety. Talib trzymał ją jednak w bezpiecznej odległości. Choć kobieta miała na sobie burkę, poznałam, że była młoda. Zapewne tak jak ja tuż po ślubie, czuła się rozdarta między złością i frustracją z powodu jawnej niesprawiedliwości a strachem, że wszelkie protesty mogą pociągnąć za sobą jeszcze gorsze konsekwencje. Jej mąż stał kilka kroków z tyłu, szepcząc, żeby przestała. Nie powstrzymywał żony siłą, wiedząc, że słuszność jest po jej stronie, ale sam nie odważył się sprzeciwić talibom i w zdecydowany sposób stanąć za nią murem.

Uzbrojony talib pchnął kobietę mocno w klatkę piersiową, przytrzymując nieco dłużej rękę na rysującym się pod burką biuście. Kobieta cofnęła się zszokowana, lecz po chwili rozwścieczona znów na niego natarła. Napastnik jednak tylko się zaśmiał i jeszcze raz pomacał swoją ofiarę po piersi, po czym wcisnął ramię pod jej podbródek i powalił ją na ziemię. Przez moment kobieta leżała ogłuszona, a gdy wreszcie zdołała się podnieść, talib rzucił tuż przed nią na ziemię czarną plastikową kasetę, po czym roztrzaskał ją butem w drobny mak. Kobieta nie odezwała się ani słowem. Uniosła jedynie głowę, aby lepiej przyjrzeć się okrucieństwu wymalowanemu na twarzy mężczyzny. Ten zaś pokłonił się jej, uśmiechnął w bardzo teatralny sposób i pozbierał rozrzucone fragmenty kasety. Następnie, idąc do tyłu, przesypywał między palcami kawałki plastiku, oczekując jakiejś reakcji ze strony kobiety. Odwróciwszy się twarzą do drzewa, rzucił splątane resztki taśmy wysoko w gałęzie. Kobieta spuściła głowę i zaczęła płakać. Jej mąż nachylił się, by pomóc jej wstać. Ciemne oczy taliba zabłysły triumfująco: wyraźnie ucieszyło go kolejne „moralne" zwycięstwo. Drzewa lśniły w promieniach słońca – spomiędzy gałęzi zwisały setki podobnych taśm. Widocznie zabawiono się tutaj w ten sposób dość regularnie.

Choć decyzja o pozostawieniu rodzinnych zdjęć w domu była dla mnie bolesna, teraz bardzo się cieszyłam, że ją podjęłam. Czym prędzej zaczęłam wypakowywać bagaże z samochodu. Hamid dyskretnie wypytywał pozostałych mężczyzn, gdzie moglibyśmy wynająć konia i przewodnika. Nasz plan zakładał, że przedostaniemy się przez ciasne górskie przełęcze i ruszymy na północny zachód do Dżabal Saradż, które nie znajdowało się pod kontrolą talibów. Nie zamierzaliśmy wyprawiać się na północ trasą najbliższą (a zarazem najniebezpieczniejszą), lecz ominąć linie walk szlakiem prowadzącym przez góry na zachód.

Niepokoiłam się, że talibowie zabiorą nam paszporty i podrą je na strzępy, na szczęście gdy podeszliśmy do posterunku, uzbrojeni mężczyźni prawie nie zwrócili na nas uwagi. Zabawa, jaką urządził sobie ich towarzysz z parą nowożeńców, wprawiła ich w dobry nastrój, więc po pobieżnym sprawdzeniu naszych bagaży puszczono nas wolno. Kobieta w kolejce za nami nie miała już tyle szczęścia. Nie ulegało wątpliwości, że pochodziła z północnej prowincji, gdyż miała na sobie typową dla tej części kraju białą burkę. Talibowie zaatakowali ją za niedopuszczalny strój – zaczęli ją bić kijami i długim kablem.

Choć niezbyt cieszyła mnie perspektywa jazdy na koniu, po tym, co tu zobaczyliśmy, nie mogłam się doczekać, by uciec od tych straszliwych, pozbawionych sumienia ludzi w góry, które w porównaniu z nimi wydawały się raczej przyjazne. Hamid zdołał wynająć konia, ale ze względu na siódmy miesiąc ciąży wejście na niego nie było dla mnie łatwe. Udało mi się to w końcu dzięki pomocy męża oraz nieodpartej chęci jak najszybszego wydostania się stamtąd. Zostawiliśmy za sobą talibów, a Hamid szedł obok zwierzęcia, mimo to czułam się bardzo nieswojo – jakby moje życie zmieniło nagle kierunek, jakbym trafiła do równoległej rzeczywistości. Wyedukowana, ambitna, młoda kobieta (taka jak ja) oraz równie dobrze wykształcony, dobrze wychowany, inteligentny i kochający mąż (jak Hamid) – to moje wyobrażenie o przyszłych obywatelach Afganistanu. A tymczasem ideologia talibów sprawiła, że ci idealni obywatele cofnęli się do głębokiego średniowiecza: jechałam, ubrana w burkę, na koniu, którego mój długowłosy i brodaty mąż prowadził przez góry.

Pod warstwą strachu ukrywałam szczyptę optymizmu. Talibowie nie reprezentowali prawdziwego ducha Afgańczyków, których tak dobrze znałam i kochałam. To tylko chwilowa aberracja, choroba, która dopadła państwo osłabione tyloma latami wojen i cierpień. Gdy przedzieraliśmy się przez góry, przeprawialiśmy przez strumienie oraz pokonywaliśmy wąskie szlaki, czułam, jak ciężar terroru zaczyna powoli znikać. Z każdym ostrożnie stawianym krokiem czułam się nieco lżejsza, aż wreszcie po kilku godzinach wytężonej wędrówki dotarliśmy do pozycji Sojuszu Północnego.

Nie przywitano nas tam z wielką pompą. Po prostu wjechaliśmy do małego miasteczka, którego mieszkańcy zwyczajnie krzątali się przy wykonywaniu codziennych czynności. Przewodnik tylko odwrócił się w naszą stronę, jakby chciał oznajmić: „Jesteśmy na miejscu". Wynajęliśmy kolejny samochód, którego kierowca zawiózł nas do Dżabal Saradż. To zaledwie kilka godzin drogi, ale miałam wrażenie, że wkraczam do innego świata. Na gwarnych targowiskach roiło się od sprzedawców i kupujących. Wszędzie spacerowały kobiety i rozmawiały z mężczyznami, bez wymaganego przez talibów ścisłego nadzoru krewnych. Restauracje pękały w szwach. Zameldowaliśmy się z Hamidem w hotelu, co w Kabulu było niemożliwe, tutaj zaś wydawało się czymś niewiarygodnie normalnym.

Stojąc w holu, poczułam, jak bardzo odbiły się na mnie wydarzenia z zeszłego roku. Życie pod rządami talibów zmieniło mnie pod różnymi względami. Nie byłam tą samą osobą co kiedyś – moja pewność siebie gdzieś się ulotniła, a bezustanny strach do reszty wyczerpał siły. Stałam więc cicho, jak dobra talibska żona, a przecież dawniej to ja załatwiałabym sprawy związane z meldunkiem, sprawdzałabym pokój i pilnowała, by portier wniósł nasze bagaże. Teraz jednak przyglądałam się biernie, czekając, aż mąż upora się z wszystkimi formalnościami. Poczułam się strasznie zasmucona tym, jak się ostatnio zmieniłam. Matka zawsze podkreślała, że nawet jako mała dziewczynka byłam świetną organizatorką. Talibowie zaś zmienili tę pewną siebie dziewczynkę i zdecydowaną nastolatkę w niewiele znaczącą, zobojętniałą, wylęknioną i wyczerpaną kobietę, żyjącą pod płaszczem niewidzialności, jaki stanowiła dla niej burka.

Nie mogłam zdobyć się na to, by cokolwiek powiedzieć do menedżera hotelu czy właściciela, który wyszedł nas powitać. Mój stosunek do mężczyzn uległ zmianie. Uważałam, że są okrutni i nie należy im ufać, że tylko czekają, by wykorzystać kobietę przy pierwszej nadarzającej się okazji. I pomyśleć, że ten okropny zwrot w moim nastawieniu dokonał się w imię islamu (naturalnie nie był to islam, który wyznawałam). Podział między płciami zrodził się ze strachu i podejrzliwości, które nie miały nic wspólnego z wzajemnym szacunkiem kobiet i mężczyzn, jaki wpajano mi w dzieciństwie.

Moja matka, choć pochodziła ze zdecydowanie bardziej konserwatywnego pokolenia, cieszyła się pewnym rodzajem swobody i przywilejami, które dla mnie i setek tysięcy innych kobiet pod rządami talibów były niedostępne. Kiedy tylko przyszła jej na to ochota, mogła odwiedzać swoją rodzinę, miała wszelkie upoważnienia, by pod nieobecność ojca prowadzić jego interesy oraz nadzorować stada bydła podczas dorocznego spędu na wyżej położone pastwiska. To prawda, ojciec bił matkę, jednak to, co dziś uważamy za naganne, w tamtych czasach było czymś zupełnie normalnym w wiejskim środowisku. Poza tym wiem, że ojciec mimo to bardzo ją szanował. Talibowie zaś odnosili się do kobiet z podobną, jeśli nie większą brutalnością, a przy tym nie mieli dla nich najmniejszego szacunku.

W moim wnętrzu panowała wielka cisza. Nie zauważałam tego aż do tej pory. Wyciszenie rosło we mnie stopniowo – z każdą kolejną wizytą w więzieniu, z każdą napotkaną kobietą, którą bito na moich oczach na ulicy, i z każdą publiczną egzekucją młodej, dokładnie takiej samej jak ja, dziewczyny.

Weszliśmy z Hamidem do pokoju. Raczej mały, nie wyróżniał się niczym specjalnym – ot, typowy pokój w przeciętnym afgańskim pensjonacie, ze zwykłym materacem na podłodze. Znajdowałam się w dziwnym nastroju. Świadomość, że uwolniłam się wreszcie od władzy talibów, wyzwoliła we mnie głęboko skrywane emocje. Hamidowi dopisywał humor; nieomal tańczył z iście chłopięcym entuzjazmem, który – jak sądziłam – został w nim zdławiony w długie, mroźne noce na więziennym dziedzińcu. Jego energia była na tyle zaraźliwa, że wreszcie ja też nieco się odprężyłam. Zdjęłam burkę i rzuciłam ją w kąt, a razem z nią zrzuciłam z siebie przynajmniej część trosk. Na widok tego wymiętego, brudnego łachmana chciałam zacząć po nim skakać i wgnieść go w podłogę.

– Nałóż chustę, kochana żono – odezwał się Hamid.

– Wychodzimy.

Te słowa wydały mi się obce. Przez chwilę miałam wrażenie, że namawia mnie do czegoś nieprzyzwoitego, jakbyśmy byli parą psotnych dzieci knujących jakąś intrygę.

Wtedy poczułam przypływ euforii. Mogłam! Mogliśmy! – wyjść na ulicę jak normalne małżeństwo. Nie musiałam już zasłaniać całej twarzy, wystarczyło przykryć włosy. Choć mój brzuch był już pokaźny, czułam się tak lekko... Do dziś wydaje mi się, że moje stopy ledwo dotykały schodów, gdy wybiegaliśmy na zewnątrz niczym para rozchichotanych nastolatków.

Wiatr na mojej twarzy był jak pocałunek wolności. Chusta zakrywała mi całkowicie włosy, ubrana byłam – zgodnie z nauką islamu – skromnie, lecz mimo to bez burki czułam się dziwnie naga. Oto, jakie szkody talibowie wyrządzili islamowi. Mimo że mienili się wysłannikami Allaha, nie szanowali go. Nie postępowali zgodnie z Koranem, lecz postawili samych siebie ponad naukami płynącymi ze Świętej Księgi, uzurpując sobie boskie prawo do osądzania moralności i decydowania o tym, co jest słuszne, a co zabronione. Przywłaszczyli sobie i wypaczyli idee islamu, zmieniając go w narzędzie potrzebne do osiągnięcia własnych korzyści.

Następnego ranka udaliśmy się do Pol-e Chomri, stolicy Baghlanu. W afgańskich autobusach panuje czasami niewyobrażalny chaos. Zajęliśmy z Hamidem miejsca, czekając, aż pozostali pasażerowie skończą się żegnać z krewnymi i znajomymi, wykłócać się z kierowcą oraz upychać bagaże na mocno przepełnionym dachu. Nieopodal uliczny handlarz sprzedawał *ashawa panir* – ser będący lokalną specjalnością i ulubionym piknikowym przysmakiem wielu Afgańczyków. Jak większość ciężarnych kobiet, cieszyłam się bardzo dużym apetytem, poprosiłam więc Hamida, by kupił mi trochę sera.

On zaś, jak przystało na dobrego męża, posłusznie spełnił moją zachciankę. Autobus miał już odjeżdżać, gdy – z trudem oddychając – wdrapał się do niego z powrotem, ściskając w ręku mały kawałek białego, łagodnego, ciągnącego się sera przypominającego nieco mozzarellę. Jednakże w bohaterskiej pogoni za smakołykiem dla matki swojego nienarodzonego dziecka Hamid zapomniał o rodzynkach – tradycyjnym dodatku do sera pomagającym wydobyć jego smak. Nie chciałam okazać niewdzięczności, ale czułam się nieco zawiedziona. Autobus już ruszał, więc nie było czasu, by wrócić po rodzynki. Nagle rozległo się gwałtowne pukanie w okno. Obróciłam się, przekonana, że ujrzę czarny turban taliba. Zamiast tego napotkałam życzliwy wzrok sprzedawcy sera.

– Proszę, siostro – powiedział staruszek, podając mi mały plastikowy woreczek. – Mąż zapomniał o rodzynkach.

Pod władzą talibów uznano by nas za przestępców. Tutaj traktowano nas z uprzejmością i szacunkiem. To był prosty akt ludzkiej dobroci – ani więcej, ani mniej – ale okazał się tak nieoczekiwany i wzruszający, że łzy napłynęły mi do oczu.

To wydarzenie wprawiło mnie w znacznie lepszy nastrój i mogłam rozkoszować się wiosennym krajobrazem. Górskie szczyty zaczęły zrzucać już z siebie śnieżne peleryny, podczas gdy w dole stoków młode pędy traw i kwiaty wystrzeliwały do słońca. Napełniało mnie to pewną nadzieją. Miałam wrażenie, że bez względu na to, jak bezduszni i okrutni potrafią być talibowie, pewnego dnia i tak stopnieją i rozpłyną się niczym śnieg.

W Pol-e Chomri zatrzymaliśmy się w domu jednej z ciotek Hamida i jej męża. Oboje przyszli kiedyś do mojego brata, by negocjować warunki naszego małżeństwa i bardzo ich lubiłam. Byłam świadoma, że mieli wobec mnie duże oczekiwania. Wszyscy ich sąsiedzi wiedzieli, że nasze małżeństwo kosztowało rodzinę Hamida dwadzieścia tysięcy dolarów, czyli naprawdę duże pieniądze. Paliła ich ciekawość; chcieli obejrzeć mnie i ocenić, ile jestem warta. To napompowało ogromny balon oczekiwań, którym – mimo miesięcy nieustającego stresu, wielu dni spędzonych w podróży i zaawansowanej ciąży – musiałam sprostać.

Ciotka Hamida przyjęła mnie z życzliwością. Dokładnie wiedziała, jak się czuję, i dlatego zdążyła już przygotować dla mnie kąpiel, to znaczy zagrzała na piecu kuchennym wiadro wody. Ale gdy czujesz się skonana i cała jesteś pokryta warstwą potu i kurzu, polewanie się z emaliowanych dzbanków wodą, która niedawno jeszcze była czystym górskim śniegiem, stanowi doświadczenie równie błogie, co wizyta w najbardziej luksusowym spa, jakie można sobie tylko wyobrazić.

Z każdym chluśnięciem wody zmywałam z siebie cały stres, napięcie i brud życia w państwie talibów. Opuszczałam Kabul, czując, że znaczę niewiele więcej niż pies. Teraz stopniowo odzyskiwałam swoje człowieczeństwo i poczucie własnej wartości. Jedyne, z czym musiałam się uporać, to badawcze spojrzenia sąsiadów. I choć czułam się onieśmielona, to straszliwe rządy talibów napełniły mnie wewnętrzną siłą, z której dopiero zaczynałam zdawać sobie sprawę. Nie ulegało wątpliwości, że nie miałam już w sobie nic z tej naiwnej panny młodej, jaką jeszcze niedawno byłam. W końcu jako żona pertraktowałam z talibskimi oprawcami, jako przyszła matka przeprawiłam się przez góry, a jako kobieta pełna nadziei wreszcie zaczynałam czuć pod stopami twardy grunt dojrzałości.

Gdy wyszłam na zewnątrz, bez trudu odczytałam negatywne opinie sąsiadów na mój temat. Ich miny jednoznacznie wskazywały, że nie uważano, by Hamid wydał dwadzieścia tysięcy dolarów najlepiej. Ludzie ci nawet nie starali się ukryć wysoko uniesionych brwi i zaciśniętych ust. Mogę sobie tylko wyobrażać, co też wygadywali o mnie po powrocie do domu.

Gdy znaleźliśmy się tylko we dwoje, Hamid wyśmiał moje obawy. Pocałował mnie delikatnie w czoło i powiedział, żebym nie przywiązywała wagi do tego, co ludzie mówią lub myślą. Mieliśmy siebie i tak naprawdę jedynie to się liczyło.

Po nocy odpoczynku udaliśmy się dalej na północ. W Talokan musieliśmy wynająć dżipa, bo powodzie po wiosennych roztopach zmyły drogę prowadzącą do Keszem. Stamtąd musieliśmy się dostać ciężarówką do Fajzabadu, stolicy Badachszanu. Nie była to najlepsza wiadomość. Podróżowanie na pace ciężarówki to najbardziej prymitywna forma transportu w Afganistanie, zarezerwowana zazwyczaj dla Kuczi – niewielkiej grupy nomadów zwanych afgańskimi cyganami. Poprosiłam Hamida, by spróbował poszukać jakiegoś samochodu osobowego, lecz mimo największych wysiłków nie udało się znaleźć nikogo, kto jechałby do Fajzabadu. Wiosenna odwilż na tutejszych drogach również spowodowała spore spustoszenia.

Na widok wozu zdjęło mnie przerażenie. Byłam dobrze urodzoną, wykształconą w mieście kobietą, a miałam wsiąść na ciężarówkę przeznaczoną do przewozu kóz (choć tym razem piętrzyły się na niej worki z ryżem). Gdybym musiała takim pojazdem uciekać z Kabulu, bez wahania wspięłabym się na jego przyczepę, ale teraz, gdy czułam się już bezpieczna i odzyskiwałam pewność siebie, duma zaczęła brać we mnie górę. Hamid postawił sprawę jasno: to ostatnia ciężarówka do Fajzabadu i jeśli na nią nie wsiądziemy, utkniemy w Keszem. Nie miałam wyjścia – schowałam poczucie godności do kieszeni i wdrapałam się na przyczepę. Włożyłam burkę – nie tylko dla ochrony przed kurzem i zimnem, lecz także dlatego, by nikt nie mógł mnie rozpoznać. Mimo anonimowości, jaką zapewnia zasłona, następne kilka godzin spędziłam z głową między kolanami, na wypadek gdybyśmy mijali kogoś znajomego. Co jakiś czas podnosiłam głowę, lecz wstyd, że ktoś może mnie zobaczyć na pace ciężarówki do transportu kóz, był o wiele silniejszy i szybko kuliłam się z powrotem.

Droga była niewiarygodnie stroma i karkołomna. Gdy wspięliśmy się na najbardziej niebezpieczny odcinek w Qaraqmar, kierowca wyczuł, że samochód traci przyczepność, i próbował się zatrzymać. Nacisnął na hamulce, które – jak się okazało – przestały działać. Przegrzały się na prowadzących gwałtownie w dół fragmentach trasy. Zaczęliśmy się staczać w kierunku rzeki. Wreszcie miałam powód, by podnieść głowę: nabieraliśmy prędkości, sunąc wprost w lodowaty wartki nurt. Wraz z Hamidem i pozostałymi pasażerami chwyciliśmy się worków z ryżem, przygotowując się do zderzenia z wodą. Przez głowę przelatywały mi myśli o tym, jak mokra od wody burka ciągnie mnie na dno i roztrzaskuję się o skały.

W przypływie autentycznej paniki zamknęłam oczy i wbiłam palce w worek z ryżem, jakby mógł mi zapewnić jakąkolwiek ochronę. Koła ciężarówki buksowały, próbując złapać przyczepność na śliskiej, żwirowej nawierzchni. Rzucało nami i kołysało na wszystkie strony. Nagle zatrzymaliśmy się. Ledwie kilka metrów od brzegu. Spojrzałam na Hamida, którego tak mocno trzymałam za rękę, że omal mu jej nie zmiażdżyłam. Wybuchnęliśmy pełnym ulgi, choć nieco histerycznym śmiechem. Kierowca zatrąbił klaksonem, by uczcić nasze ocalenie, a wokół rozległy się okrzyki: „*Alhamdulillah!* Chwalmy Boga!". Gdy zeszłam z ciężarówki, kolana się pode mną ugięły. Cieszyłam się jednak, że mogę znów stanąć na ziemi, a za sprawą tak bliskiego doświadczenia śmierci wszelkie obawy związane ze społecznym poniżeniem przestały mieć znaczenie.

Samochód nie nadawał się do dalszej jazdy – hamulce nie działały. Poza tym zaczęło się ściemniać i znajdowaliśmy się już tak blisko Fajzabadu, że ostatnia rzecz, jakiej bym pragnęła, to wjazd do miasta na pace ciężarówki. Postanowiłam pospacerować wśród skał nad brzegiem rzeki, aby napawać się krajobrazem – wolna od talibów, od czyhającego z ich strony zagrożenia, od obowiązku noszenia burki, od obaw, że Hamida znów o coś oskarżą, a mnie pobiją. Tej nocy spaliśmy na pace. Nie dbałam, czy ktoś mnie zobaczy. Jutro miałam się znaleźć w Fajzabadzie i spać pod górskim niebem rodzinnego Badachszanu.

Kochane Szuhro i Szaharzad,

gdy byłam dziewczynką ze wsi, marzącą o tym, aby pójść do szkoły, czułam się brudna i nieokrzesana. Miałam bardzo mało ubrań, bez przerwy chodziłam w gumiakach i dużej czerwonej chuście, która często ciągnęła się za mną po błocie. Zwykle byłam też obrzydliwie usmarkana.

Teraz uśmiecham się, kiedy patrzę na Was, na Wasze modne ciuszki i zadbane fryzury. Wychowałyście się w Kabulu i jesteście eleganckimi, obytymi mieszkankami stolicy. Byłybyście przerażone, widząc, jak wyglądałam w Waszym wieku.

Wiem, że gdy jedziecie ze mną do Badachszanu, czasami trudno się Wam tam odnaleźć. Córeczki, przenigdy nie chciałabym, żebyście stały się snobkami i spoglądały na innych z wyższością. Nasza rodzina wywodzi się z ubogiej wioski i nie jesteśmy w niczym lepsze od kobiet i dzieci z prowincji, odzianych w łachmany. Zapamiętajcie więc jedno: gdy tylko znajdziecie się w potrzebie, zawsze możecie wrócić w rodzinne strony. Przyjmą Was tam z otwartymi ramionami.

Ściskam Was,
mama

CÓRKA ZA CÓRKĄ

1998–2001

Szybko zadomowiliśmy się z Hamidem w Fajzabadzie. Czułam się przeszczęśliwa, mogąc znów zobaczyć się z krewnymi. Wszystkie moje siostry – zarówno rodzone, jak i przyrodnie – poślubiły miejscowych mężczyzn i zostały w rodzinnej prowincji. Większa część rodzeństwa nie wyjechała stąd nawet po wybuchu wojny. Nie widziałam ich od lat i byłam wniebowzięta, mogąc się wreszcie z nimi spotkać. Siostry nie wiedziały nawet, że wyszłam za mąż ani że spodziewam się dziecka.

Sam Fajzabad okazał się dla mnie oazą spokoju – jak we wczesnym dzieciństwie, gdy schroniliśmy się tu przed mudżahedinami. Zapomniałam już, jakie to piękne miasto: wysoko położone, ze świeżym powietrzem, starym bazarem pełnym otynkowanych gliną sklepików, w których sprzedawano wszystko i nic, z płynącą przez centrum czystą, turkusową rzeką.

Wynajęliśmy trzypokojowy domek, w którym Hamid mógł bez problemu prowadzić swój interes. Ponadto zaczął również uczyć na tutejszym uniwersytecie. Ja odpoczywałam i przygotowywałam się do porodu. Jak każda przyszła matka okropnie się denerwowałam i kompletnie nie miałam pojęcia, czego się spodziewać, poza tym że na pewno będzie boleć. Szpital w Fajzabadzie, jeśli chodzi o higienę, pozostawiał wiele do życzenia i wolałam rodzić w domu, a nie na metalowym łóżku z cienkim jak papier materacem na brudnym oddziale położniczym.

Moja pierworodna przyszła na świat 8 lipca 1998 roku. Krewni Hamida zaprosili mnie akurat na obiad, lecz gdy tam dotarłam, poczułam się tak źle, że nie byłam w stanie niczego zjeść. O trzeciej po południu wróciłam do domu, a o dziesiątej wieczorem pojawił się mój aniołek.

Poród odbierała znajoma lekarka. Trwał dość krótko, ale był ciężki, bo nie dostałam znieczulenia. W naszej kulturze wszyscy oczekują, że najpierw urodzi się chłopiec, ale ja w ogóle o tym nie myślałam. Najważniejsze, aby dziecko było zdrowe. Tuż po porodzie umyto je i ubrano w powijaki. Nikt mi nawet nie powiedział, jaką miało płeć.

Następnie do pokoju wpuszczono Hamida. Zwykle w muzułmańskich społecznościach mężczyźni nie są obecni przy porodzie. Mój mąż podszedł do łóżka, pogłaskał mnie po głowie i starł pot z mojego czoła. A potem powiedział łagodnie:

– To dziewczynka, mamy córeczkę.

Ani trochę nie przeszkadzało mu, że to nie syn. Nasza córka była doskonale kształtnym, czteroipółkilogramowym cudem. Miała gęste czarne włosy i była bardzo podobna do Hamida. Rozpierała nas ogromna radość.

W pierwszych dniach po porodzie, gdy jak każda młoda matka uczyłam się karmienia piersią i zmagałam z nieprzespanymi nocami oraz ze zmęczeniem, sporo rozmyślałam. Patrząc na tę śpiącą kruszynkę, gorąco się modliłam, by mogła żyć w lepszym świecie i w lepszym Afganistanie. Nie chciałam, aby kiedykolwiek zaznała dyskryminacji i nienawiści, jakich w naszym kraju doświadczały kobiety. Trzymając ją przy piersi, miałam wrażenie, że jest ona dla mnie całym światem. Oprócz niej nic nie miało znaczenia. Moje ubrania, mój wygląd, moje małostkowe, egoistyczne pragnienia – wszystko to przestało się liczyć.

Musiałam się ostro wykłócać z własną rodziną, by móc zacząć karmić piersią zaraz po porodzie. Według obowiązującej w Badachszanie tradycji karmienie piersią rozpoczyna się dopiero trzy dni później. Tutejsi uważają, że w tych pierwszych dniach mleko matki jest niedobre. Dzięki moim medycznym studiom wiedziałam jednak, że jest wprost przeciwnie. W pierwszych godzinach po porodzie mleko matki zawiera dużo białka, witamin i przeciwciał szczególnie istotnych dla rozwoju systemu odpornościowego noworodka.

Dziecko pozbawione pokarmu tuż po przyjściu na świat słabnie. Spada temperatura jego ciała. U kobiety z kolei, która natychmiast nie zacznie odciągać z piersi mleka, zwiększa się ryzyko infekcji, na przykład zapalenia sutka. Może też mieć ona problemy z produkcją pokarmu później, gdy dziecko będzie głodne. To niewłaściwe podejście do natychmiastowego karmienia piersią stanowi zresztą kolejną przyczynę tak wysokiej umieralności niemowląt i młodych matek w naszej prowincji.

Musiałam toczyć z siostrami zaciekłe boje, by pozwoliły mi karmić małą. Za wszelką cenę próbowały mnie powstrzymać, krzycząc, że krzywdzę dziecko, tak wcześnie dając mu mleko z piersi. Starałam się wytłumaczyć, że to dla jego dobra, ale patrzyły na mnie z wyrzutem, jakbym była najgorszą matką na świecie. Lata tradycji i powtarzania im w kółko tego samego miały większą wagę niż to, czego nauczyłam się na uniwersytecie.

Siostry okazywały mi jednak wiele dobroci pod innymi względami – dbały o to, by było mi ciepło, opatulając mnie kocami (choć był akurat lipiec i panowały piekielne upały), gotowały moje ulubione dania i zabraniały mi wykonywania jakichkolwiek prac domowych. Ale radość z dziecka została nieco przygaszona przez nieukojoną tęsknotę za matką. Tak bardzo pragnęłam, by mogła zobaczyć swoją wnuczkę. Chciałam, aby dowiedziała się, że urodziła się kolejna silna i zdeterminowana kobieta.

Sześć dni po porodzie urządziliśmy z Hamidem wielkie przyjęcie. Zaprosiliśmy prawie pół miasta, mieliśmy muzykę, a nawet kamerę wideo, czyli wszystko to, co było zakazane na naszym weselu. W pewnym sensie ta impreza wynagrodziła nam tamten dzień. To było prawdziwe święto naszej miłości i naszej nowej, małej rodziny.

Postanowiłam, że wrócę do nauczania. Dałam ogłoszenia o prowadzonych przeze mnie lekcjach angielskiego i wynajęłam dom w centrum miasta, który miał mi służyć za szkołę. W ciągu miesiąca zebrałam trzysta uczennic – od młodych dziewcząt, przez studentki, po lekarki i uniwersyteckie wykładowczynie. Nie miałam za sobą pełnego kursu nauczycielskiego, więc zamówiłam z zagranicy materiały audiowizualne do nauki języka. Nigdy wcześniej w Fajzabadzie nie używano takich metod, dzięki czemu moja szkoła szybko zyskała opinię niezwykle profesjonalnej i nowoczesnej. Nie mogłam uwierzyć we własne szczęście. Prowadziłam interes, robiłam to, co sprawiało mi przyjemność, a do tego zarabiałam około sześciuset dolarów miesięcznie, a więc całkiem niezłe pieniądze. Na zajęcia przychodziłam z córeczką, którą moje uczennice wprost uwielbiały. Z niektórymi z nich bardzo się zaprzyjaźniłam. Po raz pierwszy w życiu czułam się naprawdę niezależna.

Wciąż codziennie nosiłam burkę i, co dziwne, w ogóle mi to nie przeszkadzało. W Badachszanie nie było talibów i żadne przepisy nie zmuszały mnie do chodzenia w zasłonie. Niemniej jednak zakładała ją tutaj większość kobiet, w tym wszystkie moje uczennice. Zależało mi na tym, by być szanowaną nauczycielką, dlatego też się w nią ubierałam. Sądzę, że burka przestała mi przeszkadzać dlatego, że sama podjęłam decyzję o jej noszeniu – nikt mi tego nie narzucił.

Sielankę zakłócało jedynie zdrowie mojego męża. Praca na uniwersytecie dawała mu dużo radości, ale do jego płuc dostawał się pył kredowy z tablicy, co pogarszało kaszel.

Gdy Szaharzad skończyła pół roku, sprawy po raz kolejny przybrały nieoczekiwany obrót. Znów pojawiło się u mnie dobrze znane uczucie mdłości. Byłam w ciąży. Kompletnie się załamałam. Nie planowałam tak szybko powiększania rodziny. Moja szkoła świetnie prosperowała, miałam przyjaciół, swoje życie. Nie chciałam teraz dziecka.

Hamid zgodził się na aborcję. W tamtych czasach w Afganistanie (podobnie jak dzisiaj) był to nielegalny zabieg, jednak niektórzy lekarze przeprowadzali go w szpitalach bez najmniejszego problemu. Umówiłam się z jednym z nich. Gdy pokazano mi wszystkie te ssące urządzenia, które są używane do usuwania ciąży, przestraszyłam się o swoje zdrowie. Lekarz zaproponował, że da mi zastrzyk, aby wywołać poronienie. Nie wiem, co znajdowało się w strzykawce, ale pozwoliłam na wbicie igły w ramię. I wtedy wpadłam w panikę. W jednej chwili zmieniłam zdanie. Skoczyłam, krzycząc:

– Nie, nie! Nie mogę tego zrobić! Chcę zatrzymać dziecko!

Przeraziłam się, że jest już za późno i lek zaczął działać. Chwyciłam się za brzuch i zaklinałam znajdujący się w środku maleńki zarodek, by żył, powtarzając, jak bardzo jest mi przykro. Dokładnie tak jak moja matka – najpierw chciałam śmierci dziecka, a ostatecznie postanowiłam zrobić wszystko, co w mojej mocy, aby przeżyło.

Hamid został w domu, tocząc zaciekły spór z moimi siostrami, którym nie mieściło się w głowie, że mogę chcieć usunąć dziecko. Wrzeszczały na nas, twierdziły, że łamiemy prawo boże, że postępujemy wbrew islamowi. I miały absolutną rację. Z perspektywy czasu przyznaję, że nie umiem usprawiedliwić swojej decyzji inaczej niż tylko w ten sposób, że wówczas naprawdę wydawało mi się, iż nie dam sobie rady z kolejnym dzieckiem. Hamid rozumiał to i dlatego też wsparł mnie w tym postanowieniu.

Wróciłam ze szpitala, nadal będąc w ciąży. Z Hamidem wciąż siedziała moja najstarsza siostra. Na wieść o tym, że nie usunęłam dziecka, nie posiadała się z radości; była przy tym tak oburzona moją wcześniejszą decyzją, że nie mogła na mnie nawet patrzeć. Hamid przytulił mnie tylko i wyszeptał do ucha, że wszystko się ułoży. Nie byłam pewna, czy mogę mu wierzyć. Ale na pewno nie było w tym najmniejszej winy naszego nienarodzonego dziecka. Musiałam wypełnić swój podstawowy obowiązek wobec niego – być matką.

Szuhra zna tę historię ze szczegółami. Gdy miała około sześciu lat, moja siostra wszystko jej opowiedziała. Czasami młodsza córka wykorzystuje to, by mi dokuczyć. Gdy ją za coś upominam lub każę jej posprzątać pokój, bierze się pod boki i patrzy na mnie z błyskiem w oku: „Mamo, a pamiętasz, jak chciałaś mnie zabić?". Wie doskonale, że wzbudzi we mnie wyrzuty sumienia i wykpi się od obowiązków.

Ciążę znów znosiłam z trudem. Karmiłam piersią Szaharzad, co mnie okropnie męczyło; jeszcze bardziej męcząca była praca w szkole – pracowałam na stojąco codziennie od ósmej rano do piątej po południu. W dodatku nadciągali talibowie. Przejęli już kontrolę nad Keszem, przy granicy z Badachszanem. Obawialiśmy się, że dotrą do Fajzabadu. Gdyby do tego doszło, ucieklibyśmy z Hamidem w górę i tamtędy spróbowali się przedrzeć do rodzinnej wioski mojego ojca w dystrykcie Koof.

W pewnym momencie talibscy bojownicy znajdowali się zaledwie dwadzieścia pięć kilometrów od nas. Stałam przed szkołą, wsłuchując się w znajome odgłosy ciężkiej artylerii i przyglądając mężczyznom wsiadającym na ciężarówki. To ochotnicy, którzy zgłosili się do walki przeciwko talibom ramię w ramię z wierną wobec rządu Rabbaniego armią mudżahedińską. Cząstka mnie pragnęła, żeby Hamid do nich dołączył, ale poprosiłam go, by tego nie robił. Był nauczycielem, a nie żołnierzem – nie potrafił nawet strzelać. Poza tym miał za mało sił, by walczyć. Wielu młodych mężczyzn, którzy tego dnia wsiedli na ciężarówki i pojechali na front, już nigdy nie wróciło. Zdołano jednak odeprzeć atak talibów i utrzymać Fajzabad.

W takiej niebezpiecznej sytuacji politycznej na świat przyszła Szuhra. Poród trwał trzy dni i był okropny. Cały czas czuwały przy mnie siostra i znajoma lekarka. Hamid czekał na zewnątrz. Tym razem marzył o chłopcu. Dałam mu już dziewczynkę, więc zdecydowanie powinnam urodzić syna. Wszyscy tego oczekiwali – moja rodzina, jego rodzina, nasi sąsiedzi i cała afgańska kultura uznająca wyższość chłopców nad dziewczynkami.

Zawiodłam. Nie dałam mężowi upragnionego syna. Zamiast niego, krzycząc i kopiąc, na świecie pojawiła się Szuhra. Była maleńka, miała czerwoną twarz i ważyła zaledwie dwa i pół kilograma, czyli niebezpiecznie mało. Gdy ją ujrzałam, przypomniałam sobie opowieści o tym, jak ja wyglądałam w chwili urodzin. Mówiono, że byłam brzydka jak mysz. To samo można było powiedzieć o Szuhrze, która pomarszczona, łysa i zaczerwieniona wrzeszczała wniebogłosy. Ale gdy tylko na nią spojrzałam, myślałam, że serce pęknie mi z miłości. Oto i ona. Mała dziewczynka, która omal się nie narodziła, którą – co wprost niewybaczalne – prawie zabiłam, żyła, płakała i wyglądała zupełnie jak ja.

Mnie przepełniała radość, Hamida – nie. Ale to Afganistan, i nawet najbardziej liberalny i nowocześnie myślący mężczyzna nie ucieknie przed setkami lat tradycji. A według niej nie wypełniłam najważniejszego obowiązku żony – nie dałam mężowi syna. Tym razem plotki i pomówienia wytrąciły Hamida z równowagi. Ktoś musiał mu powiedzieć, że nie jestem warta dwudziestu tysięcy dolarów, jakie za mnie zapłacił. Być może przez te lata słyszał podobne kpiny już wiele razy, że wreszcie coś w nim pękło.

Prawie przez dziewięć godzin po porodzie mąż nie wszedł do pokoju, by zobaczyć się ze mną. Leżałam na poduszkach z Szuhrą w ramionach, czekając na niego i nie mogąc zrozumieć, gdzie się podziewa. Szuhra była tak maleńka, że niemal zniknęła w powijakach i z trudem mogłam ją utrzymać w rękach.

Gdy Hamid wreszcie do nas przyszedł, Szuhra spała w kołysce obok mojego łóżka. Kiedy urodziła się Szaharzad, wpadł do pokoju rozpromieniony, gładził mnie po włosach i po policzkach, patrząc z zachwytem na dziecko. Tym razem nawet mnie nie dotknął. Nic też nie powiedział. Zresztą nie musiał – jego wściekła mina wyrażała wszystko. Zajrzał jednak do kołyski i zdobył się przynajmniej na nikły uśmiech na widok śpiącej córeczki, kolejnej afgańskiej „biednej dziewczynki".

W następnych tygodniach nie mogłam Hamidowi wybaczyć, jak potraktował mnie tamtego dnia. Wiedziałam, że zachował się tak jak niezliczeni afgańscy mężczyźni, niemniej nie spodziewałam się po nim czegoś takiego. Zawsze był mi tak bardzo oddany, z dumą stawiał czoła pomówieniom i sprzeciwiał się patriarchatowi. Być może oczekiwałam od niego zbyt wiele, ale czułam się rozczarowana i strasznie zawiedziona. Nocne napady kaszlu Hamida bez przerwy budziły mnie i dziecko, więc postanowił się przenieść do innego pokoju. To oznaczało koniec naszej fizycznej bliskości. Mimo to wiedziałam, że mam wiele szczęścia. Był dla naszych córek wspaniałym, troskliwym ojcem. Obie darzył szczerą i głęboką miłością, i choć wciąż zły, że nie ma syna, nigdy nie dał tego odczuć dziewczynkom. Za to byłam mu niezmiernie wdzięczna.

Tymczasem Hamid stał się już zbyt słaby, by uczyć. Musiał ograniczyć swoją pracę na uniwersytecie do zaledwie dwóch dni w tygodniu. Resztę czasu spędzał w domu, opiekując się

Szaharzad. Często jej śpiewał, urządzał różne gry i zabawy, a nawet pozwalał, by córka przebierała go za pannę młodą i wplatała mu we włosy wstążeczki.

Hamid był dla mnie wszystkim. Pod wieloma względami zdecydowanie wyprzedzał swoje czasy. Gdy się pobieraliśmy, byliśmy w sobie szaleńczo zakochani. Przypuszczam jednak, że przez te wspólnie spędzone lata, naznaczone kolejnymi aresztowaniami, pobytami w więzieniu i pogłębiającą się chorobą, po prostu oddaliliśmy się od siebie. Zwykła bliskość, wspólny śmiech, radość z przebywania razem w jednym pokoju i ukradkowego spoglądania na siebie – wszystko to gdzieś przepadło. Myślę, że ten smutny los spotyka pary na całym świecie, bez względu na to, kim są i gdzie żyją. Zapominamy, że powinniśmy zatrzymać się na chwilę i wysłuchać tego, co chce nam powiedzieć partner, od razu skaczemy sobie do oczu i ranimy się nawzajem, nie zdobywamy się na tę odrobinę wysiłku, jaka niegdyś przychodziła nam bez trudu. Aż pewnego dnia się budzimy, a po bliskości i miłości nie ma już śladu.

Dopóki Szuhra nie skończyła sześciu miesięcy, straszliwie się o nią zamartwiałam. Była drobna i słaba; bałam się, że nawet podczas kąpieli może się przeziębić i dostać gorączki. Dręczyły mnie wyrzuty sumienia w związku z zastrzykiem, który chciałam wziąć, by się jej pozbyć. Niepokoiłam się, czy zawartość strzykawki w jakiś sposób nie wpłynęła negatywnie na rozwój mojej córki. Chyba bym sobie nie wybaczyła, gdyby umarła. Jak w wypadku mojej matki – początkowe odrzucenie dziecka sprawiło, że czułam, iż mam wobec niego wielki dług do spłacenia.

Stopniowo jednak Szuhra nabierała sił i kilogramów, stając się dziewczynką coraz bardziej zabawną i mądrą. Dziś jest najbystrzejszą, najbardziej wygadaną, a niekiedy i najniesforniejszą istotą, jaką nosiła ziemia. Dostrzegam w niej wiele moich własnych cech; ma też w sobie coś z moich rodziców. Po dziadku odziedziczyła mądrość, a po babci – dowcip i wytrwałość. Bez reszty pochłania ją polityka. Mówi, że gdy dorośnie, zostanie prezydentem Afganistanu. Na szczęście daleko jej do wizerunku „biednej dziewczynki".

Kilka tygodni po porodzie zaproponowano mi kierowanie na pół etatu małym sierocińcem. Nie chciałam tak szybko wracać do pracy, ale ze względu na chorobę Hamida potrzebowaliśmy pieniędzy. Zostawiłam Szaharzad z ojcem, a maleńką Szuhrę zawinęłam w dużą chustę, którą obwiązałam wokół siebie. Ukryta pod burką mała leżała bardzo cicho przy mojej piersi. Gdy spotykałam się i rozmawiałam z różnymi ludźmi, nawet nie wiedzieli, że mam ze sobą niemowlę. Nie skarżyła się i prawie w ogóle nie wydawała dźwięków. Chyba po prostu była szczęśliwa, mogąc żyć i przytulać się tak mocno do swojej mamy. Nosiłam ją w ten sposób ze sobą do pracy, aż skończyła pięć miesięcy i zrobiła się za ciężka. Myślę, że to jeden z powodów, dlaczego obecnie jest takim pewnym siebie i wyzbytym zahamowań dzieckiem.

Szuhra i Szaharzad rosły i rozwijały się na moich oczach, a Hamid umierał. Niemal z dnia na dzień tracił na wadze. Skóra na jego niegdyś przystojnej twarzy pociemniała i wydawała się pokryta półprzezroczystą warstwą czerni. Miał przekrwione oczy, nieustannie kaszlał i zaczynał pluć krwią.

Gdy Szuhra skończyła trzy miesiące, otrzymałam propozycję uczestnictwa w badaniach medycznych prowadzonych w naszej prowincji przez pewną organizację pomocy społecznej. Zadaniem sześćdziesięcioosobowego zespołu złożonego z pielęgniarek, lekarzy i personelu pomocniczego było oszacowanie podstawowych potrzeb medycznych i żywieniowych mieszkańców dwunastu najdalej położonych dystryktów. Trafiała mi się niesamowita okazja, miałam nieść pomoc potrzebującym. O tym właśnie marzyłam, gdy chciałam zostać lekarzem. Choć oferta pojawiła się w fatalnym momencie – opiekowałam się małym dzieckiem, mój mąż zaś był śmiertelnie chory – nie mogłam jej odrzucić. Hamid doskonale to rozumiał i nie sprzeciwił się mojemu wyjazdowi.

Omal jednak z niego nie zrezygnowałam. Wyprawa wycieńczyłaby każdego, nie tylko matkę z maleńkim dzieckiem. Zdawałam sobie sprawę z czekających na nas problemów ze znalezieniem czystej wody i miejsc do umycia się, wiedziałam, że będziemy się przeprawiać przez najbardziej niedostępne i odległe szlaki górskie. Podróż miała przebiegać przez tereny, które zamieszkiwali izmailici – wyznawcy szyizmu, czyli drugiego co do wielkości odłamu islamu. W Afganistanie w przeważającej mierze mieszkają oni przy granicy z Tadżykistanem. Ta wyprawa miała nas również zaprowadzić do dzikiego i słabo zaludnionego „korytarza wachańskiego" – wąskiego pasa ziemi łączącego Afganistan z Chinami. Został on utworzony w XIX wieku podczas tak zwanej wielkiej gry – rywalizacji między Wielką Brytanią a imperium carskim o wpływy w Azji Środkowej (służył wówczas jako bufor hamujący militarne zapędy Brytyjskiego Lwa i Rosyjskiego Niedźwiedzia).

Mimo wszystko wiedziałam, że będę żałować, jeśli zrezygnuję z udziału w wyprawie. Dobre okazje rzadko przychodzą w odpowiednim momencie, takie po prostu jest życie. Poza tym czułam, że mogę odegrać istotną rolę w powodzeniu tej misji.

Gdy wyruszyliśmy, przypomniałam sobie, jak matka co roku wyjeżdżała z należącym do ojca stadem bydła na wiosenne pastwiska. Ubrana w burkę jechała dumnie wierzchem wraz z całą karawaną służących, koni i osłów. Pamiętam, że siedziałam przed nią, czując się mała wobec ogromu gór, a zarazem niezwykle ważna dla ekspedycji. Podobne emocje towarzyszyły mi i teraz, kiedy podążaliśmy wyboistym traktem na naszą wyprawę. Tym razem to ja trzymałam przed sobą małe dziecko.

Ta podróż miała odmienić moje życie. Udaliśmy się w najbardziej odległe miejsca w regionie – prawdopodobnie nie zobaczę ich już nigdy więcej. Skrajna nędza, na jaką się tam natknęliśmy, stanowiła dla mnie prawdziwe polityczne przebudzenie. Uświadomiłam sobie, że moim powołaniem jest niesienie pomocy innym.

Badania rozpoczęliśmy w styczniu. Panował taki ziąb, że ludzie używali świeżego zwierzęcego łajna, by ogrzać nim dzieci w trakcie snu. Obawiali się najbardziej tego, że ich potomstwo umrze z wyziębienia, nie mieli natomiast świadomości, że zwierzęcy nawóz może powodować infekcje i choroby. Nie obowiązywały żadne zasady higieny, dzieci – w większości niedożywione – biegały boso po śniegu.

Na noc mieliśmy się zatrzymać w domu należącym do przywódcy religijnego. Był to największy dom w wiosce, wyposażony w bieżącą wodę i toaletę (czyli po prostu dużą, głęboką dziurę w ziemi). Przypominał mi budynek, w którym dorastałam, i choć zachodni lekarze z naszego zespołu badawczego uznali go za mało przyjazny, ja czułam się w nim bardzo swojsko. Jednakże poza przywódcami społeczności mieszkańcy wioski żyli w takim ubóstwie, jakiego wcześniej nie widziałam, nawet jako dziecko. Często bywaliśmy w domach składających się z jednej izby, w której mieszkała cała rodzina – ze zwierzętami w jednym kącie i toaletą urządzoną w drugim. Kiedy piszę o toalecie, nie mam na myśli nawet wiaderka; była to po prostu część pomieszczenia z piętrzącymi się coraz wyżej odchodami, wokół którego raczkowały małe dzieci. Szokujący widok! Starałam się uświadomić seniorom tych rodów zagrożenia wynikające z tak niskiego poziomu higieny, ale wykopanie latryny w bezpiecznej odległości od domu – nawet jeśli miałoby uratować życie ich potomstwu – stanowiło dla tych niewykształconych mężczyzn rzecz nie tylko trudną do zaakceptowania, lecz także niewyobrażalnie poniżającą.

Próbowałam podejść ich inaczej, pytając, czy dobra muzułmańska żona nie zasługuje na odrobinę godności podczas zaspokajania potrzeb fizjologicznych. Ale upokorzenie, jakiego doznaje kobieta wypróżniająca się w kącie swojego „salonu" lub na zewnątrz na oczach sąsiadów, jest niczym w porównaniu z uczuciem poniżenia, na jakie naraziłby się mężczyzna, budując wygódkę, która daje nieco prywatności. Takie sytuacje uświadomiły mi, dlaczego w Badachszanie notuje się najwyższy wskaźnik umieralności wśród noworodków i młodych matek.

Kobiety w Darwaz, jednym z najbiedniejszych dystryktów w kraju, powiedziały mi, że o czwartej rano, brnąc przez śnieg, idą nakarmić zwierzęta. Niekiedy warstwa śniegu ma nawet metr grubości. Nikt im nie pomaga, a kiedy wracają do domu, muszą jeszcze upiec chleb i przygotować posiłek dla całej rodziny. Ich życie to coś więcej niż tylko zwykła domowa harówka. To po prostu katorga. Mężczyźni też ciężko pracują, wychodząc w pole o szóstej rano i wracając dopiero po zmroku, starając się zebrać latem wystarczająco duże zbiory, aby rodzina oraz zwierzęta zdołały przetrwać zimę. Dopiero wtedy zrozumiałam, jak ubodzy i marginalizowani mogą być ludzie. Widok ich cierpienia sprawił, że doznałam czegoś w rodzaju olśnienia – doszło do mnie, kim jestem, skąd pochodzę i czym powinnam się zająć.

Znajdowaliśmy się w zamieszkanej przez izmailitów Kala Pandży. Na kolację i nocny odpoczynek zaproszono nas do domu miejscowego przywódcy. Choć nigdy wcześniej go nie spotkałam, przywitał mnie jak starą przyjaciółkę. Poczułam się tym nieco zakłopotana, a moi koledzy zaczęli się ze mnie śmiać. Gospodarz wyjawił mi przyczynę swojej wylewności: otóż znał mojego ojca. Kiedy usiedliśmy, zasypał nas opowieściami, z których wynikało, że wakil Abdul Rahman był człowiekiem pracowitym, oddanym sprawie i starającym się robić wszystko, by polepszyć warunki bytowe najuboższych. Gospodarz uśmiechnął się do mnie i powiedział:

– A teraz pani siedzi w tym samym miejscu co ojciec i z tego, co widzę, jest pani dokładnie taka sama jak on.

Po raz pierwszy w życiu ktoś przyrównał mnie do ojca. Zarumieniłam się z dumy. Siedziałam wśród członków starszyzny, lekarzy, mieszkańców wioski – zjednoczonych po to, by podnieść poziom życia tutejszych ludzi. Czułam się, jakbym cofnęła się do czasów, kiedy moja matka władała kuchnią, a bracia i służący podawali gorące garnki z ryżem do tajemniczego pomieszczenia, w którym ojciec podejmował gości. Jako dziecko marzyłam, że pewnego dnia wejdę do tego niedostępnego pokoju, zobaczę, co się w nim dzieje, i posłucham toczących się tam dyskusji. Uśmiechnęłam się do siebie, gdy zdałam sobie sprawę, że właśnie poznałam tę tajemnicę. Ojciec organizował dokładnie takie same spotkania, w jakim ja teraz uczestniczyłam. Były to po prostu kolacje z pracownikami socjalnymi, lekarzami, inżynierami i przedstawicielami miejscowej starszyzny. Ile nocy musiał spędzić na naradach dotyczących planów i projektów mających przyczynić się do rozwoju naszego regionu? Ile posiłków musiała przygotować matka dla wszystkich gości? Siedziałam, prawie w ogóle nie biorąc udziału w rozmowie, zatopiona w myślach i podekscytowana, że mogę tu być. Nareszcie pojęłam, jak wyglądała istotna część życia mojego ojca.

Gdy wyjeżdżaliśmy rano, gospodarz podarował mi owcę dla Szuhry. Wachańskie owce są niskie, tłuste i słyną z delikatnego mięsa. Pozostali Afgańczycy z naszej ekipy poczuli się nieco zazdrośni i zaczęli się z nim droczyć:

– A gdzie owce dla nas? Czemu obdarowałeś tylko panią Koofi?

– To prezent dla ojca pani Koofi – odparł z uśmiechem gospodarz. – To dla mnie zaszczyt, że mogłem gościć w swoim domu jego córkę i wnuczkę. Przekonałem się, że córka poszła w jego ślady i czyni dla nas tyle dobrego.

Jego słowa napełniły mnie prawdziwą dumą.

Przemierzając kolejne dystrykty, spotykałam więcej ludzi znających mojego ojca i coraz lepiej rozumiałam, jak dużą polityczną rolę odgrywała tu nasza rodzina. Zwerbowano mnie na tę wyprawę tylko jako tłumaczkę, nie pełniłam żadnej istotnej funkcji. Ludzie jednak, słysząc moje nazwisko, sądzili, że przybyłam tu, aby w pewien sposób reprezentować ojca; rodzina Koofi wraca do Badachszanu i znów zacznie się liczyć wśród lokalnej społeczności.

Mieszkańcy wiosek przychodzili do mnie z najróżniejszymi problemami. Starałam się im wyjaśnić, że to nie ja zorganizowałam te badania i jestem tu tylko mało znaczącym pomocnikiem. Nie przestawali jednak przychodzić, prosząc mnie o pomoc w rozstrzygnięciu spraw niezwiązanych z naszą wyprawą – takich jak problemy finansowe czy spory o ziemię. Choć było to dość irytujące i przytłaczające, rosło we mnie coraz silniejsze przekonanie o słuszności obranego celu oraz poczucie przynależności. To właśnie w tamtym miejscu – ze świadomością politycznej spuścizny ojca i odziedziczonym po matce charakterem – zdałam sobie sprawę, że chcę zostać politykiem. Nie wiem nawet, czy „chcę" to właściwe słowo. Ja po prostu MUSIAŁAM nim zostać. To było moje przeznaczenie.

Ekspedycja trwała sześć tygodni. Szaharzad miała zaledwie osiemnaście miesięcy i przez ten czas straszliwie za nią tęskniłam. Hamid był przeszczęśliwy, mogąc się nią zajmować, ponieważ w głębi serca chyba już wiedział, że jego dni są policzone. Tych kilka tygodni spędzonych wspólnie z ukochaną starszą córką było dla niego bezcenne.

Gdy badania dobiegły końca, wróciłam do pracy w sierocińcu. To zmobilizowało mnie jeszcze bardziej. Miałam sto dwadzieścioro podopiecznych – chłopców i dziewczynek. Historia każdego dziecka była inna, każda napełniała jednak przerażeniem. Choć wielu z moich wychowanków straciło oboje rodziców, nie wszyscy byli sierotami. Matki niektórych z nich żyły, ale znalazły nowych mężów, którzy odmówili przyjęcia potomstwa z poprzedniego związku. Inne dzieci z kolei zostały oddane do sierocińca przez rodziców, których nie było stać na ich wyżywienie. Serce mi się kroiło i żałowałam, że nie mogę zabrać ich wszystkich ze sobą do domu. Przez pierwsze trzy miesiące pracy rozmawiałam z dziećmi o ich pochodzeniu i rodzinie, a następnie każdą historię spisywałam oraz umieszczałam w naszej bazie danych.

Mimo że historie życia porzuconych lub osieroconych dzieci były smutne, w placówce panowała szczęśliwa atmosfera. Mogłam tam nawet zabierać obie córki. Szuhra leżała cichutko, ukryta pod chustą, a Szaharzad bawiła się z pozostałymi dziećmi. Wciąż zdarza mi się widywać niektórych wychowanków. Kilkoro z nich studiuje teraz na uniwersytecie; wynajęłam dla nich dom, gdy przyjechali do Kabulu zdobywać wykształcenie. Nie mam szczególnie dużo pieniędzy, więc opłacanie ich mieszkania stanowi dla mnie spore obciążenie finansowe – nie potrafiłabym jednak zrezygnować z takiej formy udzielania pomocy. Sprawia mi to ogromną radość.

W moim życiu zaszła poważna zmiana, gdy kilka miesięcy później ONZ otworzyła w Fajzabadzie biuro UNICEF-u. Złożyłam tam podanie i dostałam pracę jako specjalista do spraw ochrony dzieci. Nasza placówka była niewielka i w rzeczywistości zajmowałam drugie miejsce w hierarchii. Praca dla ONZ oznaczała dla mnie bardzo duży krok naprzód. Nie należała do najłatwiejszych. Zajmowałam się nie tylko dziećmi, lecz także uchodźcami, którzy stracili domy w trakcie walk.

Do moich obowiązków należało nawiązywanie kontaktów z młodzieżą i organizacjami społeczeństwa obywatelskiego. Jedną z nich było Ochotnicze Stowarzyszenie Kobiet Badachszanu. W wolnym czasie pracowałam na jego rzecz, zbierając fundusze i pomagając w staraniach o mikrokredyt kobietom, które chciały rozpocząć własną działalność gospodarczą. Co roku brałam także udział w przygotowaniach uroczystości 8 marca. Międzynarodowy Dzień Kobiet – wbrew nazwie – nie jest świętem, które obchodzono wszędzie, a już z pewnością nie w całym Afganistanie. W Badachszanie uważałyśmy ten dzień za bardzo ważny i godny uczczenia. Jeździłyśmy po wioskach i organizowałyśmy konkursy, w których można było zdobyć tytuł Matki Roku. W ten sposób dawałyśmy wiejskim kobietom poczucie dumy z siebie.

Zorganizowałyśmy też wielkie uroczystości w Fajzabadzie. To właśnie wtedy, w 1999 roku, po raz pierwszy w życiu wystąpiłam publicznie, przypominając, jak w czasie wojny domowej traktowano w Kabulu cywilów i kobiety. Mówiłam otwarcie i z gniewem o tym, jak silne i potężne są afgańskie kobiety – mimo wszystkich okropności wojny (gwałtów, tortur oraz konieczności patrzenia na śmierć mężów i synów) nie złamały się ani nie utraciły własnej dumy. Nazwałam je „nieposkromionymi Afgankami".

Choć talibowie podporządkowali już sobie niemal cały kraj, ich władza nie sięgała jeszcze Badachszanu. Kontrolę sprawował tu rząd Rabbaniego, a w związku z tym, że Rabbani należał niegdyś do mudżahedinów, wiele osób uznało, że posunęłam się za daleko w przypisywaniu im win za wyrządzone Afgańczykom krzywdy. W tamtych czasach ludzie nie zwykli krytykować mudżahedinów – co więcej, wielu nie robi tego nawet dziś. Wszak to oni uratowali nas od Sowietów; poddawanie ich krytyce uważa się za równoznaczne z brakiem patriotyzmu lub zdradą. Jestem wdzięczna bojownikom za pokonanie Armii Czerwonej, ale nie ulega wątpliwości, że odpowiadają oni za wiele barbarzyńskich czynów, których dopuścili się podczas wojny domowej na niewinnych cywilach, w tym na członkach mojej rodziny. Po tych słowach zapadła pełna konsternacji cisza. Twarze przedstawicieli rządu wykrzywił grymas gniewu. Później jednak podeszło do mnie wielu zwykłych ludzi – nauczycieli, lekarzy, wolontariuszy. Gratulowali mi świetnego przemówienia. Odnajdywałam własny głos i właściwe dla mnie miejsce.

Hamid słabł z każdym dniem. Rozpaczliwie próbowałam oddalić od nas nieuniknione, przez co większość moich zarobków poświęcałam na najnowsze metody leczenia gruźlicy. Siostry nie pozostawiały mi żadnych złudzeń, powtarzając, bym nie marnowała pieniędzy i pogodziła się z faktem, że mój mąż umiera. Ale to przecież mężczyzna, którego kochałam. Nie byłam w stanie czekać bezczynnie na jego śmierć, tak jak kiedyś nie mogłam siedzieć, nic nie robiąc, gdy trafił do więzienia. Był dla mnie tak dużym wsparciem i tak bardzo cieszył się moimi sukcesami, że po prostu musiałam za wszelką cenę utrzymać go przy życiu. Po przyjściu na świat Szuhry wszelkie kontakty fizyczne między nami ustały, lecz nasza miłość w pewnym sensie się odrodziła. Hamid czuł się chyba winny, że potraktował mnie tak oschle, gdy urodziłam drugą córkę, i tym mocniej starał się mi udowodnić, że w pełni popiera moją pracę. Gdy wracałam wieczorami do domu, zawsze wypytywał, jak minął mi dzień, nakłaniał, bym podzieliła się z nim swoimi problemami i zmartwieniami. Tak bardzo cierpiał. Po tylu latach czekania, aż moi bracia pozwolą nam się pobrać, zaczął powoli zmierzać ku śmierci. Trzymając moją rękę, porównał mnie kiedyś ze smutkiem do potrawy, której od tylu lat pragnie się spróbować, o której marzy się niemal każdego dnia, której smak i zapach kosztuje się w wyobraźni. A gdy wreszcie potrawa ta zostaje podana, okazuje się, że nie ma czym jej zjeść – brakuje łyżki, widelca – i można na nią tylko patrzeć.

W ramach pracy brałam też udział w konferencjach w Islamabadzie, w Pakistanie. Najpierw leciałam do Dżalalabadu na południu Afganistanu, a potem przekraczałam granicę w Torkham. Jechałam więc tą samą drogą, którą pokonaliśmy z Hamidem podczas ucieczki do Lahore, zanim mój mąż został po raz trzeci i ostatni aresztowany. Uwielbiałam podróże do Pakistanu; dzięki nim mogłam kupować dla Hamida leki. Najgorszy był przyjazd do Dżalalabadu, który znajdował się pod kontrolą talibów. Gdy wysiadałam z samolotu, wprost nie mogłam patrzeć na głowy w złowrogich turbanach. Nienawidziłam, jak na mnie powarkiwały, gdy pokazywałam identyfikator ONZ. W drodze do czekającego na mnie samochodu czułam na sobie ich spojrzenia. Choć znajdowałam się pod ochroną ONZ i nic nie mogli mi zrobić, nie przestawałam się bać. Niczym mantrę powtarzałam sobie: „Jesteś tu z ramienia

ONZ. Możesz pracować. Możesz stąd odjechać. Oni nie mogą cię aresztować".

Pewnego dnia miałam już wejść na pokład lecącego do Dżalalabadu samolotu, gdy zatrzymali mnie przedstawiciele afgańskich służb bezpieczeństwa. Oznajmili mi, że urzędnicy Rabbaniego poinformowali ich, iż mój mąż jest podejrzewany o przynależność do talibów, ja natomiast stanowię zagrożenie dla bezpieczeństwa państwa. W pierwszej chwili zaniemówiłam z wściekłości. A potem odparłam im:

– Serdecznie wam dziękuję. Mój mąż spędził w więzieniu trzy miesiące tylko dlatego, że spotkał się w Pakistanie z Rabbanim. A teraz mi mówicie, że jest zdrajcą?

Później dowiedziałam się, że ktoś (wciąż nie wiem kto) umyślnie przekazał służbom wywiadowczym fałszywe informacje na nasz temat. Była to przestroga, że wrogowie mogą czaić się wszędzie, a plotki w takim kraju jak Afganistan bywają zabójcze.

Badachszan stanowił jedyne miejsce w kraju, gdzie kobiety mogły pracować, a ja byłam jedyną w kraju kobietą pracującą dla ONZ. Stałam się więc powszechnie znana, a to wiązało się z pewnym niebezpieczeństwem. Niemal wszyscy w Fajzabadzie wiedzieli już, kim jestem i czym się zajmuję. Wiele osób cieszyło się z tego powodu i pochwalało obecność ONZ w mieście. Dla innych stanowiłam nieustanny powód do plotek. Nawet mój szef nie mógł się pogodzić z tym, że jego zastępcą jest kobieta – za każdym razem, gdy spodziewał się w biurze gości płci męskiej, kazał mi zamykać do siebie drzwi, aby nikt mnie nie zobaczył.

W pobliżu naszego domu stał meczet. W pewne piątkowe popołudnie tamtejszy mułła zaczął nauczać o kobietach pracujących dla organizacji międzynarodowych. Oświadczył, że taka praca jest *haram*, zakazana, i żaden mąż nie powinien na nią pozwalać swojej żonie. Twierdził, że kobiety nie mogą pracować z niewiernymi, a pieniądze zarobione w takiej pracy są również *haram*.

Biedny Hamid bawił się akurat na podwórku z Szaharzad, gdy to usłyszał. Powiedział mi, że zaśmiał się tylko drwiąco i wszedł do domu, by nie słuchać tego więcej. Byłam jedyną kobietą pracującą dla międzynarodowej organizacji w całej prowincji, mułła bez wątpienia miał na myśli mnie. Hamid opiekował się naszą córeczką, gdy ja byłam w pracy, i musiał wysłuchiwać tych oskarżeń za nas oboje. Dziś o wiele częściej mamy do czynienia z takim odwróceniem ról społecznych – nie tylko na Zachodzie, lecz także w Afganistanie. Mężczyźni z młodszego pokolenia biorą na siebie niekiedy obowiązek wychowywania dzieci, a w wielu rodzinach żony pracują tak jak mężowie. Wtedy jednak należeliśmy do wyjątków. Okropnie zdenerwowały mnie słowa mułły. Być może łatwiej mu było nastawić przeciwko nam całą społeczność, niż odbyć z Hamidem rozmowę w cztery oczy o tym, że uważa moje zachowanie za niewłaściwe.

O ironio, gdy kilka lat później zostałam deputowaną w afgańskim parlamencie, ten sam mułła, który był również nauczycielem religii, przyszedł do mnie z prośbą o pomoc. Został wydalony z pracy i chciał, żebym interweniowała w jego sprawie w Ministerstwie Edukacji. Wcześniej nigdy nie zwróciłby się do mnie o pomoc, jednak po kilku latach nawet on był w stanie zaakceptować fakt, że kobiety zaczęły odgrywać istotną rolę w rządzie i społeczeństwie. Pomogłam mu, a gdy w 2010 roku startowałam ponownie w wyborach do parlamentu, on wspierał moją kampanię. To niezmiernie ważne, by kobiety pełniły oficjalne funkcje. Może dzięki temu podejście ludzi do ich roli w społeczeństwie zacznie się zmieniać.

Praca dla ONZ była cudownym przeżyciem, poza tym moi zwierzchnicy okazali mi wiele pomocy w trudnych chwilach. Czasami pozwalali mi nawet zabierać do Pakistanu córki i Hamida. Raz zawiozłam go do międzynarodowego szpitala Shifa, jednej z najlepszych klinik w Islamabadzie, gdzie podano mu nowy lek. Niestety, był on tak drogi (miesięczna kuracja kosztowała pięćset dolarów), że zdołałam za niego płacić jedynie przez pół roku. Później musieliśmy zrezygnować z leczenia.

Wciąż chyba nie dopuszczałam do siebie myśli, że Hamid umiera. Był początek 2001 roku, a on skończył zaledwie trzydzieści pięć lat. To przecież jeszcze tak niewiele.

Do tego czasu walki między siłami Sojuszu Północnego a talibami niemal ustały i pojawiły się pogłoski, że Rada Bezpieczeństwa ONZ zamierza uznać władze talibów za legalny rząd Afganistanu. Dla większości Afgańczyków była to przerażająca perspektywa. Czyżby świat nie chciał dostrzec zagrożenia, które my widzieliśmy doskonale?

Wiosną 2001 roku Ahmad Szah Masud udał się w imieniu rządu Rabbaniego z misją polityczną do Europy. Nicole Fontaine, przewodnicząca Parlamentu Europejskiego, poprosiła go o wystąpienie na forum w Strasburgu (to miejsce również przyjdzie mi odwiedzać w kolejnych latach). W swoim przemówieniu przestrzegł przed rosnącym zagrożeniem ze strony talibów oraz wiszącą w powietrzu groźbą dużego ataku Al--Kaidy na zachodnie cele. Podczas tej podróży Masud udał się też do Paryża i Brukseli, gdzie prowadził rozmowy z Javierem Solaną, wysokim przedstawicielem Unii Europejskiej do spraw zagranicznych i polityki bezpieczeństwa, oraz Louisem Michelem, belgijskim ministrem spraw zagranicznych.

Afgańczycy wiązali z tym wyjazdem wielkie nadzieje, dlatego też bardzo nas cieszyło, gdy słyszeliśmy w radiu BBC, że Masud został dobrze przyjęty. Jego przekaz był prosty i jasny: talibowie oraz chronieni przez nich bojownicy Al-Kaidy stają się coraz poważniejszym zagrożeniem nie tylko dla Afganistanu, lecz także dla całego świata. W wiadomości skierowanej bezpośrednio do amerykańskiego prezydenta, George'a W. Busha, ostrzegał: „Jeśli nam nie pomożecie, ci terroryści wkrótce zniszczą także USA i Europę". Niestety, zachodni przywódcy nie potraktowali tego ostrzeżenia z należytą powagą.

Wśród moich przyjaciół panował w tamtym czasie nastrój przygnębienia i rezygnacji. Zanosiło się na to, że talibowie zostaną w Afganistanie na dłużej. Przez tyle lat walczyliśmy z Sowietami, a teraz musieliśmy się zmagać z tą nową i obcą odmianą islamu. Gdyby ONZ uznała władzę talibską, rząd Rabbaniego w Badachszanie stałby się nielegalny, co oznaczało – w wymiarze osobistym – że niemal na pewno stracę pracę.

W tym samym czasie, kiedy Masud przebywał w Europie, w Badachszanie zjawiło się mnóstwo zagranicznych delegacji. Chciały spotkać się z Rabbanim, który wrócił z Pakistanu i urzędował teraz w Fajzabadzie. Nie ulegało wątpliwości, że ONZ dąży do zawarcia pokoju i wynegocjowania jakiegoś porozumienia między jego rządem a talibami.

Był słoneczny jesienny dzień, 9 września 2001 roku. Siedziałam w samochodzie ONZ – jechałam do obozu dla uchodźców, w którym miałam sprawdzić, w jaki sposób organizuje się dzieciom czas wolny. W obozie panowały straszliwe warunki – ludzie mieszkali po prostu w namiotach pozbawionych jakichkolwiek sanitariatów, mimo to nie tracili ducha, uśmiechali się i żartowali. Gdy tym razem tam przyjechałam, zastałam wszystkich zalanych łzami. Pewien młody mężczyzna wyjaśnił mi, co się stało. Ahmad Szah Masud najprawdopodobniej został zamordowany. Na wieść o tym zakręciło mi się w głowie, a nogi się pode mną ugięły. Ogarnęło mnie to samo uczucie, którego doświadczyłam, gdy umarła matka. Miałam wrażenie, że niebo wali mi się na głowę. Bohater naszego narodu nie mógł zginąć. To niemożliwe.

Wieczorem poznaliśmy więcej szczegółów z BBC. Wciąż nie było do końca jasne, czy Masud zginął, czy też został jedynie ciężko ranny. W kraju wrzało od plotek. W ciągu kolejnych tygodni i miesięcy udało się rzucić nieco światła na okoliczności jego śmierci. Podczas przeprowadzania wywiadu ze słynącym z ostrożności Masudem dwóch arabskich ekstremistów, podających się za dziennikarzy telewizyjnych, zdetonowało ukrytą w kamerze bombę. Jeden z nich zginął w eksplozji, drugi zaś został zastrzelony przez ludzi Masuda w trakcie próby ucieczki. Masud został ciężko ranny w wyniku wybuchu i zmarł w helikopterze w drodze do szpitala. Służby policyjne Francji i Belgii przeprowadziły szereg aresztowań powiązanych z Al-Kaidą Afrykanów z północy; skazano ich następnie za udzielenie zabójcom pomocy polegającej między innymi na dostarczeniu sfałszowanych dokumentów. Osama bin Laden najwyraźniej słusznie ocenił, że po ataku jego siatki terrorystycznej na USA, jaki miał miejsce dwa dni później, Waszyngton zwróciłby się o pomoc w jego schwytaniu do Masuda. Jeśli ktoś był w stanie dopaść bin Ladena, to właśnie Lew Pandższiru. Ostatecznie Sojusz Północny stanął przeciwko Al-Kaidzie, ale już bez swojego wielkiego dowódcy.

Dzień, w którym zginął Masud, mogę porównać jedynie do dnia śmierci prezydenta Kennedy'ego. Starsi Amerykanie podobno doskonale pamiętają, gdzie przebywali, gdy dotarła do nich ta szokująca wiadomość. Tak samo jest z Afgańczykami. Nawet Szaharzad, która miała wówczas ledwie trzy lata, pamięta dzień śmierci Masuda.

Dla wielu Masud był bohaterem mudżahedinów, człowiekiem, który poprowadził nas do boju z Sowietami. Był znakomitym taktykiem i bezwzględnie skutecznym żołnierzem. Dzięki swym zwycięstwom zdobył sobie miano Lwa Pandższiru. Jednakże dla wielu osób z młodszego pokolenia, które w trakcie tej wojny strasznie ucierpiało (także dla mnie) stał się bohaterem dopiero wtedy, gdy zaczął walczyć z talibami. Głos Masuda był często jedyną przestrogą przed ich ekstremizmem. Mówił to publicznie, za co zapłacił życiem.

Do dziś zachodzę w głowę, jak Zachód mógł zignorować ostrzeżenia Masuda o tym, że islamski terroryzm stanowi globalne zagrożenie. Lew Pandższiru przekonywał światowych przywódców, że jeśli nie zdołają powstrzymać terroryzmu w Afganistanie, niebawem przekroczy on granice ich państw.

Próbował wytłumaczyć, że jest pobożnym muzułmaninem, ale nie zgadza się z głoszonym przez talibów modelem islamu, który stoi w absolutnej sprzeczności z całą kulturą oraz historią narodu afgańskiego. Masud miał pięcioro dzieci – cztery córki i syna. Wszystkie córki były wykształcone, o czym często i chętnie opowiadał. Starał się wpajać ludziom, że islamskie wartości nie zabraniają kobietom uczyć się i pracować. Zdawał sobie sprawę, że talibowie kreują na świecie negatywny wizerunek islamu, i próbował z tym walczyć.

Masud był dla mnie prawdziwą inspiracją. Nauczył mnie, że wolność nie jest darem od Boga, lecz czymś, na co człowiek musi sobie zasłużyć. Gdy zginął, czułam się, jakby wraz z nim umarła wszelka nadzieja dla Afganistanu.

Zaledwie czterdzieści osiem godzin po śmierci Masuda przepowiadany przez niego islamski terroryzm urzeczywistnił się w straszliwy sposób. Dwa samoloty uderzyły w wieże World Trade Center w Nowym Jorku, a trzeci – w budynek Pentagonu w stanie Wirginia. W każdym z boeingów znajdowało się po pięciu porywaczy. Czwarty samolot rozbił się na polach w Pensylwanii, zabijając czterdziestu pasażerów i członków załogi oraz czterech terrorystów. W sumie całkowita liczba ofiar Al-Kaidy sięgnęła tego dnia blisko trzech tysięcy.

Dwa tysiące dziewięćset siedemdziesiąt siedem niewinnych osób.

Świat zbyt późno wziął sobie do serca ostrzeżenia Masuda. A w mającej dopiero wybuchnąć tak zwanej wojnie z terroryzmem zginie – głównie w Afganistanie i Iraku – jeszcze więcej niewinnych ludzi.

Kochane Szuhro i Szaharzad,

jest mi bardzo przykro, że tylu ludzi na świecie ma tak złą
opinię o Afganistanie i jego kulturze. Wiele osób uważa, że
wszyscy jesteśmy terrorystami lub fundamentalistami.

Ludzie z Zachodu myślą tak, ponieważ Afganistan bardzo często znajdował się w samym środku batalii o strategicznym znaczeniu dla świata – wojen o przejęcie kontroli
nad zasobami energetycznymi, zimnej wojny czy też wojny
z terroryzmem.

Ale pod tym nieszczęsnym wizerunkiem kryje się państwo
o wielkiej historii, szczycące się światłymi umysłami i bogatą
kulturą. To kraj, w którym wojownicy postawili wspaniałe
świątynie i monumenty, a podróżni oraz wyznawcy innych
religii są serdecznie witani (niektórzy z nich wznieśli tu
nawet własne budowle i pomniki, takie jak choćby posągi
Buddy w Bamianie). To kraina potężnych gór i bezkresnych
przestworzy, szmaragdowych lasów i jezior w kolorze lazuru.
Ludzie okazują tu niespotykaną nigdzie indziej gościnność
i serdeczność. Przynależą bowiem do narodu, dla którego
honor, wiara, tradycja i poczucie obowiązku liczą się ponad
wszystko. Z tego kraju, drogie Dziewczynki, możecie być
dumne.

Nie wypierajcie się nigdy swego dziedzictwa, nigdy też nie przepraszajcie za nie. Jesteście z Afganistanu. Bądźcie z tego dumne. I sprawcie, by Afganistan znów zajaśniał z dumy w oczach świata.

Wiem, że proszę Was o wiele, ale Wasze wnuki będą Wam za to po stokroć wdzięczne.

Ściskam Was,
mama

MROK SIĘ ROZPRASZA

2001

11 września 2001 roku siedziałam przy biurku, gdy nagle wbiegł kolega, ściskając kurczowo w rękach radio. Po chwili oboje w szoku słuchaliśmy wieści o ataku na World Trade Center.

Nie mogłam powstrzymać łez na myśl o wszystkich tych ludziach uwięzionych w środku obu wież. Nie mieliśmy w Afganistanie drapaczy chmur i nigdy nie widziałam tak wysokich budynków, więc mogłam sobie jedynie wyobrażać przerażenie, jakie ogarnia człowieka uwięzionego w płonącym wieżowcu.

Po raz pierwszy zrozumiałam, że między tym, co się dzieje w Afganistanie, a wydarzeniami w innych częściach świata istnieje bardzo mocny związek. Przypominało mi to jedną wielką układankę. Puzzle, które od lat się zazębiają, tworząc spójny obraz. Aż wreszcie ktoś dopasował ostatni element. A świat zadrżał w posadach.

Z goryczą pomyślałam sobie, że przynajmniej teraz światowi przywódcy przyznają wreszcie rację Masudowi: fala terroryzmu zaleje również ich kraje.

Nie spodziewałam się jednak tak szybkiej reakcji. Być może niektórzy Afgańczycy się ze mną nie zgodzą, ale uważam, że USA postąpiły słusznie, wysyłając do Afganistanu swoje wojska w celu obalenia talibów.

Na skrzynki pocztowe pracowników ONZ zaczęły napływać e-maile nakazujące całemu zagranicznemu personelowi opuszczenie Afganistanu, a miejscowemu – pozostanie w pobliżu biur. Ostrzegano przed podróżowaniem po kraju. Mój szef, który pochodził z innej prowincji, wyjechał, by zaopiekować się rodziną, więc sama musiałam się zająć prowadzeniem biura.

Nie było to łatwe, ponieważ znajdowaliśmy się w trakcie wielkiej, bo obejmującej całą prowincję, akcji szczepień ochronnych dla dzieci. Mieliśmy też zająć się rozprowadzaniem podręczników przed nadchodzącym początkiem roku szkolnego. Przez dwa miesiące nasze biuro zdołało samodzielnie doprowadzić do końca akcję szczepień oraz zapewnić sprawne funkcjonowanie szkół. A ja wciąż byłam jedyną Afganką pracującą dla UNICEF-u.

W USA w wyniku śledztwa w sprawie ataków z 11 września szybko ustalono tożsamość zamachowców, a następnie odkryto ich powiązania z działalnością Al-Kaidy. Waszyngton zażądał od rządu talibów wydania Osamy bin Ladena. Talibowie odmówili.

7 października 2001 roku, a więc niecały miesiąc po zamachu, USA rozpoczęły operację pod nazwą „Trwała Wolność". Amerykańskie i brytyjskie samoloty wojskowe oraz pociski sa-

mosterujące dalekiego zasięgu uderzyły w obiekty talibów oraz Al-Kaidy w całym Afganistanie. W tym samym czasie żołnierze Sojuszu Północnego – przy wsparciu z powietrza swoich nowych sprzymierzeńców, choć niestety bez najważniejszego dowódcy – zaczęli spychać talibów na południe, w kierunku Kabulu.

Zachód liczył na szybkie i bezproblemowe pokonanie talibów, a także pojmanie lub zabicie Osamy bin Ladena oraz jego zastępcy, Ajmana al-Zawahiriego.

Plan przedstawiał się bardzo prosto: amerykańskie i brytyjskie siły powietrzne rozbijają w pył siły talibów oraz bombardują górskie rejony, aby zabić ukrywających się w tamtejszych jaskiniach bojowników Al-Kaidy. Tymczasem na lądzie Sojusz Północny i inne, pochodzące głównie z północy siły zbrojne rozprawiają się z tymi, którzy przeżyli bombardowania.

Część żołnierzy podeszła do tego zadania z zatrważającym entuzjazmem. Dochodziły nas słuchy o straszliwych zbrodniach popełnianych na talibach – pojmanych jeńców na przykład palono żywcem. W niektórych wioskach, szczególnie udręczonych przez talibów, ludzie zdobyli się na odwagę i zaczęli przepędzać fundamentalistów, obrzucając ich kamieniami.

Zdawałam sobie sprawę, że nie wszyscy talibowie są źli. Wielu, zwłaszcza niższych rangą, było normalnymi, walczącymi o przetrwanie ludźmi. A czy niektórzy z nich mi nie pomogli? Pamiętam przecież mieszkającego po sąsiedzku taliba, który nawet mnie nie znał, a mimo to pomógł wydostać z więzienia Hamida, oraz młodego nowożeńca z Wardaku, który gotów był sprzeciwić się rozkazom przełożonych, byle tylko pozwolić Hamidowi zostać na noc w domu. Było mi przykro, że takich ludzi może spotkać śmierć, ale cieszyłam się, że teokratyczny reżim talibów zostanie zniszczony, a ponury okres w afgańskiej historii dobiegnie końca.

Wielu Afgańczykom nie podobało się, że pomocy ich krajowi udzielają innowiercy. Mnie to nie przeszkadzało. Nigdy nie traktowałam talibów jak prawdziwych Afgańczyków. Zawsze byli oni kontrolowani przez przedstawicieli innych narodów. Mieszkając w Kabulu, widziałam, jak cała dzielnica Wazir Akbar Khan zostaje zajęta przez talibskich „gości" – Arabów, Czeczenów i Pakistańczyków. Słysząc ich mowę, widząc ich żony ubrane w czarne nikaby, miałam wrażenie, że Kabul przestał być afgańskim miastem. Przypominał raczej arabski Rijad albo katarską Ad-Dauhę.

W dodatku niektóre zbrodnie wojenne talibów miały zdecydowanie obcą genezę. Atak na rozciągającą się na północ od Kabulu równinę Szomali przeprowadzono z taką zajadłością, że obszar ten do dziś jest nazywany płonącymi równinami. Podczas jednej bitwy talibowie wymordowali tysiące ludzi, a następnie celowo spalili wszystkie drzewa i uprawy. To, co zostało, zrównali z ziemią. W ten sposób szanse tamtejszych mieszkańców na przeżycie spadły do zera. Niszczenie zbiorów i upraw (taktyka spalonej ziemi) to metoda właściwa krajom arabskim, a nie Afganistanowi. Poza tym talibowie nie byli dostatecznie bystrzy, żeby coś takiego wymyślić. Gdy już wszystko spalili, chodzili od domu do domu i siłą wywlekali z nich dziewczęta i młode kobiety. Ostatni raz widziano je, gdy były zaganiane do ciężarówek i innych samochodów. Podejrzewa się, że zostały wywiezione do Pakistanu, Arabii Saudyjskiej oraz Kataru, do pracy w domach publicznych. Czasem arabscy wojownicy brali sobie siłą afgańskie kobiety na żony. Nikt co prawda nie zdołał udowodnić prawdziwości takich przypuszczeń, ale widziałam już zbyt wiele, by nie wierzyć, że tak właśnie mogło być.

Kiedy więc nieafgańskie siły zaangażowały się w pokonanie talibów, byłam im po prostu wdzięczna za udzieloną pomoc. Czułam radość na myśl, że talibowie nie będą już dłużej sprawować władzy w moim ukochanym kraju. Tracili kontrolę prowincja po prowincji. W kompleksie jaskiń Tora Bora, gdzie – jak podejrzewano – mieściła się kryjówka bin Ladena, od tygodni trwały zacięte walki. I nagle okazało się, że jest już po wszystkim. Talibowie zostali rozbici.

Ludzie, którzy torturowali mojego męża i przekreślili moje szanse na szczęśliwe małżeństwo, tracili władzę, ale Hamid również przegrywał swoją ostateczną bitwę o życie.

Jako jedyna kobieta w całym kraju należąca do personelu ONZ znalazłam się w centrum zainteresowania. Nieustająco odwiedzali mnie dziennikarze, szukając porady, o czym napisać – z trudem znajdowałam dla nich czas, zwłaszcza że prowadzenie biura spoczywało wyłącznie na mojej głowie. Organizowaliśmy kampanię zachęcającą tysiące chłopców i dziewcząt, którzy ze względu na wojnę lub z powodu rządów talibów przerwali naukę, aby wrócili do szkoły. UNICEF we współpracy z innymi organizacjami dostarczał tymczasowe namioty szkolne, artykuły biurowe i książki. Była to wyczerpująca praca, ale świadomość, że zapewniam młodym ludziom dostęp do edukacji, stanowiła dla mnie wystarczającą nagrodę. Poza tą kampanią musiałam jeszcze zająć się masową akcją szczepień przeciwko polio i rozesłać w związku z tym pracowników po całej prowincji.

Taka ilość obowiązków wiązała się z pracą po godzinach do późnego wieczora, co z kolei wywoływało konflikty w domu. Hamid był chory i mnie potrzebował. Chciałam być przy nim, ale zarazem wolałam nie rezygnować z pracy na rzecz kraju. Zazwyczaj mąż bardzo mnie wspierał i nie miał nic przeciwko mojej pracy do późna; teraz jednak wiedział, że nie zostało mu już wiele czasu, i miał mi za złe, że przebywam z nim tak rzadko. Czułam się kompletnie rozdarta, co tylko potęgowało jeszcze stres, w jakim żyłam.

Zdarzały się takie dni, gdy dosłownie biegałam z jednego spotkania na drugie, nie mając czasu, by cokolwiek zjeść. Ciągle chodziłam w burce, nawet na spotkania z zagranicznymi urzędnikami i pracownikami organizacji humanitarnych. Aż pewnego dnia gubernator prowincji zasugerował, bym ją zdjęła.

Stwierdził, że przyszedł na to czas. Osoby, z którymi rozmawiałam, musiały widzieć moją twarz. Przestałam więc chodzić do pracy w zasłonie.

Przeżywaliśmy trudny okres, ale wiele się wówczas nauczyłam, zwłaszcza o własnych zdolnościach przywódczych i umiejętnościach organizacyjnych. Gdy zyskałam sobie zaufanie zarówno miejscowych ludzi, jak i międzynarodowych współpracowników, zaczęto powierzać mi coraz bardziej odpowiedzialne zadania. Czułam, że odkryłam moje prawdziwe powołanie.

W kolejnych miesiącach po upadku talibów Afganistan przechodził transformację. W powietrzu wręcz unosił się nastrój optymizmu. Z dnia na dzień setki uchodźców zaczęły wracać do domów. Ci, którzy uciekli z Afganistanu w ciągu ostatnich lat (w czasie sowieckiej inwazji, podczas brutalnej i krwawej wojny domowej czy w trakcie okrutnych rządów talibów), poczuli się na tyle bezpiecznie, by powrócić. Afgańscy przedsiębiorcy, którzy dorobili się za granicą, zaczęli planować nowe inwestycje i otwierać hotele, banki, a nawet pola golfowe i ośrodki narciarskie.

Pod względem ekonomicznym kraj znajdował się ciągle w straszliwej zapaści, a większość ludzi żyła w skrajnej nędzy. We wszystkich większych miastach zniszczone zostały przewody elektryczne i niewiele osób miało dostęp do czystej wody czy urządzeń sanitarnych. Wielu z tych, którzy wrócili, zastało swoje domy zrujnowane lub zajęte przez innych ludzi. Bezrobocie osiągało gigantyczne rozmiary, występowały olbrzymie niedobory żywności, ale kraj walczył o powrót do względnej normalności. Panował chaos, lecz po raz pierwszy od bardzo dawna wyczuwało się nutę optymizmu.

Biuro ONZ rozrastało się w błyskawicznym tempie. Z całego świata spływały do nas nieprzerwanym strumieniem fundusze. Spieszyliśmy się, by przekazać je tam, gdzie były najbardziej potrzebne.

Aby spędzić więcej czasu z Hamidem, wzięłam miesięczny urlop. Pojechaliśmy do Kabulu. Próbowałam ponownie zapisać się na Uniwersytet Kabulski, aby kontynuować studia medyczne, które musiałam porzucić, gdy talibowie zakazali kobietom dostępu do edukacji. Powiedziano mi jednak, że upłynęło zbyt wiele czasu, bym mogła zacząć naukę w tym samym miejscu, w którym ją przerwałam. W rzeczywistości odmówiono mi dlatego, że popełniłam błąd i zabrałam ze sobą na rozmowę małą Szuhrę. Kierownik do spraw rekrutacji jasno oznajmił, że nie pochwala, by matki wychowujące dzieci chodziły do pracy. Choć przygnębiło mnie, że nie zostałam przyjęta na uczelnię, miałam znacznie większe zmartwienia na głowie. Hamid niemal już bez ustanku kaszlał krwią.

Znowu zabrałam go do Pakistanu, do tego samego lekarza, który przepisał mu kurację za pięćset dolarów miesięcznie. Lekarz przekazał nam druzgocące wieści: ponieważ Hamid nie brał leku nieprzerwanie, jego gruźlica osiągnęła tak zaawansowane stadium, że ta kuracja nie mogła już przynieść żadnych efektów. Stan Hamida był tak poważny, że lekarz nie był w stanie nic zrobić. Poradził nam jednak, abyśmy spróbowali szczęścia w pewnym szpitalu w Iranie, który eksperymentował z jakąś nową metodą leczenia. Dałam mężowi pieniądze, by tam pojechał, a sama wróciłam do pracy w Fajzabadzie. Hamid spędził w irańskim szpitalu cztery miesiące. Nasze kontakty w tym czasie ograniczyły się do kilku telefonów, ale gdy z nim rozmawiałam, wydawał się o wiele większym optymistą i twierdził, że czuje się znacznie lepiej.

W Fajzabadzie zaszły istotne zmiany na szczeblach rządowych. Po raz pierwszy od lat przyszłość kobiet malowała się w tak jasnych barwach. Do czasu oficjalnych wyborów tymczasowym prezydentem ogłoszono Hamida Karzaja. Obrońcy praw człowieka, których nie tak dawno prześladowali talibowie, teraz jawnie pracowali na rzecz społeczeństwa. Badachszan przestał być siedzibą rządu, który z powrotem przeniósł się do

Kabulu. Nagle poczułam się wykluczoną z życia politycznego mieszkanką prowincji. Pragnęłam być w centrum wydarzeń. Złożyłam więc podanie do UNICEF-u i dostałam w Kabulu pracę jako specjalista do spraw ochrony dzieci i kobiet. Na szczęście UNICEF zapewniał opiekę dla dzieci, więc mogłam zabrać ze sobą dziewczynki.

Normalnie to mężczyzna zająłby się organizacją przeprowadzki do innego miasta. Hamid już wrócił z Iranu, ale był zbyt słaby, by wychodzić z domu. Sama musiałam zatem znaleźć czas, aby przygotować przeprowadzkę do Kabulu z chorym mężem i dwójką małych dzieci. Razem z nami miała wyjechać i zamieszkać jedna z żon mojego brata Dżamalszacha wraz z dziećmi. Wzięłam więc wolne popołudnie w pracy i poszłam na bazar, by poszukać ciężarówki, która przewiozłaby cały nasz dobytek do stolicy. Kierowcy patrzyli na mnie zdziwieni.

– Siostro, gdzie jest twój mąż? – pytali. – Dlaczego twój mężczyzna się tym nie zajmie?

– Bracia, sądzicie, że kobieta nie potrafi wynająć zwykłej ciężarówki? – odburknęłam wściekła. – Dlaczego zawsze myślicie, że kobiety do niczego się nie nadają?

Przeprowadziwszy się do Kabulu, zamieszkaliśmy w dawnym mieszkaniu Hamida w Makrorian. Był rok 2003. Miałam pełne ręce roboty, ale bynajmniej nie narzekałam. Objęłam funkcję przedstawiciela do spraw równouprawnienia płci przy ONZ i miałam podróżować po kraju, by nadzorować różne projekty i inicjatywy z tym związane. Najbardziej zapadła mi w pamięć podróż do Kandaharu, duchowej twierdzy talibów. Gdy się tam pojawiłam, lokalni przywódcy, z którymi miałam pracować, nie chcieli ze mną nawet rozmawiać. Ci bardzo konserwatywni ludzie przez lata wspierali talibów. Zaledwie kilka miesięcy od ich upadku znaleźli się w poniżającej sytuacji: musieli znosić jakąś kobietę, która zjawia się ni stąd, ni zowąd i rozkazuje im, co mają robić. Krok po kroku jednak przekonywałam ich do siebie, a po kilku tygodniach rozumieliśmy się tak dobrze, jakbyśmy pracowali ze sobą od lat. Niektórzy z nich do dziś pozostają ze mną w kontakcie i odwiedzają mnie przy okazji każdego pobytu w Kabulu. Szczerze wierzę, że ludzie mogą zmienić poglądy dzięki doświadczeniom. Nawet najwięksi konserwatyści są zdolni zrezygnować ze swoich wyobrażeń związanych z rolą kobiety.

Kiedy Hamid wrócił z Iranu, początkowo ucieszyłam się, że tak bardzo mu się polepszyło. Po kilku następnych tygodniach znów jednak znajdował się w punkcie wyjścia, nie mogąc zrobić nawet paru kroków, żeby nie zacząć kaszleć i pluć krwią. Serce mi się ściskało na ten widok. Jako że gruźlica jest chorobą zakaźną, Hamid bardzo bał się o nasze córki. Kiedy tylko łapał go atak kaszlu, zasłaniał usta chusteczką i kazał dziewczynkom wychodzić z pokoju. Mieszkaliśmy na piątym piętrze, co oznaczało, że był uwięziony w domu, ponieważ chodzenie po schodach w górę i w dół sprawiało mu zbyt wiele trudności. Dawno już zaprzestaliśmy jakichkolwiek intymnych kontaktów, ale Hamid, na ile tylko pozwalało mu zdrowie, nadal był dla mnie dobrym mężem. Choroba ani trochę nie dotknęła jego umysłu i wciąż miał niebywałą łatwość w rozwiązywaniu problemów. Gdy miałam kiepski dzień w pracy albo nie mogłam wykombinować, w jaki sposób zrealizować nowy projekt, zawsze był pod ręką i służył mi radą. Nawet w tak fatalnym stanie ciągle był dla mnie oparciem.

Po pewnym czasie mój mąż musiał zgłosić się na badania kontrolne, więc polecieliśmy do Pakistanu, do Aga Khan w Karaczi – jednego z najnowocześniejszych szpitali w Azji Środkowej. Hamid był zbyt słaby, by chodzić o własnych siłach, i musiałam go wieźć przez oddział na wózku inwalidzkim. Tak bardzo schudł i posiwiał, że jedna z pielęgniarek wzięła go za mojego ojca. Zostaliśmy w szpitalu na noc. Spałam przy łóżku Hamida, tak jak kiedyś u boku umierającej matki. Rankiem zjawił się lekarz z wynikami badań. Było już za późno. Płuca Hamida bardziej przypominały znoszone podeszwy butów aniżeli działające narządy. W dodatku lek, który przyjmował, okazał się tak silny, że wywoływał u niego potworne mdłości. Dlatego też postanowił z niego zrezygnować.

Mieliśmy akurat pełnię lata i dzięki słońcu Hamid nieco się ożywił. Gdy tylko odstawił lekarstwo i przestał wymiotować, odzyskał również apetyt. Zaczął jadać normalne posiłki, a jego twarz znów nabrała kolorów. Wzięłam tydzień wolnego, zamierzając spędzić z nim cały urlop. Była środa i postanowiłam ugotować rosół drobiowy. Poprzedniej nocy Hamid nie spał dobrze, czuł się więc zmęczony. Próbowałam przekonać go, by zjadł trochę zupy, ale nie miał sił, by unieść do ust łyżkę. Tego samego wieczoru w odwiedziny przyszły nasze siostry.

Podczas rozmowy z nimi Hamid wydawał mi się przystojniejszy i młodszy. Wyglądał, jakby wszelkie ślady choroby zniknęły z jego twarzy. Na powrót stał się moim dawnym mężem.

– Hamid, kochanie – żartowałam – nabierasz mnie, prawda? Tylko się ze mną drażnisz, bo wcale nie jesteś chory. Jak możesz być chory, skoro tak świetnie wyglądasz?

Roześmiał się, ale zaraz zaczął się krztusić i z trudem łapał oddech.

Przeniosłyśmy go do jego pokoju. Natychmiast stamtąd wyszłam, aby nie widział, że płaczę. Zrobiło się już późno, więc położyłam się spać z pozostałymi kobietami, ale długo nie mogłam zasnąć. Wróciłam do Hamida i ułożyłam się obok niego. Wzięłam go za rękę i oboje się rozpłakaliśmy. Przypomniały mi się pierwsze tygodnie naszego małżeństwa, kiedy byliśmy tacy szczęśliwi i snuliśmy plany na przyszłość. Nie oczekiwaliśmy przecież zbyt wiele. Otrzymaliśmy tylko same strapienia i zgryzoty.

Do pokoju weszły nasze córeczki ubrane w stroje dziewczynek Kuczi. Zaczęły śpiewać dla Hamida piosenkę, próbując na swój dziecięcy sposób nieco nas rozweselić. Dały nam piękny, ale zarazem rozdzierający serce występ. Wirowały i kręciły wysoko chustami, śpiewając: „Jestem małą dziewczynką Kuczi, patrz, jak tańczę". Po skończonej piosence poprosiły Hamida, by je pocałował, ale on odmówił, bojąc się, że je zarazi. Choć z całych sił pragnął pocałować swoje córeczki na pożegnanie, nie mógł tego zrobić.

W dalszym ciągu starałam się wmusić w niego jakieś jedzenie. Błagałam go:

– Proszę, zjedz choć jedną morwę. Proszę, spróbuj odrobinę zupy. Przełknij choć jedną łyżkę.

Po kolejnej daremnej prośbie zaczęłam przysypiać. Padałam ze zmęczenia. Do pokoju weszła moja siostra i kazała mi iść odpocząć. Nie chciałam odstępować Hamida na krok, ale on również uparł się, abym poszła spać, i jeszcze sobie ze mnie żartował:

– Teraz zaopiekuje się mną inny nadzorca. Dopilnuje, żebym nie przestawał oddychać i zjadł zupę oraz owoce. Proszę, idź na chwilę odpocząć.

Położyłam się więc z dziewczynkami w ich łóżku, mocno je przytuliłam i zastanawiałam się, jak te drobne istotki poradzą sobie w życiu bez ojca. Około godziny później usłyszałam krzyk. Nigdy tego nie zapomnę. To moja siostra wykrzykiwała imię Hamida. Gdy wbiegłam do pokoju, zdążyłam ujrzeć jedynie, jak wydaje ostatnie tchnienia.

– Hamid, nie! Proszę, nie opuszczaj mnie jeszcze! – wołałam przerażona.

Usłyszawszy mnie, z trudem uniósł powieki i spojrzeliśmy na siebie. Moje oczy były pełne strachu, jego – spokojne, pogodzone z losem. Zamknął je. I odszedł.

Kochane Szuhro i Szaharzad,

kiedy zmarł Wasz ojciec, Szuhra była dokładnie w tym samym wieku co ja, gdy straciłam ojca. Cóż za gorzka ironia.
Żałuję, że spotkał Was podobny los.

Najpierw obwiniałam o śmierć Hamida przede wszystkim siebie. Z osieroconej przez ojca kobiety na świat przyszły
pozbawione ojca córki.

Poznałam gorycz życia półsieroty, dzięki czemu wiedziałam, jak trudno będzie Wam w przyszłości. Było też dla mnie
oczywiste, że będziecie cierpieć nie tylko ze względu na brak
ojca, lecz także z powodu nieposiadania brata.

Muszę, idąc w ślady swojej matki, pomóc Wam odnaleźć
w sobie siłę i wspierać Was z pasją godną dwojga rodziców.
Macie tylko mnie, wiedzcie jednak, że kocham Was z całych
sił. Musicie również wiedzieć, że ojciec byłby z Was dumny,
gdyby mógł zobaczyć, że wyrosłyście na tak piękne dziewczęta.

Gdy słucham, jak mówicie o własnych planach na przyszłość, wprost pękam z dumy. Szaharzad chciałaby zostać
konstruktorem rakiet, a Szuhra – prezydentem Afganistanu.
A przynajmniej taka wersja obowiązuje w tym tygodniu.
W następnym prawdopodobnie zmienicie zdanie. Wiem
w każdym razie, że jedno nigdy się nie zmieni – obie mie-

rzycie wysoko. I macie absolutną rację, moje kochane. Sięgajcie gwiazd. W ten sposób, jeśli spadniecie, wylądujecie na szczytach drzew. Jeśli zaś nie będziecie chciały oderwać się od ziemi, jedyne, co zobaczycie, to najniższe gałęzie.

Nie zwrócę Wam ojca. Mogę Wam jednak przekazać ambicję, poczucie przyzwoitości i pewności siebie, a to najcenniejsze dary, jakie matka może ofiarować córkom.

Ściskam Was,
mama

NOWY CEL

2003–2004

Hamid zmarł w lipcu 2003 roku, a więc w tym samym miesiącu, w którym się pobraliśmy.

Moje życie stało się puste, samotne, jakby ogołocono je z całej miłości oraz śmiechu. Przez kolejne dwa lata pracowałam niczym automat, ale czułam się zagubiona. Poza wychowywaniem córek nie widziałam przed sobą żadnego celu w życiu. Prawie z nikim się nie spotykałam. Wesela, przyjęcia, pikniki – wszystko to przestało mnie interesować. Każdy dzień przebiegał według tego samego porządku: wstawałam rano, szłam do pracy, wracałam z dziewczynkami do domu na kolację, bawiłam się z nimi chwilę, po czym kąpałam je i kładłam do snu, a sama siadałam przed komputerem i pracowałam do północy.

Żyłam tylko dla córek, lecz bez względu na to, jak bardzo je kochałam, potrzebowałam czegoś więcej. Musiałam znaleźć nowy cel. Ponowne wyjście za mąż nie wchodziło w grę. Mimo delikatnych sugestii ze strony rodziny nie miałam na to najmniejszej ochoty. Hamid był – i pozostaje do dziś – jedynym mężczyzną, którego kiedykolwiek chciałam poślubić. Gdybym ponownie wyszła za mąż, czułabym, że sprzeniewierzam się jego pamięci. Trwam w tym postanowieniu do dziś i jest ono równie mocne, jak w pierwszych tygodniach po śmierci Hamida.

Małżeństwo zastąpiła mi polityka. Miałam ją we krwi i sądzę, że była mi pisana. Bóg pragnął, bym realizowała w życiu jakiś cel, a jakiż cel może być większy od działań na rzecz poprawy losu najuboższych i przywrócenia godności rozdartemu przez wojnę krajowi?

W 2004 roku w Afganistanie odbyły się pierwsze w historii demokratyczne wybory prezydenckie. Jeszcze w latach sześćdziesiątych, gdy mój ojciec był członkiem parlamentu, król Zahir Szah przeprowadził reformy, które doprowadziły do wolnych wyborów parlamentarnych. Proces demokratyzacji został jednak zahamowany – najpierw przez radziecką inwazję, a później przez wojnę domową – i znów nabrał przyspieszenia ponad trzydzieści lat później. Cały kraj ogarnęła euforia.

Od upadku talibów w 2001 roku urząd tymczasowego prezydenta pełnił Hamid Karzaj, który cieszył się tak olbrzymią popularnością, że wybrano go na nowego prezydenta zdecydowaną większością głosów. Choć obawiano się, że dzień wyborów zakłócą akty przemocy, przebiegł on stosunkowo spokojnie.

Był chłodny, jesienny dzień, a gęsta mgła kłębiła się na ulicach. Do głosowania ruszyły setki tysięcy ludzi. W niektórych punktach wyborczych już od czwartej rano ustawiały się kolejki kobiet w niebieskich burkach, mogących wreszcie oddać swój głos. To był niezwykły moment w historii Afganistanu i mimo przygnębienia potrafiłam cieszyć się doniosłością tego wydarzenia. Chyba po raz pierwszy od śmierci Hamida poczułam jakieś silniejsze emocje.

Prezydent Karzaj obiecał wówczas rozszerzenie praw kobiet, stworzenie społeczeństwa obywatelskiego i wiele innych reform, w które tak mocno wierzyłam. Od zwycięstwa w tych wyborach Karzaj bardzo się jednak zmienił i skupił raczej na ugłaskiwaniu twardogłowych konserwatystów, jednak w tamtych dniach w jego wystąpieniach czuło się powiew świeżych idei. Niestety, w 2009 roku nie odniósł już tak spektakularnego zwycięstwa jak cztery lata wcześniej. Został głową państwa w atmosferze powszechnych oskarżeń o sfałszowanie głosowania. To kolejna przestroga, że w naszym kraju wszystko może ulec zmianie na gorsze, i to w kilka lat.

W 2005 roku ogłoszono wybory parlamentarne, które miały wyłonić reprezentantów poszczególnych dystryktów i prowincji. Nasza rodzina postanowiła, że Koofi powinni przypomnieć o swej politycznej przeszłości. Ktoś z nas musiał wystartować. Rozpoczęły się twarde pertraktacje, kogo wystawić. Do kandydowania bardzo zapalił się Nadir Szah, syn Dawlat Bibi, jednej z dwóch żon, z którymi ojciec się rozwiódł. Nadir był cieszącym się dużym szacunkiem przywódcą mudżahedińskim, a później jako pierwszy spośród mojego rodzeństwa rozpoczął karierę polityczną. W 2005 roku piastował ważne stanowisko na szczeblu lokalnym – pełnił mianowicie funkcję naczelnika dystryktu Koof w Badachszanie. Co zatem zrozumiałe, uważał, że jest najlepszym przedstawicielem naszej rodziny.

Byłam innego zdania. Wierzyłam, że to właśnie ja mam najlepsze kwalifikacje, aby podjąć się tego zadania. Choć nie znałam się tak dobrze jak Nadir na lokalnej polityce, to lata pracy dla ONZ naprawdę wiele mnie nauczyły. Miałam mnóstwo znajomości i kontaktów (zarówno w kraju, jak i za granicą), a także wprawę w organizowaniu pracy wolontariuszy, świadczeniu usług dla lokalnej społeczności i zarządzaniu skomplikowanymi projektami. Wiedziałam, że będę dobrą parlamentarzystką. Nie miałam jednak pojęcia, czy którykolwiek z moich braci w ogóle dopuszcza do siebie myśl, by w wyborach startowała kobieta.

Najpierw zadzwoniłam do Mirszakaja. Jako chłopiec był ulubieńcem ojca. W młodym wieku został mianowany przywódcą wspólnoty. Ojciec zwykł go sadzać przed sobą na koniu. Mirszakaj spoglądał wtedy na mnie z siodła – nadęty, zadufany. Nienawidziłam go za to. Aż skręcało mnie z zazdrości, tak bardzo pragnęłam, by to mnie pozwolono jechać z ojcem na koniu, ale dla córek ten przywilej nie był dostępny. Gdy dorosłam, bardzo się zbliżyliśmy z Mirszakajem. Przez długi czas przecież razem mieszkaliśmy, potem nieustannie przeprowadzaliśmy się z miejsca w miejsce, uciekając przed talibami. To Mirszakaj zezwolił mi ostatecznie na małżeństwo z Hamidem. To on w dniu ślubu żegnał mnie, gdy opuszczałam rodzinny dom, aby zamieszkać z mężem. Co prawda po jakimś czasie od wyjazdu do Pakistanu wyemigrował z jedną z żon do Danii, ale pozostajemy w bliskim kontakcie i do dziś przynajmniej raz w tygodniu rozmawiamy przez telefon. Gdy więc zadzwoniłam do niego i wyjaśniłam, dlaczego ze wszystkich Koofich właśnie ja jestem najlepszą kandydatką do parlamentu, wysłuchał mnie w skupieniu. A potem obiecał, że porozmawia z resztą.

Rodzina była podzielona. Zacięta debata toczyła się całymi tygodniami. Odbyło się coś na kształt prawyborów wewnątrz rodu Koofich. Na koniec jednak, ku mojemu zaskoczeniu, większość krewnych poparła moją kandydaturę, Nadirowi zaś wyperswadowano start w wyborach. Decyzją rodziny tylko jedna osoba mogła ubiegać się o wejście do parlamentu, ponieważ rywalizacja między rodzeństwem mogłaby wywołać niepotrzebne tarcia.

Szkoda, że matka nie mogła tego zobaczyć. Chyba nie uwierzyłaby własnym oczom. Gdy byłam mała, ojciec prawie nie odzywał się do córek, nikt też nie zawracał sobie głowy świętowaniem ich urodzin – tak nisko znajdowałyśmy się w rodzinnej hierarchii. Ale oto, zaledwie w następnym pokoleniu, kobieta została wybrana na politycznego przywódcę naszego klanu.

Nie sądzę, aby Koofi byli odosobnieni w akceptacji tego typu zmian. Wiele afgańskich rodzin przeszło podobną ewolucję i coraz więcej kobiet musiało po prostu pójść do pracy z powodów finansowych. Tak było zresztą w wielu innych krajach. Gdy tylko płeć piękna stała się realną siłą ekonomiczną, wyemancypowała się. Uważam, że zmiana postawy wobec równouprawnienia płci nie może być narzucana krajowi z zewnątrz, bez względu na to, jak dobre intencje by temu przyświecały. W takich wypadkach ludzie zazwyczaj jeszcze mocniej upierają się przy dotychczasowych poglądach. Potrzeba zmian powinna wypływać z potrzeb samych mieszkańców danego kraju. Wszystko to zaś rozpoczyna się na szczeblu rodziny.

Niektórzy z moich braci nie wierzyli, że mam jakiekolwiek szanse na zwycięstwo. Ojciec poślubił prawie wszystkie swoje żony ze względu na polityczne uwarunkowania. Dzięki temu stworzył lokalne imperium sojuszy i przymierzy. Bracia sądzili, że w czasie wojny domowej i za rządów talibów ta stara sieć powiązań uległa zerwaniu i że nikt już tu nie pamięta o rodzie Koofich. W ramach pracy dla ONZ dużo jednak podróżowałam po okolicznych wioskach i wiedziałam, że moi krewni nie mają racji. Wiele spotkanych przeze mnie osób dobrze pamiętało ojca i żywiło ogromny szacunek dla naszej rodziny.

Co więcej, stworzyłam własną sieć kontaktów. W ciągu czterech lat, jakie spędziłam z Hamidem w Fajzabadzie, udzielałam się w ramach wolontariatu w różnych organizacjach kobiecych, uczyłam angielskiego blisko czterysta kobiet, odwiedzałam obozy dla uchodźców oraz kierowałam programami związanymi z edukacją i poprawą warunków higienicznych. Ludzie mnie znali. Do moich przyjaciół należeli działacze społeczni, nauczyciele, lekarze i obrońcy praw człowieka. Oni decydowali o obliczu nowego Afganistanu, którego ja również byłam częścią, i miałam poczucie, że mogę go reprezentować. Choć skończyłam dopiero dwadzieścia dziewięć lat, zdążyłam już przeżyć sowiecką okupację, wojnę domową oraz terror talibów.

Mój program znacznie jednak wykraczał poza kwestie praw kobiet i równouprawnienia. Ubóstwo i analfabetyzm dotykały w równym stopniu kobiety i mężczyzn. Chciałam zatem działać na rzecz sprawiedliwości społecznej oraz dostępu do edukacji dla wszystkich. Zamierzałam stawić czoła problemowi biedy, uporać się z jej przyczynami i dzięki temu wyprowadzić Afganistan z cywilizacyjnego średniowiecza, aby przywrócić mu należną pozycję na świecie. Było mi bez różnicy, czy w osiągnięciu tego pomogą mi mężczyźni, czy kobiety. Jestem córką Bibi Jan, w której losach jak w soczewce skupiają się cierpienia tysięcy Afganek. Ale jestem również nieodrodną córką swojego ojca, który stanowił wzór polityka oddanego pracy i skorego do poświęceń. Oboje rodzice wywarli istotny wpływ na moje życie; to dzięki nim odkryłam w sobie wielkie powołanie.

Pojechałam do Badachszanu, by rozpocząć kampanię. W ciągu kilku dni po prowincji rozniosła się wieść, że startuję w wyborach. Otworzyłam biuro w centrum Fajzabadu i wkrótce rozdzwoniły się telefony od setek młodych kobiet i mężczyzn, zgłaszających się jako wolontariusze do mojej kampanii. Młodzi ludzie pragnęli zmian i najwyraźniej zobaczyli we mnie odpowiednią osobę do ich wprowadzenia. W biurze aż buzowało od energii i optymizmu.

Kampania miała morderczy przebieg. Czasu było wyjątkowo mało, dysponowaliśmy bardzo skromnym budżetem, a musieliśmy objechać ogromny obszar. Mój dzień rozpoczynał się o piątej rano, zazwyczaj odbywaliśmy pięcio- lub sześciogodzinną podróż polnymi dróżkami do jakiejś odległej miejscowości, w której spędzaliśmy noc. Następnego dnia wracaliśmy do Fajzabadu, a kolejnego znów wyruszaliśmy do innego miasta lub wioski.

Padałam ze zmęczenia, ale nie poddawałam się. Poza tym byłam bardzo szczęśliwa z powodu przyjęcia, z jakim się spotykałam. W jednej z wiosek kobiety wyszły mi na powitanie, śpiewając i grając na *daira* – zrobionym z koźlej skóry instrumencie podobnym do tamburynu. Śpiewały, klaskały i obrzucały mnie kwiatami oraz słodyczami. Nie miałam wątpliwości, że uzyskam poparcie kobiet, ponieważ poruszałam kwestie, które są dla nich szczególnie istotne, takie jak: śmiertelność matek, brak dostępu do edukacji, opieka zdrowotna dla dzieci. W niektórych rejonach Badachszanu kobiety pracowały równie ciężko jak mężczyźni, od świtu do zmierzchu przebywając w polu. Mimo to w dalszym ciągu nie miały prawa do majątku. Gdy umierał mąż, dom przekazywano nie żonie, lecz najbliższemu męskiemu krewnemu zmarłego. Tak być nie powinno.

Rozumiałam te kobiety i podziwiałam je. Moje obecne życie radykalnie różniło się od tego, jakie one wiodły. Nosiłam najmodniejsze ubrania i używałam komputera, podczas gdy one witały mnie brudnymi rękami, w których nigdy nie trzymały książki. Życie mojej matki było dokładnie takie samo, moje dzieciństwo zaś w niczym nie odbiegało od tego, które było udziałem dzieci spotykanych w odwiedzanych wioskach. Doskonale rozumiałam codzienne zmagania kobiet z prowincji i – zamiast traktować je protekcjonalnie – szanowałam je. Mam świadomość, że wiele osób na Zachodzie postrzega afgańskie kobiety jako bezimienne, anonimowe ofiary naszego kraju, ale ja tak wcale nie uważam. To osoby dumne, silne, inteligentne i nad wyraz przedsiębiorcze.

Przekonanie do siebie męskich wyborców, szczególnie tych starszych, stanowiło o wiele trudniejsze zadanie. W pewnej wiosce miałam wygłosić przemówienie w meczecie, był to bowiem jedyny budynek w okolicy zdolny pomieścić tak dużą liczbę osób. Do spotkania niemal nie doszło, ponieważ niektórzy przedstawiciele starszyzny nie chcieli pozwolić, bym weszła do meczetu. Musiałam czekać w samochodzie, aż męscy członkowie mojego sztabu wyborczego porozmawiają z miejscowymi. Kiedy w końcu pozwolono mi wejść do środka, byłam tak roztrzęsiona, że rozpoczynając przemówienie, zapomniałam powiedzieć „w imię Allaha". Bardzo głupi błąd z mojej strony, w związku z którym spodziewałam się wrogiej reakcji. Jednak w miarę jak mówiłam, widziałam, że część siedzących z tyłu starszych mężczyzn płacze. Po policzkach tych pomarszczonych, siwiuteńkich mężczyzn w turbanach i tradycyjnych długich płaszczach płynęły łzy. Gdy skończyłam, powiedzieli mi, że w moim przemówieniu usłyszeli tę samą pasję i szczerość, jakie wkładał w swoje wystąpienia mój ojciec. Na te słowa ja też się rozpłakałam.

Podczas kampanii nie nosiłam burki, ponieważ chciałam patrzeć ludziom w oczy i móc się z nimi komunikować. Dbałam jednak o to, by ubierać się stosownie, skromnie, najczęściej w długą, obszerną suknię narzuconą na luźne spodnie – taką, pod jaką kiedyś ukryto mojego sześcioletniego brata przed mudżahedinami.

W miarę kampanii poparcie dla mnie rosło. W Dżormie, jednym z wyjątkowo odległych dystryktów, przywitał mnie konwój przeszło siedemdziesięciu samochodów ze starszyzną oraz młodymi mężczyznami, którzy pozdrawiali mnie, machając afgańskimi flagami i plakatami wyborczymi z moją podobizną. Nie była to okolica, którą dobrze bym znała albo którą reprezentowałby mój ojciec. Jednakże tutejsi mieszkańcy popierali mnie, ponieważ te wybory miały dla nich ogromne znaczenie. Zależało im na rozwoju demokracji i chcieli, aby ich głosy zostały wreszcie usłyszane. Pragnęli wybrać przedstawiciela swojej społeczności.

Krytycy USA często powtarzają, że demokracja w Afganistanie została narzucona siłą, a przeprowadzanie procesów demokratyzacyjnych w krajach słabo rozwiniętych gospodarczo nie ma najmniejszego sensu. Absolutnie się z tym nie zgadzam. Amerykanie wspierają demokrację w Afganistanie, lecz w żadnym wypadku nam jej nie narzucają. Wszak Afganistan ma już od wieków silne demokratyczne tradycje (tak wybierany jest *arbab*, tak też działa Loja Dżirga – zgromadzenie afgańskiej starszyzny plemiennej). Wybory do parlamentu to po prostu kolejny krok na drodze do pełnej demokracji. Nie miałam żadnych wątpliwości, że spotkani przeze mnie ludzie, nawet ci ubodzy i niepiśmienni, chcieli wykorzystać nadarzającą się okazję, aby coś zmienić. Kto nie chciałby zagłosować na swojego reprezentanta, gdyby tylko dano mu taką możliwość i zapewniono go, że niczego nie musi się obawiać?

Czułam się odrobinę dziwnie, objeżdżając całą prowincję i widząc wszędzie plakaty z moją twarzą. Zdobiły one samochody, wystawy sklepowe, nawet domy. Zaczęła narastać we mnie panika. A jeśli zawiodę tych ludzi? Co, jeżeli nie wywiążę się ze złożonych obietnic, jeśli nie zdołam zapewnić podstawowych świadczeń społecznych, których tak bardzo potrzebowali?

Nocami nachodziło mnie zwątpienie. Obawiałam się, że choć tym razem mogę wygrać kampanię, to w trakcie kadencji utracę zaufanie wyborców. Nie mogłam znieść myśli, że przestaną mi ufać ci mili staruszkowie o szczerych twarzach, te kobiety, które ściskały mnie stwardniałymi od pracy dłońmi i mówiły, że moja walka jest także ich walką.

Ludzie mnie lubili, gdyż potrzebowali kogoś, kto im pomoże. Realistyczny program wyborczy to jedno, ale przekonanie do siebie wyborców, których nie jestem w stanie uczynić bogatymi jak za dotknięciem czarodziejskiej różdżki, to już inna sprawa. Pewna kobieta zapytała mnie, czy mogę jej zapewnić darmowe mieszkanie w Kabulu. Naprawdę wierzyła, że mogę to dla niej załatwić. Musiałam jej wyjaśnić, że to nie jest zadanie dla deputowanego, a przynajmniej nie dla takiego jak ja – nieuznającego korupcji.

Im dłużej trwała kampania, tym większą czułam ekscytację. Mój dzień rozpoczynał się o świcie – o czwartej rano. Rzadko kładłam się spać przed północą. Codziennie odbierałam około dwustu telefonów od ludzi chcących mnie o coś zapytać lub zgłosić się do pracy przy kampanii jako wolontariusze. Przedsięwzięcie nabierało rozmachu.

Pamiętam, jak raz zadzwonił do mnie mężczyzna, który powiedział, że żadna kobieta w jego rodzinie – ani żona, ani matka – nie ma kart do głosowania, ponieważ nie pozwolił im na udział w wyborach. Obie jednak namawiały go, by zagłosował właśnie na mnie. Nie miał pojęcia, kim jestem ani jakie mam poglądy, więc zadzwonił, aby się tego dowiedzieć. Był wcieleniem tradycjonalizmu: nie pozwalał głosować żonie, ale na tyle szanował jej zdanie, że zadał sobie trud, aby poznać kandydata, który najbardziej przypadł jej do gustu. Przypominał mi trochę ojca. Na zakończenie rozmowy obiecał oddać na mnie głos. Mam nadzieję, że w kolejnych wyborach pozwolił głosować również swojej żonie.

Odbierałam też telefony pełne nienawiści. Wydzwaniali do mnie mężczyźni, którzy mówili mi, że jestem dziwką, bo próbuję się dostać do parlamentu. Niektórzy po prostu krzyczeli na mnie, kazali mi wracać do domu i zostawić politykę mężczyznom. Inni jeszcze twierdzili, że jestem złą muzułmanką i powinno się mnie ukarać. Starałam się tym nie przejmować, ale w jakimś stopniu zawsze mnie to bolało.

W jednym z miast odwiedziliśmy dom należący do sióstr mojej matki. Jako dziecko uwielbiałam tu przyjeżdżać. Pamiętam, że tutejsze kobiety były wielce wytworne, zwłaszcza jedna ciotka, która zawsze nosiła makijaż. Ich dom wiecznie rozbrzmiewał gwarem, panowała w nim ciepła i serdeczna atmosfera, a w powietrzu unosił się aromat perfum. Teraz dom spowijała cisza. Spośród wszystkich domowników przeżyły tylko dwie kobiety, wdowy, które mieszkały tu z kilkorgiem dzieci osieroconych przez ich krewnych. Serce się krajało na ten widok. To był dom pełen ludzi o przeraźliwie smutnych spojrzeniach. Wśród nich wyróżniał się Nadżibullah. Miał około dziewięciu lat i cudowne ciemnobrązowe oczy, które przypominały mi Mukima. Okazało się, że to wnuk ulubionego brata mojej matki, tego samego, który chciał zabrać Bibi Jan do rodzinnego domu, gdy się dowiedział, że bije ją mąż. Wuj zginął później z całą rodziną podczas wojny domowej, przeżył jedynie mały Nadżibullah. Nie mogłam go zostawić w tym przepojonym smutkiem domostwie, zaproponowałam więc, że wezmę go ze sobą. Dzisiaj jest wesołym nastolatkiem i mieszka razem ze mną, Szuhrą i Szaharzad w Kabulu. Chodzi do szkoły, dobrze się uczy, a ponadto świetnie dogaduje się z dziewczynkami i bardzo pomaga mi w domu.

Trzydzieści sześć godzin przed wyborami czekały mnie jeszcze wizyty w dwóch dystryktach, przy czym oba dzieliło pięć godzin drogi. Według przepisów dwadzieścia cztery godziny przed głosowaniem rozpoczynała się cisza wyborcza. Nie wiem, jakim cudem tego dokonaliśmy, ale zdążyliśmy odwiedzić oba dystrykty. W jednym z nich ze wzruszeniem odkryłam, że moją kampanię prowadził tam wujek Riza, ojciec Szahnaz, siódmej żony mego ojca, matki Ennajata. Choć minęło już tyle lat, wciąż mnie wspierał i mi pomagał. W czasie wojny biedak stracił wszystkie dzieci, w tym Szahnaz. Miał już swoje lata, ale wciąż cieszył się dobrym zdrowiem i towarzyszył nam na każdym kroku. Zjedliśmy z nim kolację i spędziliśmy noc w jego domu. Wujek Riza po raz kolejny przypomniał mi, jak silne mogą być rodzinne więzy.

Najbardziej jednak wzbraniałam się przed wizytą w dystrykcie Koof (ale zarazem nie mogłam się jej doczekać). Nie byłam tam, odkąd skończyłam cztery lata. To wtedy uciekaliśmy z matką wzdłuż rzeki przed goniącymi nas uzbrojonymi bandytami. Wizyta w Koof oznaczała nawrót lęków i wspomnień związanych z utratą bliskich. Samochód podskakiwał na stromych podjazdach, przejeżdżał przez płaskowyż, gdzie zginął ojciec, a ja czułam, jak zalewa mnie fala bólu. Tutaj zaczęła się historia mojej rodziny i tutaj została brutalnie zakończona.

Gdy zbliżaliśmy się do mojej wioski, ledwie mogłam oddychać. Jechaliśmy główną drogą, wijącą się wokół domów – tą samą, którą ojciec pokonywał wraz z kolejnym weselnym orszakiem. Zniszczenia, jakich dokonała tu wojna, były porażające. Strumyk, w którym kąpaliśmy się jako dzieci, niemal zupełnie wysechł. Niegdyś świeża, krystalicznie czysta i wartko płynąca woda zamieniła się w brunatną strużkę. Sady i ogrody, które były niegdyś dumą matki, obróciły się w proch. Za jej czasów mieniły się kolorami odpowiednimi do sezonu: zielenią na wiosnę, różowymi jagodami i kwiatami latem, intensywną czerwienią papryki i oranżem dyni jesienią oraz brązem orzechów i purpurą warzyw w zimie. Teraz nie rosło tam nic, tylko gałęzie kilku martwych drzew sterczały w niebo jak powykrzywiane szkielety.

Hooli, nasz dom, wciąż jeszcze stał, ale znajdował się w ruinie. Całe zachodnie skrzydło, włącznie z pawilonem gościnnym, uległo zniszczeniu. Z olbrzymiej gruszy na środku podwórka ostał się tylko kikut. Podczas wojny drzewo zostało trafione pociskiem artyleryjskim. Było ono świadkiem tylu wydarzeń; to w jego gałęziach chowałam się przed matką, gdy coś przeskrobałam, to pod nim ojciec ukrywał broń, a mudżahedini, chcąc wyciągnąć informację, gdzie znajduje się skrytka z bronią, tłukli kolbami karabinów moją siostrę i bratową.

Odnalazłam Paryski Apartament ojca. Na jego ścianach wciąż jeszcze dało się dostrzec ślady barwnych malowideł. W tym pokoju sypiali moi rodzice, tutaj zostałam poczęta, tu matka obmywała ciało ojca z odstrzeloną połową czaszki, przygotowując je do pochówku. Dotknęłam dłonią ściany, próbując wyczuć pod palcami pozostałości kolorowych ornamentów. Ojciec szczycił się tymi malowidłami. Według niego były one

równie piękne jak te, które znaleźć można w pałacu królewskim w Wersalu, a może nawet piękniejsze.

Wreszcie zdobyłam się na odwagę i weszłam do kuchni. Tym miejscem władała niegdyś moja mama. Tu spaliśmy na rozwijanych na noc materacach, a mama opowiadała mi i pozostałym dzieciom historie o odległych krainach, królach i królowych; tutaj przygotowywano wszystkie przyjęcia i bankiety. Przez okno w kuchni przyglądaliśmy się padającemu deszczowi i prószącemu śniegowi, wschodom i zachodom słońca. Kiedyś myślałam, że przez to okno widać cały świat.

Wzięłam głęboki oddech i weszłam do środka. Nogi nieco się pode mną ugięły. Wydawało mi się, że widzę matkę pochyloną nad garnkiem z chochlą w dłoni i czuję zapach gotowanego mięsa, a także ciepło promieniujące ze stojącego na środku kuchni pieca chlebowego. Przez chwilę znów miałam cztery lata i ona była ze mną. Czułam jej obecność. A później wszystko się rozwiało i zostałam sama. Byłam tylko ja, dorosła Fawzia stojąca w opustoszałym pomieszczeniu, które w niczym nie przypominało już tego miejsca, które mogłoby pomieścić cały świat. Dopiero teraz dotarło do mnie, jak mała jest ta kuchnia. To tylko liche pomieszczenie z glinianymi ścianami i maleńkim okienkiem wychodzącym na pojedynczy górski łańcuch – żaden tam cały świat.

Siedziałam w kuchni, wpatrując się w okno, aż w końcu zapadł zmierzch, a na niebie pojawił się półksiężyc otoczony przez rój migoczących gwiazd. Nikt mi nie przeszkadzał. Wszyscy wiedzieli, że potrzebuję wsłuchać się w te mury i poczuć bliskość matki.

Wyszłam z *hooli* tylnymi drzwiami i wspięłam się na wzgórze, gdzie pochowano ojca. Stamtąd roztaczał się najlepszy widok na góry – to była pełna, niczym niezakłócona panorama jego własnego raju. Uklękłam i pomodliłam się. Potem usiadłam i zaczęłam rozmawiać z ojcem. Poprosiłam go o wskazówki i rady, które pomogłyby mi podczas czekającej mnie drogi.

Pewnie było to szokujące: oto córka, a nie któryś z synów, postanowiła kontynuować rodzinne tradycje. Obiecałam ojcu, że go nie zawiodę.

Zrobiło się już ciemno i chłodno, przyszła więc po mnie jedna z przyjaciółek matki – kobieta, która pracowała kiedyś dla nas jako służąca. Rozpłakała się nad grobem ojca i wyznała mi, że nie ma dnia, by nie wspominała moich rodziców. Jej zdaniem Bibi Jan była pełna dobroci i wszystkich traktowała tak samo, zarówno bogatych, jak i biednych. Natomiast wakil Abdul Rahman, choć czasami potrafił być przerażający, zawsze dążył do poprawy losu przyjaciół i sąsiadów, bez względu na to, ile sam w związku z tym musiał poświęcić.

Kobieta pogłaskała mnie po policzku i spojrzała mi prosto w oczy:

– Fawziu, wygrasz te wybory i zasiądziesz w parlamencie. Wygrasz je dla swoich rodziców. Wygrasz.

Nie była to bynajmniej deklaracja wiary w moje zdolności. To był raczej rozkaz. Polityczna dynastia Koofich miała się wkrótce odrodzić.

Kochane Szuhro i Szaharzad,

życie naszej rodziny od zawsze obracało się wokół polityki. Przez pokolenia to ona właśnie kształtowała nas i definiowała, kim jesteśmy, a czasami też dyktowała, kogo mamy poślubić.

Zawsze podzielałam zamiłowanie naszej rodziny do polityki, lecz nigdy nawet nie podejrzewałam, że zwiążę z nią swoją karierę. Chciałam przecież zostać lekarką i leczyć ludzi.

Widziałam, jak mój ojciec zginął przez politykę. I przede wszystkim z tego właśnie powodu nigdy nie chciałam dla siebie takiego życia.

Wygląda jednak na to, że nie miałam wielkiego wyboru. Polityka zawsze była moim przeznaczeniem. W pewnym sensie do mojego politycznego rozbudzenia przyczyniło się aresztowanie Waszego ojca. Nie mogłam wówczas siedzieć bezczynnie w domu i czekać. Musiałam zebrać odpowiednie środki, znaleźć sojuszników, spróbować spojrzeć na całą sytuację z szerszej perspektywy i doprowadzić do jego uwolnienia.

Miałam już dość słuchania o tym, że mam stać cicho z boku, aby nie przynosić hańby mężczyznom. Jak na razie bowiem bierna postawa donikąd nas nie doprowadziła.

Byłam przecież wykształcona i miałam swój głos, postanowiłam więc wykorzystać oba te atuty, by pomóc Hamidowi.

Ten właśnie głos i pragnienie, by pomagać ludziom, którzy znaleźli się w kłopotach, do dziś prowadzą mnie przez życie i politykę.

Być może fakt, że zawiodłam Waszego ojca, stanowi dla mnie jeszcze większą motywację. Każda krzywda, którą pomagam naprawić jako deputowana, może choć w części wynagradza to, czego w ostateczności nie udało mi się osiągnąć: uratować jego życia.

Ściskam Was,
mama

CZAS NA ZMIANĘ

2005

W dniu wyborów panował radosny nastrój. Moje siostry organizowały darmowy transport dla kobiet, aby mogły się one bez problemów dostać do lokali wyborczych i wrócić do domów. Nie chodziło o to, by wybrały mnie; zależało nam, aby wszystkie uprawnione do głosowania kobiety w rzeczywistości miały szansę wziąć udział w wyborach, bez względu na to, którego kandydata chcą poprzeć. Siostry były ubrane w burki, więc jadące autobusami kobiety nie wiedziały, z kim mają do czynienia. Dzięki temu udało się przeprowadzić sondaż wyborczy, którego wyniki były w miarę zbliżone do faktycznych rezultatów głosowania. Gdy tylko autobusy zatrzymały się przed punktami wyborczymi, siostry wpadły podekscytowane do mojego biura. Niemal wszystkie jadące kobiety zadeklarowały, że będą głosować na mnie.

Wtedy już wiedziałam, że wygram, ale wciąż siedziałam jak na szpilkach. To przecież Afganistan i wszystko może się zdarzyć. Bałam się, że w każdej chwili mogę zostać zamordowana. Otrzymałam już kilka gróźb tego rodzaju, ktoś nawet podłożył bombę pod mój samochód. Bardziej jednak martwiła mnie inna sprawa: co się stanie, gdy już wygram wybory? Jak sobie poradzę z presją i oczekiwaniami wyborców?

Lokale wyborcze otwarto o szóstej rano. Jedna z moich sióstr wynajęła samochód z kierowcą, żeby odwiedzić możliwie najwięcej punktów wyborczych i sprawdzić, czy nie dochodzi w nich do żadnych matactw, w cieniu których odbywały się niemal każde wybory w Afganistanie. Zatelefonowała do mnie już z pierwszego lokalu. Krzyczała, wręcz wrzeszczała do słuchawki:

– Fawzia, tu się dzieje coś niedobrego! Tutejsza komisja wyborcza popiera jednego z kandydatów. Oni są stronniczy! Mówią ludziom, na kogo mają głosować!

Zadzwoniłam do znajomych nadzorujących pracę komisji wyborczych i poprosiłam, by kogoś tam wysłali. Jeden z zachodnich obserwatorów pojechał sprawdzić, jak przedstawia się sytuacja, i oddzwonił, informując, że wszystko jest w porządku. Ale przed obcokrajowcem nikt się przecież nie przyzna do oszustwa.

Później dostałam telefon z innego dystryktu: tam również dopuszczają się różnych oszustw. Jeden z kandydatów był bratem miejscowego komendanta policji i wszystkim policjantom nakazano głosować właśnie na niego. Nasz sztab wyborczy ruszył do akcji. Zaczęliśmy obdzwaniać wszystkich znanych nam dziennikarzy – z BBC, lokalnych rozgłośni radiowych – każdego, kto tylko przyszedł nam na myśl. Musieliśmy rozesłać informacje, że wiemy o oszustwach wyborczych. Tylko w ten sposób można było położyć im kres.

Nadir – mój przyrodni brat, który sam chciał startować w wyborach – sprzeciwiał się mojej kandydaturze. Powodem tego było raczej przekonanie, że parlament nie jest miejscem odpowiednim dla kobiety, niż zemsta za przegraną w wyborach na szczeblu rodzinnym. Gdyby zamiast mnie do parlamentu startował któryś z pozostałych braci, Nadir cieszyłby się o wiele bardziej. Podobno na początku kampanii wściekał się za każdym razem, gdy zobaczył moją twarz na plakatach wyborczych; niektóre z nich zrywał nawet z murów. W dniu wyborów jednak lojalność wobec rodziny okazała się ważniejsza niż osobiste pretensje. Cały dzień jeździł do najbardziej odległych lokali wyborczych, by monitorować, co się w nich dzieje. Kiedy drogi nie nadawały się do jazdy, wysiadał z samochodu i szedł przez góry na piechotę. Choć najpierw nie chciał, bym kandydowała, teraz nie zamierzał dopuścić do tego, aby jego mała siostrzyczka przegrała w wyniku oszustwa. Byłam mu za to ogromnie wdzięczna.

Na koniec dnia zebrano i przewieziono do Fajzabadu wszystkie urny. Na noc skrzynki zostały zamknięte, a rankiem miało się rozpocząć liczenie głosów. Członkowie mojego sztabu obawiali się, że komisja wyborcza może dopuścić się jakichś nieuczciwości w związku z urnami, dlatego dwóch z nich postanowiło spędzić noc pod jej siedzibą. Nie mieli ze sobą nawet koców, ale mimo chłodu dzielnie czuwali do rana. Byłam naprawdę wzruszona okazywanym mi poświęceniem, choć w gruncie rzeczy robili to, aby pomóc naszemu krajowi i rozwojowi demokracji. Nie zmienia to faktu, że zaangażowanie tych młodych ludzi wręcz ujmowało.

Proces liczenia głosów trwał w sumie dwa długie tygodnie, ale wszystko wskazywało na to, że bez względu na fałszerstwa i tak zdobędę mandat do parlamentu.

Towarzyszące mi napięcie opuściło mnie i wreszcie mogłam odrobinę odpocząć. Wieczorem jadłam ze znajomymi kolację, gdy z Danii zadzwonił Mirszakaj. Histerycznie szlochając, powiedział, że jego najstarszy syn, Nadżib, utonął tego popołudnia.

Mirszakaj miał dwie żony: z drugą mieszkał w Danii, a pierwsza wolała zostać w Afganistanie. Nadżib był jedynym dzieckiem z pierwszego małżeństwa. Ten pełen uroku, dobry chłopak pracował przy mojej kampanii. Nazajutrz po wyborach wybrał się z przyjaciółmi na piknik i postanowił popływać w rzece. Porwał go prąd. Nie mogłam w to uwierzyć. Dlaczego każde szczęśliwe wydarzenie w naszej rodzinie musi kończyć się czyjąś tragedią, śmiercią?

W pierwszym tygodniu podliczania głosów wiedzieliśmy już, że niektórzy członkowie komisji wyborczych oszukują. Widziano, jak usuwają karty do głosowania z moim nazwiskiem i nie biorą ich pod uwagę przy liczeniu. Przyłapał ich na tym jeden z moich sympatyków. Wpadł w szał i zaczął krzyczeć:

– Ta kobieta, startując w wyborach, ryzykuje życiem! Dlaczego nie liczycie oddanych na nią głosów? Należę do młodego pokolenia, które chce, żeby to ona nami rządziła.

Wkrótce kłótnia stała się tak zażarta, że wezwano policję. Na szczęście komisarz policji potraktował te podejrzenia bardzo poważnie i zarządził ponowne przeliczenie kilku urn pod własnym nadzorem. W rezultacie otrzymałam dodatkowo trzysta głosów. Nie mieliśmy już złudzeń, że wynikami wyborów manipulowano.

Ostatecznie oddano na mnie osiem tysięcy głosów. Drugi kandydat w kolejności zdobył siedem tysięcy. Obejmował mnie system kwotowy gwarantujący miejsca w parlamencie przynajmniej dwóm kobietom z każdej prowincji. Potrzebowałam jedynie tysiąca ośmiuset głosów, by osiągnąć limit zapewniający mi mandat, ale jak się okazało, taki parytet nie był mi potrzebny.

Miałam mieszane uczucia co do systemu kwotowego. Rozumiałam, że przydaje się on w krajach tak zdominowanych przez mężczyzn jak Afganistan, gdzie kobiety potrzebują dodatkowego wsparcia, by móc wejść do świata polityki. Instytucja kwot wydawała mi się jednak dość niepokojąca, sprawiała bowiem, że ludzie nie traktowali poważnie polityków płci żeńskiej. Chciałam zdobywać głosy wyborców dzięki własnym zasługom, a nie dlatego, że jestem kobietą.

Jeszcze zanim oficjalnie potwierdzono moje zwycięstwo, uświadomiłam sobie, że polityka całkowicie odmieniła moje życie. Straciłam resztki prywatności. Pod moimi drzwiami bez przerwy stał sznur interesantów, szukających pomocy w rozwiązaniu niemalże każdego problemu: ktoś nie mógł znaleźć pracy, ktoś inny miał chorego bliskiego. Czułam się tym straszliwie przytłoczona.

Dodatkową trudność stanowił dla mnie brak męża. Większość deputowanych płci męskiej ma żony, które prowadzą dom i przyjmują gości. Posłanki z kolei są albo niezamężne, albo owdowiałe – jak ja. Niestety, to nie przypadek – niewielu afgańskich mężczyzn dopuściłoby do tego, aby ich żony zajmowały tak eksponowane stanowiska.

Miałam szczęście, że trafiłam na wyjątkowego i wspierającego mnie mężczyznę. Jestem przekonana, że Hamid zrobiłby co tylko w jego mocy, by pomóc mi w nowych obowiązkach. Gdy go zabrakło, musiałam ze wszystkim poradzić sobie sama. Dziewczynki złościły się, ponieważ nie mogłam już kłaść ich co noc do łóżka, jak to miałam w zwyczaju robić wcześniej. Męczyły mnie wyrzuty sumienia: czy aby na pewno podjęłam słuszną decyzję? Zadręczałam się (jak pewnie wszystkie pracujące matki na całym świecie), zastanawiając się, czy egoistycznie nie przedkładam własnych ambicji nad dobro dzieci. Ale wtedy pomyślałam o ojcu. Czy tak bardzo się różniliśmy od siebie? Czy on także nie czuł się winny, pozostawiając swoje żony i gromadkę dzieci na całe tygodnie? To cena, jaką musieliśmy zapłacić, aby służyć ludziom. Pocieszająca była też myśl, że zdecydowałam się zostać politykiem, aby moje córki mogły dorastać w o wiele lepszym kraju.

Wkrótce jednak rozpoczęła się kampania oszczerstw pod moim adresem. Wtedy też zdałam sobie sprawę, jak trudno być kobietą w świecie zdominowanym przez mężczyzn. Rozwścieczeni moim zwycięstwem rywale zaczęli wylewać na mnie kubły pomyj. Insynuowali, że mam bogatego amanta – biznesmena z Dubaju, który sfinansował mi kampanię – oraz że sfałszowałam swój życiorys. Najbardziej bolesne były jednak pomówienia, jakobym rozwiodła się z Hamidem, by móc wystartować w wyborach, a następnie rozpuściła plotki o jego śmierci. Utrzymywano, że mój mąż cieszy się dobrym zdrowiem i mieszka gdzieś w górach.

Te oskarżenia wywoływały we mnie prawdziwą furię. Nie zdążyłam jeszcze zakończyć żałoby po mężu, a złe języki już śmiały wygadywać wstrętne rzeczy. Niestety, takie przykrości nie spotkały wyłącznie mnie. Większość znanych mi kobiet zajmujących się polityką zmagało się z równie kłamliwymi pogłoskami, które były nie tylko krzywdzące, lecz także niebezpieczne. Życie kobiet w Afganistanie często zależało od ich reputacji, o czym doskonale wiedzieli moi przeciwnicy. Ich kłamstwa mogły doprowadzić do czyjejś śmierci, nie byłam więc w stanie zrozumieć, po co je rozgłaszają. Czy ludzie ci – wybrańcy narodu, osoby, które utrzymywały, że chcą pomóc Afganistanowi – nie zdawali sobie sprawy z konsekwencji swoich działań? Uważam, że rozsiewanie plotek i kłamstw na temat innych osób jest grzechem i stoi w sprzeczności z zasadami islamu. Ci, którzy tak postępują, poniosą karę.

Po wyborach nastał szalony okres. Bywały dni, że przychodziło się ze mną spotkać nawet pięciuset ludzi. Niekiedy część z nich musiała siedzieć na korytarzu, bo brakowało miejsca. Wszyscy chcieli wiedzieć, jaki mam plan działania i co zamierzam dla nich zrobić. Musiałam więc każdemu z osobna tłumaczyć to samo. Nie dałam jednak rady funkcjonować w ten sposób zbyt długo, więc po kilku tygodniach zatrudniłam pracowników, którzy zajęli się organizacją pracy mojego biura, w tym umawianiem spotkań.

W październiku 2005 roku, po trzydziestu trzech latach nieprzerwanych konfliktów, rozpoczął działalność nowo wybrany demokratyczny parlament. W dniu otwarcia obrad nie mogłam usiedzieć na miejscu z podniecenia. Ze względu na ryzyko ataku zamachowców-samobójców, chcących przeszkodzić w uroczystościach, zamknięto ulice. Ludzie jednak i tak stali na chodnikach, machając flagami i tańcząc nasz narodowy taniec – *attan*.

Wszystkie deputowane pojechały do siedziby parlamentu jednym autobusem. Na widok tańczących na ulicach Afgańczyków moje serce przepełniała radość. Kiedy minęłyśmy olbrzymi plakat prezydenta Karzaja i Ahmada Szaha Masuda, rozpłakałam się. Czułam, że jestem częścią nowego Afganistanu, który wreszcie zostawia za sobą czas terroru i wkracza w erę pokoju. Wyrzeczenia, które mnie czekały, były tego warte.

Rozpierała mnie duma i po raz pierwszy w życiu czułam się dojrzała. Miałam wrażenie, że dzięki zdobytej władzy i otwierającym się przede mną możliwościom mogę zmieniać rzeczywistość. Byłam niesamowicie szczęśliwa, choć wciąż nie mogłam powstrzymać płaczu. Od kiedy zmarł Hamid, rzadko zdarzało mi się płakać. Tyle już wycierpiałam: najpierw zamordowanie ojca i utrata domu, potem śmierć brata, matki, męża. Przez te wszystkie lata zdążyłam się tak napłakać, że ostatnio nie znajdowałam już w sobie żadnych łez. Ale w tym doniosłym dniu płakałam niemal bez ustanku. Tym razem jednak były to łzy szczęścia.

Nigdy wcześniej nie byłam w budynku parlamentu i ogarnęło mnie wielkie podniecenie na myśl, że to moje nowe miejsce pracy. Na mocy nowej konstytucji funkcję głównego organu władzy ustawodawczej w Afganistanie pełniło Zgromadzenie Narodowe. To dwuizbowe ciało składało się z izby niższej zwanej Wolesi Dżirga (Izba Ludowa) oraz izby wyższej znanej jako Meszrano Dżirga (Izba Starszych). Znalazłam się wśród sześćdziesięciu ośmiu kobiet z izby niższej oraz dwudziestu trzech zasiadających w wyższej izbie parlamentu. Izba Ludowa składa się z dwustu pięćdziesięciu członków wybieranych w wyborach bezpośrednich na pięcioletnią kadencję, a liczba reprezentantów danej prowincji jest proporcjonalna do liczby jej mieszkańców. Kwota dwóch kobiet z każdej prowincji została wprowadzona po to, by zagwarantować, że kobiety w ogóle zasiądą w parlamencie. Jedna trzecia członków Izby Starszych wybierana jest przez władze poszczególnych prowincji na okres czterech lat, jedną trzecią wybierają władze dystryktów na trzy lata, a pozostałą część członków mianuje prezydent. Tutaj również wyznaczono kwotę określającą liczbę reprezentantek. Istnieje jeszcze Stera Mahkama (Sąd Najwyższy), czyli główny organ władzy sądowniczej w Afganistanie. Składa się on z dziewięciu sędziów mianowanych przez prezydenta na dziesięcioletnią kadencję, a zatwierdzanych przez parlament. Sędziowie muszą mieć skończone przynajmniej czterdzieści lat i legitymować się dyplomem ukończenia studiów prawniczych lub muzułmańskiej szkoły prawnej, poza tym nie mogą mieć powiązań z partiami politycznymi.

Gdy rozejrzałam się po sali obrad, uzmysłowiłam sobie, że niektórzy z moich nowych współpracowników to byli prezydenci, ministrowie, gubernatorzy oraz słynni przywódcy mudżahedińscy. Wszyscy siedzieli ze mną w jednej sali. Wśród nich znajdował się również Zahir Szah, były król Afganistanu, który już tyle lat temu obiecywał wprowadzić demokrację i któremu służył mój ojciec. Choć był bardzo sędziwy, a ostatnie lata spędził na emigracji w Europie, postanowił wrócić do rodzinnego kraju i być tutaj w tym historycznym dniu.

Wszyscy wstaliśmy do hymnu narodowego. Gdy rozejrzałam się po otaczających mnie twarzach nowo wybranych parlamentarzystów, miałam wrażenie, jakby zgromadził się tu cały Afganistan. Widziałam mężczyzn w turbanach i długich płaszczach, intelektualistów w eleganckich garniturach i krawatach, młodych, starców, kobiety i przedstawicieli niemal każdej grupy etnicznej. Oto, czym jest dla mnie demokracja: to ludzie o różnych poglądach, wierzeniach i doświadczeniach, zgromadzeni pod jednym dachem po to, aby razem pracować dla wspólnego celu. Po tylu latach przelewania łez i krwi był to cudowny widok. A jeszcze bardziej cudowne było to, że mogłam w tym wszystkim uczestniczyć.

Podczas uroczystego posiedzenia usłyszeliśmy znacznie więcej pieśni narodowych, wśród nich jedną z moich ulubionych, *Daz Ma Zeba Watan* (co można przetłumaczyć jako *To kraj naszych przodków*). Jej słowa doskonale oddają moje uczucia do Afganistanu:

> *To nasz piękny kraj*
> *To nasz ukochany kraj*
> *Ten kraj to nasze życie*
> *To Afganistan*

> *Ten kraj to nasze życie*
> *Ten kraj to nasza wiara*
> *Nasze dzieci wiedzą to od kołyski*
> *To kraj naszych przodków*

> *Jakże nam drogi jest*
> *Afganistan*
> *Służę jego rzekom*
> *Służę jego pustyniom*
> *Służę jego strumieniom*

> *To kraj, który znamy*
> *Moje serce rozświetla*
> *Afganistan*

Nasze serca rozświetla
Afganistan

To nasz piękny kraj
To nasz ukochany kraj
Ten kraj to nasze życie
To Afganistan

Gdy uroczystości otwierające pierwsze posiedzenie parlamentu dobiegły końca, trzeba się było zabrać do pracy. Zależało mi na tym, by nikt mnie nie lekceważył jedynie dlatego, że jestem „tylko kobietą", więc zabrałam głos już pierwszego dnia i szybko zyskałam sobie reputację osoby szczerej i kompetentnej. Dałam też jasno do zrozumienia, że jako profesjonalistka zamierzam współpracować ze wszystkimi. Wielu deputowanych sprzeciwiało się obecności kobiet w parlamencie i ze wszystkich sił próbowało nas zastraszyć. Niektórzy zagłuszali nas, kiedy przemawiałyśmy. Inni wychodzili z sali. Jeszcze inni z pogardą i lekceważeniem odnosili się do tych mężczyzn, którzy okazywali parlamentarzystkom poparcie. Gdy w trakcie debaty nad systemem szkolnictwa pewien mężczyzna poparł stanowisko jednej z kobiet, pozostali mężczyźni po prostu go zakrzyczeli. Zaczęli go wyśmiewać i szydzić, że jest „feministą", a to największa obelga, jaka może spotkać Afgańczyka.

Zdołałam się jednak przyzwyczaić do gorącej atmosfery panującej w afgańskim parlamencie i rękoczynów, do których czasem tam dochodzi. Na przykład, zgodnie ze zwyczajem, gdy jedna osoba poczuje się obrażona przez drugą, szarpie ją za brodę. W niektóre dni do takich zdarzeń dochodzi na okrągło. Ja jednak doszłam do wniosku, że okazywanie sobie wrogości lub przekrzykiwanie się do niczego nie prowadzą. Zamiast tego starałam się stworzyć atmosferę wzajemnego szacunku. Spokojnie wysłuchiwałam argumentów moich oponentów, a następnie próbowałam wypracować jakąś płaszczyznę porozumienia. Demokracja polega na walce o własne przekonania, ale również na umiejętności zaakceptowania tego, że mamy prawo się ze sobą nie zgadzać.

Jednocześnie przyrzekłam sobie nigdy nie zapominać o wyznawanych przez mnie zasadach i wartościach. Jeśli ktoś zawsze płynie tylko z prądem popularnych przekonań, to szybko traci z oczu to, w co wierzy. Fundamentalne dla mnie wartości, takie jak prawa człowieka i równouprawnienie płci, walka z ubóstwem i zwiększenie dostępu do edukacji, nigdy się nie zmienią. Niestety, niektóre z kobiet nie potrafiły się odnaleźć w parlamencie. Do dziś nie usłyszałam, aby podczas obrad odezwały się choćby słowem. To wyjątkowo smutne. Inne z kolei mówiły zdecydowanie za dużo, jak Malalaj Dżoja, młoda parlamentarzystka, która została w 2007 roku zawieszona w prawach deputowanej. Uznano, że podczas wywiadu telewizyjnego obraziła niektórych kolegów z parlamentu, twierdząc, że powinni oni mieszkać w zoo lub w stajni, i tym samym złamała przepisy zabraniające krytykowania innych deputowanych. Podziwiałam jej pasję i zaangażowanie, dlatego też było mi naprawdę przykro, że spotkał ją taki los. Zgubiło ją chyba zbyt duże zaangażowanie. W parlamencie niewiele można osiągnąć krzykiem. Polityka to długofalowa rozgrywka, a rozsądny polityk musi działać zgodnie z jej regułami. Współdziałanie, umiejętność pójścia na ustępstwa i dążenie do tego, by znaleźć płaszczyznę porozumienia – to niekiedy jedyne sposoby, by popchnąć do przodu inicjatywę ustawodawczą.

Pierwszego dnia obrad wszyscy nowo wybrani parlamentarzyści musieli z ręką położoną na Koranie przysiąc wierność swemu krajowi. Obiecywaliśmy uczciwość wobec Afganistanu i jego obywateli. Gdy tuż przed zaprzysiężeniem położyłam rękę na księdze, poczułam się przytłoczona spoczywającą na mnie odpowiedzialnością.

Z przykrością muszę jednak przyznać, że patrząc na szalejącą obecnie w kraju korupcję, obawiam się, że nie wszyscy moi koledzy wzięli sobie słowa przysięgi do serca.

Na drugi dzień rozpoczęła się debata przed wyborami do władz parlamentu, czyli na stanowiska przewodniczącego izby, wiceprzewodniczących oraz sekretarzy. Nawiązałam już znajomości z innymi deputowanymi, na przykład z Sabriną Saqib, która była zresztą najmłodszym członkiem parlamentu. Zwierzyłam się jej, że zamierzam ubiegać się o urząd wiceprzewodniczącej Izby Ludowej. Niczym nie ryzykowałam, a nawet jeślibym przegrała, to dzięki samemu aktowi kandydowania silniej zaznaczyłabym obecność kobiet na najwyższych szczeblach władzy. Sabrina przyznała mi rację, że wyjdzie to na dobre wszystkim kobietom, ale ostrzegła, że raczej nie mam szans na zwycięstwo i na pewno natknę się na wielki opór ze strony niektórych mężczyzn. Obawiała się również, że nie jestem jeszcze wystarczająco rozpoznawalna i nie mam wsparcia ze strony parlamentarzystów o znanych nazwiskach.

Następnie porozmawiałam o tym z rodziną. Moi bliscy także doradzali mi ostrożność. Nadir, który pełnił funkcję naczelnika dystryktu Koof, był temu absolutnie przeciwny.

– Fawziu, wchodząc do parlamentu, osiągnęłaś już dostatecznie wiele jak na kobietę – powiedział mi. – Powinnaś nieco pohamować swoje ambicje. Tym razem przegrasz. A to nie wpłynie najlepiej na polityczną reputację Koofich. W polityce nie chodzi przecież wyłącznie o ciebie, ale o dobre imię całej rodziny.

To mnie ubodło, ale zrozumiałam, co próbował mi powiedzieć. Uprawianie polityki w Afganistanie polega zazwyczaj na wygrywaniu walk z innymi lub gromadzeniu coraz większej władzy, nie postrzega się jej jako narzędzia, za pomocą którego ludzie mogą wyrażać opinie lub realizować swoje zamierzenia. Dawniej, gdy członek któregoś z politycznych rodów ponosił klęskę w wyborach, rujnowało to opinię całej rodzinie. Byłam jednak gotowa podjąć takie ryzyko. Brałam bowiem udział w znacznie ważniejszej walce – tu chodziło o to, by dobrze służyć swoim rodakom.

Na koniec porozmawiałam z sześcioletnią Szuhrą i siedmioletnią Szaharzad. To córki zareagowały najlepiej. Szuhra, przejawiając już w tak młodym wieku prawdziwe talenty polityczne, wpadła na pomysł świetnej kampanii.

– Zbiorę sto dzieci z mojej szkoły i dam im flagi – oznajmiła. – Potem przyjdziemy do parlamentu i będziemy prosić wszystkich, żeby głosowali na ciebie.

Dałam jej dużego buziaka w ramach podziękowania. Ten wyjątkowo wyrafinowany jak na sześciolatkę pomysł wywarł na mnie ogromne wrażenie i czułam się niesamowicie dumna, że moja córka stawia sobie tak duże wyzwania.

Szaharzad jest delikatnym i życzliwym dzieckiem, przypominającym pod tym względem swojego ojca. Wzięła mnie za rękę, posłała mi długie, pełne powagi spojrzenie i powiedziała:

– Mamo, jedna z kobiet powinna zajmować wyższe stanowisko w parlamencie. I lepiej, żebyś to była właśnie ty, bo wiem, że jesteś najlepsza. Wiem, że przez to będziesz jeszcze mniej z nami przebywać i jeszcze ciężej pracować, ale jakoś damy sobie radę.

Nieomal się rozpłakałam. Jestem pewna, że dokładnie to samo powiedziałby mi Hamid.

Postanowiłam więc kandydować.

Na korytarzach w budynku parlamentu słychać było rozmowy tylko na jeden temat: kto startuje w wyborach do władz? Moja kandydatura wielu deputowanym – zwłaszcza tym, którzy dorobili się ogromnych pieniędzy w trakcie wojny domowej na spekulacjach i dzięki działalności przestępczej – wydawała się wielką kpiną. To jedynie wzmagało moją determinację, by objąć stanowisko wiceprzewodniczącej. Co zamożniejsi kandydaci zaczęli zabiegać o przychylność deputowanych, wydając wystawne przyjęcia w swoich domach, eleganckich kabulskich restauracjach i hotelach. Nie dysponowałam funduszami na tego typu bankiety. Zauważono, że jako jedyna spośród kandydatów nie zorganizowałam żadnej imprezy. W noc przed głosowaniem siostra pomogła mi urządzić skromną kolację w niezbyt drogiej i mało wykwintnej restauracji. Na więcej nie mogłam sobie pozwolić. Zjawiło się około dwudziestu deputowanych. Noc była strasznie mroźna, a w środku panował taki ziąb, że z naszych ust buchała para. Poprosiłam kierownika restauracji, by znalazł nam jakieś ogrzewanie. Przytargał więc *bukhari* – tani i stary grzejnik olejowy, z którego ulatniały się trujące opary. Jedzenie było zimne i obrzydliwe. Po jakimś czasie goście przestali się wzajemnie widzieć z powodu unoszących się z grzejnika kłębów dymu. Trzęsłam się z nerwów, ale starałam się nie dać nic po sobie poznać i zachowywać się jak dobra gospodyni.

Po powrocie do domu przyznałam się siostrze, że po prostu zawaliłam na całej linii. Po tak katastrofalnym przyjęciu nikt nie zechce oddać na mnie głosu. Umiejętność zabawiania gości i wywiązywania się z obowiązków dobrego gospodarza to ważna część naszej kultury. Jeśli zawiedziesz, ludzie nie będą mieli dla ciebie litości.

Dziewczynki już spały. Położyłam się obok nich, ale nie mogłam zasnąć. Nazajutrz odbędzie się głosowanie, a przed nim wszyscy kandydaci mają wygłosić krótkie przemówienia. Wstałam więc w środku nocy, by napisać odpowiedni tekst. Siedziałam aż do rana, wpatrując się w pustą kartkę i nie mając pojęcia, od czego zacząć ani co powiedzieć. Zwykle uwielbiam pisać przemówienia, przychodzi mi to bez trudu, lecz tym razem coś się we mnie zablokowało. Zaczęłam pisać, składać różne obietnice, ale nie brzmiało to właściwie. Darłam na strzępy jedną wersję za drugą.

Wszystkich kandydatów poproszono o przygotowanie bardzo zwięzłych przemówień, ale ja chciałam w pełni zaprezentować siebie oraz wyznawane przeze mnie wartości, a tego po prostu nie da się zawrzeć w kilku zdaniach. Tymczasem zaczęło już świtać. Miałam przed sobą trzecią lub czwartą z kolei wersję przemówienia. Spojrzałam na nią raz jeszcze. To wciąż nie to. Podarłam kartkę i postanowiłam improwizować. Kiedy tylko stanę naprzeciw deputowanych, będę wiedziała, co powiedzieć.

Wszyscy kandydaci oraz ich stronnicy do ostatnich chwil zabiegali o głosy. Poza mną na stanowisko wiceprzewodniczącego kandydowało jeszcze dziesięć osób. Wszystkie, z wyjątkiem mnie, były powszechnie znane, niektóre w dodatku bardzo wpływowe. Około dziesiątej rano odwiedził mnie członek sztabu jednego z rywali, prosząc, bym wycofała swoją kandydaturę. Za rezygnację zaproponował pokaźną kwotę. To przerażające, choć wcale mnie to nie zaskoczyło. Jak mogło im przyjść do głowy, że można kupić zwycięstwo w tak ważnym głosowaniu? I jak w ogóle śmieli przypuszczać, że dam się przekupić?

Rozpoczęła się sesja plenarna. Siedziałam cicho z boku, próbując zebrać myśli i śledząc sytuację na sali. Było to niewątpliwie bardzo ekscytujące doświadczenie – móc nie tylko przyglądać się wydarzeniu, lecz także brać w nim udział. W końcu wezwano mnie, bym wystąpiła. Szłam w kierunku podium, czując na sobie drwiące i wściekłe spojrzenia części deputowanych. Kątem oka zauważyłam Sabrinę. Uśmiechała się do mnie życzliwie, co pomogło mi się nieco uspokoić.

Po raz pierwszy miałam wygłosić przemówienie przed innymi parlamentarzystami i z trudem przychodziło mi opanowanie drżenia całego ciała. Ale wtedy przypomniałam sobie, że zdobyłam przecież ponad osiem tysięcy głosów. Miałam pełne prawo znajdować się w tym miejscu.

Gdy rozejrzałam się wokół, odzyskałam pewność siebie i poczucie własnej wartości. Wzięłam głęboki oddech i zaczęłam od przedstawienia się. Wyjaśniłam, że chcę się ubiegać o to stanowisko, aby pokazać, że afgańskie kobiety są gotowe do podejmowania odpowiedzialnych zadań i piastowania wysokich urzędów. Byłam dobrą kandydatką, która mimo młodego wieku dysponowała ogromnym doświadczeniem zawodowym, a interesy narodowe zamierzała stawiać ponad prywatnymi. Jako świadek niszczenia Afganistanu na wszelkie możliwe sposoby wiedziałam, że potrzebujemy teraz nowych sił i nowej energii, by go odbudować. Wszystko to ujęłam w swoim wystąpieniu.

Podkreśliłam, jak bardzo kocham nasz kraj i jego kulturę, a także zapewniłam, że z pełnym poświęceniem będę się starała zmienić Afganistan na lepszy. Mówiłam szybko – jak zwykle, gdy moje słowa płyną prosto z serca – i byłam na tym tak skupiona, że z początku nawet nie usłyszałam oklasków, które stopniowo stawały się coraz głośniejsze. Gdy moja przemowa dobiegła końca, część deputowanych – mężczyzn, kobiet, tradycjonalistów, a nawet tych należących do grupy najbardziej wpływowych – nagrodziło mnie gromkimi brawami. Wielu podeszło do mnie z gratulacjami i podziękowaniami za szczerość. Stary przyjaciel mego ojca, Pasztun pochodzący z prowincji Kunduz, pocałował mnie delikatnie w czoło i szepnął, że zadośćuczyniłam pamięci ojca. Dzięki pozytywnej reakcji na moje wystąpienie po raz pierwszy przyszło mi na myśl, że naprawdę mogę wygrać. Gdy rozpoczęto liczenie głosów, z trudem łapałam oddech.

Zwyciężyłam sporą większością głosów. Po raz pierwszy w historii Afganistanu kobieta, „biedna dziewczyna", została wybrana na tak ważne polityczne stanowisko.

Nie mieściło mi się to jeszcze w głowie. Cała promieniałam ze szczęścia i przez chwilę miałam wrażenie, że wprost płynę w powietrzu. Nagle zewsząd otoczyli mnie dziennikarze, zasypując gradem pytań. Jakimi problemami kobiet chcę się zająć w pierwszej kolejności? Jak zamierzam wprowadzać reformy? Czy jako kobieta poradzę sobie na tak eksponowanym stanowisku? To była moja pierwsza konferencja prasowa z prawdziwego zdarzenia, więc czułam się nieco stremowana, ale starałam się udzielać szczerych i jasnych odpowiedzi. Należę raczej do tych parlamentarzystów, którzy lubią dziennikarzy. Uważam, że zapewnianie opinii publicznej dostępu do informacji i stawianie wysokich wymagań tym, którzy sprawują władzę, to ważne i wspaniałe zadania. Dlatego właśnie staram się zawsze traktować dziennikarzy z szacunkiem, na jaki zasługują.

Przez kolejnych kilka dni byłam niemal bez przerwy oblegana przez media. Nikt się nie spodziewał, że jakaś kobieta może tak wiele osiągnąć, i stałam się sensacją na skalę państwową. W każdym wywiadzie starałam się udowadniać, że nie jestem tylko chwilową gwiazdką, lecz poważnym politykiem, w pełni przygotowanym do tego, by wykonywać powierzone mi obowiązki.

Następnie prezydent Karzaj ogłosił swój gabinet ministrów. W jego składzie znalazła się tylko jedna kobieta, Masuda Dżalal, która wcześniej pracowała jako lekarka. Była również jedyną kobietą, która startowała w wyborach prezydenckich, rywalizując z Karzajem. Zdobyła jednak zbyt małą liczbę głosów i przegrała, lecz Karzaj mianował ją ministrem do spraw kobiet. Wcześniej żadna kobieta nie pełniła jakiegokolwiek ważnego stanowiska ministerialnego, co uważam za wyjątkowo przykre. Jeśli kobieta może być ministrem do spraw kobiet, dlaczego nie może być ministrem finansów? Albo łączności? Albo sprawować jakiegokolwiek innego wysokiego urzędu, oczywiście pod warunkiem że ma ku temu odpowiednie kwalifikacje? Karzaj powierzył jednak bardzo ważne stanowisko jeszcze jednej kobiecie, co odbiło się szerokim echem w kraju. 23 marca 2005 roku Habiba Sarobi objęła urząd gubernatora prowincji Bamian. Od tego czasu stała się bardzo znaną i popularną postacią afgańskiej sceny politycznej.

Kiedy już rozdzielono wszystkie stanowiska, parlament rozpoczął obrady. Było to kolejne prawdziwie historyczne wydarzenie, które telewizja transmitowała na żywo nie tylko w Afganistanie, lecz także na całym świecie. Pod nieobecność przewodniczącego Izby Ludowej to ja musiałam poprowadzić pierwszą sesję plenarną. Rozejrzawszy się po sali, uświadomiłam sobie, że przewodniczę parlamentowi, w którego ławach zasiadają byli prezydenci, ministrowie i przywódcy mudżahedinów. Nie byłam jednak zdenerwowana. Debatowanie stanowi jedną z tych rzeczy, które sprawiają mi w życiu największą przyjemność, więc czułam się wspaniale, mogąc prowadzić obrady. Po prostu to uwielbiałam.

Wszystko poszło bardzo sprawnie i po skończonym posiedzeniu wielu deputowanych nie mogło się nadziwić temu, że kobieta podołała tak trudnemu zadaniu i poradziła sobie z utrzymaniem porządku na sali obrad. Wreszcie zrozumiano, jaki ma to symboliczny wymiar dla afgańskich kobiet oraz całego narodu.

Szybko jednak rozpętała się kampania zawiści. Niektórzy ze starszych deputowanych, zwłaszcza ci skorumpowani, zaczęli dzień po dniu tracić wpływy i poparcie społeczne. I mieli tego świadomość. Ci politycy starej daty, używający broni i gróźb jako najpewniejszych sposobów na osiągnięcie porozumienia, nie mogli znieść, że zaledwie trzydziestoletnia kobieta zdobywa coraz większą popularność i władzę. Gdy mijałam ich na korytarzach lub w drodze na mównicę w sali obrad, słyszałam, jak szeptali pod nosem:

– Jak to? Kobieta przewodniczy parlamentowi, a my mamy tylko siedzieć i patrzeć? Nie możemy na to pozwolić.

Starałam się ich ignorować i skupiać się na spełnianiu obietnic złożonych wyborcom. Na przykład droga z Kabulu do Fajzabadu wciąż wyglądała jak pas ubitej ziemi, nie było tam nawet asfaltu. Zaczęłam więc lobbować na rzecz budowy porządnej autostrady, która po raz pierwszy połączyłaby Badachszan ze stolicą kraju. Podczas wizyty w USA spotkałam się z prezydentem George'em W. Bushem oraz z jego żoną Laurą. To bardzo sympatyczna, serdeczna kobieta i ogromnie ją polubiłam. Wydaje się szczerze zaangażowana w różne projekty obywatelskie dotyczące ochrony praw człowieka, edukacji kobiet, budowy nowych szkół, praw dzieci. Miałam poczucie, że sama będąc matką, doskonale rozumie trudną sytuację matek oraz dzieci w krajach rozwijających się. Zadawała mi wiele konkretnych pytań na temat warunków panujących w Afganistanie i z uwagą słuchała, gdy wskazywałam jej, w jakich kwestiach ona i USA mogą nam pomóc. Okazane mi przez nią zrozumienie napełniło mnie otuchą.

Pobyt w Ameryce wykorzystałam również jako okazję do zdobycia szerszego poparcia dla idei budowy drogi z Kabulu do Fajzabadu. Amerykański ambasador powiedział, że nic nie może obiecać, ale moja prośba zostanie rozważona. Cztery miesiące później dowiedziałam się, że Agencja Stanów Zjednoczonych do spraw Rozwoju Międzynarodowego zatwierdziła budżet na budowę drogi. Byłam wniebowzięta.

Droga jest już ukończona i niepomiernie wpłynęła na poprawę losu mieszkańców Badachszanu. Niegdyś trwająca trzy doby podróż do Kabulu zajmuje obecnie mniej niż jeden dzień. Droga wiedzie przez zapierające dech w piersiach okolice, według mnie najpiękniejsze w całym Afganistanie. Niektórzy Badachszanie ochrzcili tę trasę „drogą Fawzii". Mimo moich największych wysiłków trakt po drugiej stronie przełęczy Atanga wciąż nie został ukończony. Nie spocznę jednak, dopóki on również nie zostanie wybudowany. Czuję, że jestem dłużna ojcu zrealizowanie jego marzenia i dokończenie tego, co zapoczątkował.

Ostatnimi laty poznałam kilku innych sławnych polityków, jak chociażby kolejnych premierów Wielkiej Brytanii – Tony'ego Blaira, Gordona Browna oraz Davida Camerona. Dwukrotnie również spotkałam się z Hillary Clinton. To niesamowicie inspirująca kobieta, obdarzona niewątpliwym wdziękiem i autorytetem. Poznałam także premiera Kanady Stephena Harpera i kanadyjskiego ministra spraw zagranicznych Petera MacKaya.

Nie miałam jeszcze okazji spotkać prezydenta Baracka Obamy, ale wierzę, że mi się to uda. Afgańczycy śledzili jego kampanię wyborczą z wielką uwagą i zyskał on tutaj sporą popularność. Jego starania, by zostać pierwszym czarnoskórym prezydentem USA, podziałały na nas bardzo inspirująco. Wielu Afgańczyków uważa go za polityka, który w rozwiązywaniu konfliktów skłania się raczej ku pertraktacjom niż wojnie oraz który doskonale zna się na polityce zagranicznej i kwestiach międzynarodowych.

Przez tych kilka lat zdobyłam wielu dobrych przyjaciół w środowisku dyplomatów, działaczy międzynarodowych organizacji humanitarnych i zagranicznych dziennikarzy. Myślę, że wszyscy możemy się wiele od siebie nauczyć, ponieważ współpraca między narodami jest niezbędna. Zbyt długo Afganistan pozwalał sobie na bycie pionkiem w rękach znacznie bardziej wytrawnych graczy. Wierzę, że nasz kraj jest w stanie odegrać należną mu w regionie azjatyckim kluczową rolę. Pewnego dnia na pewno tak się stanie. Jako naród musimy nauczyć się lepiej współpracować pod względem strategicznym z naszymi sojusznikami i skuteczniej przeciwstawiać się naszym wrogom.

Świat nie musi się jedynie obawiać Afgańczyków jako terrorystów ani litować się nad nami jako ofiarami konfliktów. Jesteśmy wspaniałymi ludźmi i możemy być wielkim narodem. Osiągnięcie tego stanowi moją życiową ambicję. Być może Bóg wybrał mnie, bym wyprowadziła nasz kraj z otchłani korupcji i biedy, a może chce po prostu, abym była tylko pracowitą parlamentarzystką i dobrą matką dla dwóch moich cudownych córek. Cokolwiek czeka w przyszłości mnie i mój naród, wiem, że taka jest wola samego Boga.

Drogi Ojcze,

miałam niecałe cztery lata, kiedy zginąłeś. Przez całe moje krótkie życie zdążyłeś się do mnie odezwać zaledwie raz, tylko po to, by powiedzieć mi, że mam Ci nie przeszkadzać.

Nie wiem, jak byś zareagował, widząc mnie w miejscu, w którym się dziś znajduję. Lubię jednak myśleć, że byłbyś dumny z tego, co osiągnęło najmłodsze dziecko Twojej ulubionej żony.

Ojcze, właściwie Cię nie znałam, ale wiele po Tobie odziedziczyłam. Gdy słyszę, jak ludzie opowiadają o Twojej uczciwości, szczerości i pracowitości, zawsze przepełnia mnie duma. Dzięki tym przymiotom wciąż jeszcze, wiele lat po śmierci, jesteś powszechnie pamiętany. To dla mnie prawdziwe źródło inspiracji.

Uważam, że jeśli ktoś nie jest uczciwy wobec samego siebie, nie potrafi być uczciwy wobec innych. Twoja otwartość i prawdomówność wyróżniały Cię spośród pozostałych członków parlamentu. Wiem, że zawsze wierzyłeś w to, co robisz, oraz niezmiennie trwałeś przy własnych wartościach i decyzjach podjętych na rzecz swoich ludzi. To cechy, które uczyniły z Ciebie wielkiego człowieka.

W pracy parlamentarzysty – dokładnie takiej samej, jak ta, którą wykonywałeś wiele lat przede mną – często myślę o Tobie i zastanawiam się, jak poradziłbyś sobie w trudnych sytuacjach.

Pamięć o Tobie dodaje mi odwagi, bym pozostawała nieulękła i zdeterminowana. Choć minęło ponad trzydzieści lat od Twojej śmierci, stanowisz wzór do naśladowania dla mnie i całej naszej rodziny.

Ojcze, odziedziczyłam po Tobie nie tylko najlepsze cechy charakteru. Pozostawiłeś mi także swoją polityczną spuściznę. Obiecuję nigdy się jej nie sprzeniewierzyć, nawet jeśli miałabym, podobnie jak Ty, zostać z tego powodu zabita.

Wierzę, że z bożą pomocą nie dojdzie do najgorszego. Jeśli przeżyję, być może któregoś dnia zostanę prezydentem. Co o tym myślisz, Ojcze? Mam nadzieję, że taka możliwość przywoła w niebie uśmiech na Twojej twarzy.

Kocham Cię.
Twoja córka
Fawzia

EPILOG:
MARZENIE
ROZDARTEGO WOJNĄ
NARODU

2010

Pozwólcie, że podzielę się z wami pewnym wspomnieniem.

Dwa lata temu udałam się do jednej z wyjątkowo ubogich wiosek w Badachszanie, by wysłuchać, jakie problemy gnębią tamtejszych mieszkańców, i dowiedzieć się, co mogę zrobić, aby im pomóc. Drogi prowadzące do wsi były trudno przejezdne, a gdy zapadł zmrok, utknęliśmy w niej na dobre. Musieliśmy spędzić tam noc. Rodzina, u której mieliśmy się zatrzymać, należała do najbardziej zamożnych w wiosce. Kiedy szliśmy za naszym gospodarzem do jego domu, po obu stronach drogi ustawił się szpaler młodych ludzi, którzy przyszli nas pozdrowić.

Gdy dotarliśmy na miejsce, w progu czekała na nas piękna, mająca około trzydziestu lat kobieta, ubrana w obszarpane łachmany i ciemnoczerwony hidżab. Przywitałam się z nią, a ona się skłoniła, chcąc pocałować mnie w ręce. Poczułam się tym zakłopotana. Nie miała powodów, by tak się zachowywać, w końcu niczego nie zrobiłam ani dla niej, ani dla tej wioski. Czułam się niezręcznie i nie pozwoliłam jej ucałować dłoni. Kobieta, zmartwiona moją odmową, zaprosiła nas do pokoju gościnnego. Pomieszczenie było małe i ciemne. Dopiero po jakimś czasie moje oczy przyzwyczaiły się do panującego w nim mroku.

A wtedy zauważyłam, że nasza gospodyni jest w zaawansowanej ciąży.

Poczęstowała nas zieloną herbatą, suszonymi owocami morwy i orzechami. Spytałam ją, ile ma dzieci. Odparła, że pięcioro, najstarsze ma prawie siedem lat, a ona jest teraz w siódmym miesiącu ciąży. Wyszła z pokoju i wróciła po chwili ze słodkim afgańskim deserem ryżowym, który specjalnie dla nas przygotowała. Rozłożyła na stole obrus i postawiła na nim olbrzymią drewnianą miskę ryżu.

Kolacja była świetną okazją, by porozmawiać z kobietą i czegoś się o niej dowiedzieć. Na początek zagadnęłam ją o pogodę.

– Mamy już lato, ale wasza wioska leży tak wysoko, że wciąż jest w niej chłodno. Zimą mróz dopiero musi się wam dawać we znaki!

– Tak, zimą mamy tu mnóstwo śniegu – odpowiedziała nieśmiało gospodyni. – Czasami może spaść go nawet tyle, że mamy problemy, by wyjść z domu.

– Jak sobie wtedy dajesz radę? Czy masz kogoś do pomocy?

– Nikt mi nie pomaga – odparła. – Wstaję o czwartej rano, odgarniam śnieg, żeby można było dojść do stajni, a wtedy karmię krowy i resztę zwierząt. Potem robię ciasto na chleb i piekę *naan*. A jak to skończę, zabieram się do sprzątania domu.

– Ale przecież jesteś w ciąży – zauważyłam. – I mimo to musisz robić wszystko sama?

– Tak – wydawała się zaskoczona, że w ogóle się temu dziwię.

Powiedziałam jej, że moim zdaniem nie wygląda zbyt dobrze i niepokoję się o jej zdrowie.

– Czuję się fatalnie – przyznała. – Pracuję cały dzień, a w nocy tak mnie wszystko boli, że nie mogę się ruszać.

– Dlaczego nie pójdziesz do lekarza?

– To niemożliwe. Szpital jest bardzo daleko.

– A może porozmawiam z twoim mężem i wytłumaczę mu, że musi cię tam zabrać – zaproponowałam.

– Jeśli poszłabym do szpitala, musielibyśmy sprzedać kozę albo owcę, by móc zapłacić za leczenie – odpowiedziała. – Na to mąż nigdy się nie zgodzi. A poza tym niby jak się tam dostaniemy? Szpital znajduje się trzy dni marszu stąd, a my nie mamy konia ani osła.

– Przecież twoje życie powinno być ważniejsze niż życie kozy lub owcy. Zdrowa – możesz opiekować się całą rodziną, ale jeśli się rozchorujesz, nikim nie będziesz mogła się zająć.

Potrząsnęła tylko głową i posłała mi smutny, pełen rezygnacji uśmiech.

– Jeśli umrę, mój mąż weźmie sobie nową żonę, ale jeżeli stracimy kozę lub owcę, kto wszystkich wykarmi? Z mleka kozy i mięsa owcy można wyżywić całą rodzinę. Skąd weźmiemy jedzenie?

Nigdy nie zapomnę tej biednej kobiety. Wątpię, żeby wciąż jeszcze żyła. Kolejna ciąża, marne wyżywienie, zmęczenie, brak opieki lekarskiej – każda z tych rzeczy mogła się stać przyczyną jej śmierci. W całym Afganistanie takich kobiet jak ona są setki tysięcy. Typowa Afganka nie boi się śmierci i za wszelką cenę dąży do tego, by jej rodzina była szczęśliwa i zadowolona. Jest dzielna, dobra i zawsze gotowa do poświęceń dla innych. Co otrzymuje w zamian? Zazwyczaj niewiele, a często tylko męża, który ponad życie swojej żony stawia kozę lub owcę. Kiedy ją sobie przypominam, łzy napływają mi do oczu i czuję się jeszcze bardziej niż kiedykolwiek zobowiązana pomóc wszystkim kobietom znajdującym się w podobnej sytuacji.

Marzę, że pewnego dnia wszyscy ludzie w Afganistanie będą żyć na równych prawach. Afgańskie dziewczęta są zdolne i utalentowane. Powinny mieć możliwość zdobywania wykształcenia oraz pełnego udziału w politycznym i społecznym życiu naszego kraju.

Pragnę również, by kulturowe i etniczne podziały, które doprowadziły nasz naród do upadku, zniknęły. Żyję nadzieją, że wartości islamskie, które ukształtowały naszą tradycję i kulturę, są chronione przed fałszywymi i błędnymi interpretacjami. Choć w wyniku ataków światowego terroryzmu ginie najwięcej Afgańczyków, to Afganistan przez wszystkich uważany jest za kolebkę terrorystów. Liczę na to, że dzięki aktywnym działaniom dyplomatycznym będziemy w stanie zmienić ten niekorzystny wizerunek. Afganistan wciąż jest biednym krajem, a przecież posiada ogromne bogactwa naturalne. Mamy złoża miedzi, złota, szmaragdów i ropy naftowej. Mam nadzieję, że te niewykorzystane zasoby mineralne pomogą nam w walce z ubóstwem i przyczynią się do wzrostu naszego znaczenia.

Naród afgański był świadkiem licznych walk i konfliktów. Nigdy jednak nie poddaliśmy się inwazji obcych wojsk, nie pozwoliliśmy się nikomu skolonizować ani podbić. Gdy podczas pierwszej wojny brytyjsko-afgańskiej w XIX wieku Brytyjczycy wycofywali się z Afganistanu, wojownicy z lokalnych plemion śpiewali pieśń zwycięstwa: „Jeśli nie znasz jeszcze naszego zapału, wnet go poznasz, gdy staniesz z nami do boju". W słowach tych zawiera się prawda: Afgańczycy są z natury dumni i wojowniczy. Jeśli zajdzie konieczność, będą się bronić. Chciałabym jednak podkreślić, że nie dążymy do wojny – z nikim nie chcemy walczyć.

Drzwi globalizacji i wiążących się z tym możliwości, stojące otworem przed tyloma innymi krajami, nie powinny być dłużej zamknięte przed Afganistanem. Marzę, że pewnego dnia

Afganistan wyzwoli się z jarzma ubóstwa i przestanie ciągnąć się za nim zła sława najbardziej niebezpiecznego dla rodzących kobiet kraju na świecie. Mniej więcej co trzecie afgańskie dziecko umiera przed ukończeniem piątego roku życia. W wyniku biedy, chorób i wojny straciliśmy całe przyszłe pokolenia. Mam nadzieję, że położymy temu kres. Od upadku talibów w 2001 roku w Afganistanie wydano miliardy dolarów z funduszy pomocowych. Jestem wdzięczna za każdy cent pochodzący z tych środków. Niestety, spora ich część została zmarnowana, niewłaściwie spożytkowana lub trafiła w nieodpowiednie ręce – na przykład do skorumpowanych lokalnych polityków czy spekulujących kontraktami firm, które budują kiepskie drogi i szpitale bez sprawnej kanalizacji (naturalnie, czerpiąc z pozyskanych pieniędzy ogromne korzyści).

Mimo najlepszych intencji niektóre decyzje podjęte przez USA i społeczność międzynarodową nie przyniosły najlepszych rezultatów. Podczas konferencji w Genewie w 2002 roku postanowiono, że USA zajmą się wyszkoleniem nowo uformowanej armii afgańskiej, Niemcy – treningiem sił policyjnych, Włochy – reformą systemu prawnego, Wielka Brytania – kampanią antynarkotykową, a Japonia – rozbrojeniem nielegalnych grup. U podstaw tej tak zwanej strategii pięciu filarów leżały przede wszystkim kwestie bezpieczeństwa, ale blisko dziesięć lat po rozpoczęciu operacji „Trwała Wolność" sytuacja w Afganistanie jest wciąż daleka od stabilnej.

W dużej mierze wynika to z faktu, że afgańscy przywódcy zdecydowanie zbyt długo zachowywali się, jakby kraj należał wyłącznie do nich. Zapomnieli, że mieszka tu przecież cały naród, złożony z naprawdę dobrych ludzi, mających swoje rodziny, dzieci, interesy oraz plany na przyszłość. Zamiast dbać o wspólne dobro, rządzili Afganistanem jak prywatnymi włościami. W swoich działaniach kierowali się czysto egoistycznymi pobudkami. Sowieci z kolei potraktowali Afganistan jako odskocznię do swoich mocarstwowych ambicji. Nasz kraj znajdował się bowiem na drodze do pakistańskich portów, na które z zazdrością spoglądali Rosjanie. Stanowił więc przeszkodę, którą należało sobie podporządkować w imię politycznych celów.

Następnie w nacjonalistyczne szaty przywdziali się mudżahedini. Byli naszymi bohaterami, wyzwolicielami, ale podczas gdy wszyscy Afgańczycy szczycili się długą, wytrwałą i zwycięską kampanią mudżahedinów przeciwko Sowietom, ich żądza władzy doprowadziła do wybuchu wojny domowej, która zniszczyła cały kraj. To właśnie konflikty między poszczególnymi bojownikami i wywołany przez nich zamęt stworzyły warunki, dzięki którym talibowie bez problemu mogli przejąć kontrolę nad Afganistanem. Fundamentaliści wykonali ogromny cywilizacyjny krok wstecz (co rzadko się zdarzało w historii świata), przejaskrawiając zasady islamu i wtrącając kraj w epokę mentalnego średniowiecza.

Uwagi nie poświęcano natomiast ambicjom, nadziejom i dobrobytowi zwykłych Afgańczyków. O ironio, największą troskę o mieszkańców wykazał chyba ZSRR, budując szpitale i ucząc w różnych instytucjach, w jaki sposób można podnieść standard życia ludzi. Dobro Afgańczyków nie było jednakże dla Sowietów celem samym w sobie; wszystko to stanowiło jedynie środek do osiągnięcia znacznie ważniejszego celu strategicznego.

Zwykli obywatele – Pasztuni, Tadżykowie, Hazarowie, Uzbecy, Ajmakowie, Turkmeni i Beludżowie – wiążą z tym krajem własne nadzieje. Niestety, zbyt długo rządzili nimi (i często dalej rządzą) ludzie troszczący się jedynie o swoje interesy. Przeciętny afgański polityk, który zdobył władzę, traktuje urząd i uprawnienia niczym osobistą zabawkę, rozdając intratne posady przyjaciołom i krewnym bez żadnych kwalifikacji oraz napychając kabzę pieniędzmi z łapówek i wcale nieskrywanych kradzieży. Dobro i szczęście ludzi, których powinien reprezentować, to ostatnia rzecz, jaka przychodzi mu do głowy.

Prawdziwą plagą afgańskiej polityki jest nepotyzm. Rodzina i przyjaciele są w naszym kraju, jak zresztą wszędzie, bardzo ważni. Jednakże nasi politycy powinni zdać sobie sprawę, że sprawowanie publicznego urzędu polega na służbie społeczeństwu, a nie rozdawaniu najbliższym kluczowych stanowisk w administracji państwowej. Nawet jeśli przyświecałyby temu słuszne intencje („Potrzebuję kogoś zaufanego, a nikomu nie ufam bardziej niż kuzynowi, bratankowi, przyjacielowi"), tak postępować nie można. Nie jest to sposób na skuteczne rządzenie, lecz źródło jeszcze bardziej rozpasanej korupcji. Jeśli ktoś zostaje obdarowany stanowiskiem, nie ma żadnej motywacji, by służyć ludziom, a na pierwszym miejscu zawsze stawia lojalność wobec tego, kto go zatrudnił. Urzędnicy działają więc w interesie swoim, a nie społeczeństwa. Kwestie odpowiedzialności oraz transparentności ulegają zatarciu, a podstawy dobrego funkcjonowania państwa są ignorowane.

Niestety, choć większości Afgańczyków nie podoba się sposób sprawowania władzy przez nasz rząd, wielu z nich godzi się na taki stan rzeczy. Oczekiwania wobec polityków są niewielkie; ludzi, którzy ich krytykują, bardzo łatwo przekupić gotówką, propozycją pracy albo wysokim kontraktem. A co, jeśli kogoś nie da się kupić? Cóż, z przykrością muszę stwierdzić, że mój kraj to niebezpieczne miejsce. Ludzie, którzy głośno wyrażają swoje odmienne zdanie, giną tu cały czas. Jak dotąd niewielu sprawców takich morderstw zostało zidentyfikowanych i osądzonych. W światowych mediach dużo mówi się o porwaniach zagranicznych działaczy organizacji humanitarnych, choć one akurat należą do rzadkości. To oczywiście wyjątkowo nieszczęśliwe wypadki i opłakuję każdego, kto oddał swe życie za pomoc zupełnie obcemu mu krajowi, próżno jednak szukać w mediach doniesień o powszechnych uprowadzeniach Afgańczyków. Każdy zamożny biznesmen w naszym kraju zna kogoś porwanego dla okupu. Bezpieczne nie są także małe dzieci, wszędzie bowiem grasują bandy kidnaperów chcących wydrzeć pieniądze od ich rodziców. Z tych właśnie powodów większość afgańskich przedsiębiorców, którzy wrócili do kraju po upadku talibów, teraz znów wyemigrowało (ci, którzy mają podwójne obywatelstwo, wyjechali do Europy lub USA). Doprowadziło to do drenażu mózgów na wielką skalę.

Nic się nie zmieni, dopóki ludzie rządzący Afganistanem nie zaczną się kierować właściwą motywacją. Rozumiem to bardzo prosto. W administracji państwowej powinni pracować jedynie ci, którzy naprawdę chcą służyć społeczeństwu. Jeśli wszyscy politycy i urzędnicy państwowi zaczną myśleć w ten sposób, nie ma rzeczy, której nie moglibyśmy osiągnąć. Miliardy dolarów, jakie wpompowano w odbudowę Afganistanu, wreszcie trafiłyby w odpowiednie ręce. Kontrakty na przeprowadzenie inwestycji zawierano by z przedsiębiorcami gwarantującymi najwyższą jakość usług, a nie z tymi, którzy dopuścili się przekupstwa. Policja oraz wojsko byłyby wierne wyłącznie mundurowi oraz narodowi, który reprezentują, nie zaś swemu skorumpowanemu szefowi. Gubernatorzy zajęliby się sumiennym i uczciwym pobieraniem podatków oraz wszelkich opłat, a następnie przekazywaliby je do skarbu państwa. Rząd z kolei by pilnował, aby pieniądze przeznaczone dla poszczególnych resortów na realizację zatwierdzonych przez parlament projektów były wydawane mądrze i efektywnie, a politycy wsłuchiwaliby się w głosy swych wyborców i działali zgodnie z ich życzeniami.

Nie chcę, by uznano, że jestem naiwna. Wiem, że wszystkie rządy borykają się z problemami, ale te, które funkcjonują najlepiej, mają wypracowane mechanizmy ochronne, jak choćby instytucję parlamentarnej komisji śledczej. Członkowie takiej komisji mogą, niczym nieskrępowani, prowadzić dochodzenie oraz szczerze i uczciwie przedstawiać swoje ustalenia. To wymaga niezależnego systemu sądowniczego – wolnego od wszelkich nacisków i skutecznie zwalczającego układy korupcyjne – a także zdyscyplinowanych sił policyjnych, które miałyby odwagę zabrać się do śledztw w sprawie poważnej działalności przestępczej, bez względu na to, jak wpływowi ludzie mogą w nią być zamieszani. Międzynarodowe media doniosły ostatnio, że Afganistan zajął jedną z trzech pierwszych lokat w rankingu najbardziej skorumpowanych krajów na świecie, przygotowanym przez Transparency International. Wstrząsająca statystyka.

Od czego więc należy zacząć? Uważam, że w zdrowym systemie politycznym powinna istnieć opozycja parlamentarna z prawdziwego zdarzenia. Tylko wtedy, gdy zaistnieje polityczna wola, aby wsłuchać się w potrzeby ludzi i uczciwie im służyć, sytuacja w Afganistanie może się poprawić. To moje własne zdanie na ten temat, ale wyrobiłam je sobie na podstawie rozmów z tysiącami zwykłych obywateli. Wielu Afgańczyków już się pożegnało z nadzieją, że kiedykolwiek będziemy mieć w kraju uczciwy rząd.

Afgańczycy przez trzydzieści lat byli karmieni kłamstwami i bzdurami przez osoby nimi rządzące, nie dziwmy się więc, że polityka tego kraju znajduje się na skraju zapaści. Jako naród jesteśmy „niedożywieni", a w konsekwencji – opóźnieni w rozwoju gospodarczym. To jednak zaczyna się zmieniać. Znam polityków, którzy są naprawdę lojalni wobec swojego elektoratu i postępują zgodnie z jego wolą. Dzięki temu zyskali sobie szacunek i zaufanie.

Duża część sukcesu afgańskiej demokracji zależy od dwóch czynników. Pierwszy to szkolnictwo. Wszystkie dzieci, zarówno chłopcy, jak i dziewczynki, muszą mieć zapewniony dostęp do solidnej edukacji – i to nie tylko ze względu na rozwój osobisty, lecz także po to, by móc w przyszłości podejmować przemyślane decyzje w sprawach swojego kraju. Drugi czynnik to bezpieczeństwo. Potrzebujemy wprowadzenia ładu i porządku publicznego w celu zapewnienia zwykłym afgańskim rodzinom życia w bezpieczeństwie i pokoju, by podczas wyborów do parlamentu ludzie nie czuli się zagrożeni i mieli pewność, że ich głos będzie się naprawdę liczył. Afgańczycy chcą mieć bowiem możliwość wyboru przywódców swego państwa. Nie wiedzą jednak jeszcze, jak wyglądają wolne i uczciwe wybory.

Wierzę, że jeśli uda nam się utworzyć w pełni demokratyczny rząd, z czasem zdołamy się stać stabilnym, wolnym i sprawiedliwym społeczeństwem. Co jest nadrzędne: demokratyczny rząd czy poczucie bezpieczeństwa? Czy w rezultacie większego poczucia bezpieczeństwa mamy lepsze rządy, czy też dobre rządy zwiększają nasze poczucie bezpieczeństwa? Nie dywagujmy, co było pierwsze – jajko czy kura. Między dobrymi rządami a przekonaniem obywateli o własnym bezpieczeństwie zachodzi relacja obustronna.

A co z talibami? Kiedy piszę tę książkę, światowe mocarstwa zastanawiają się nad wycofaniem sił z Afganistanu. Według mnie jest na to za wcześnie; zadanie nie zostało jeszcze wykonane, a naszym krajem ciągle wstrząsają zbrojne konflikty. W każdej chwili mogą się one przerodzić w konflikt na skalę globalną. Ostrzeżenie przed światowym terroryzmem, jakiego Ahmad Szah Masud udzielił Zachodowi, ma teraz większe znaczenie niż kiedykolwiek wcześniej. Dopóki nasi sojusznicy nie uporają się z talibami w szerszym wymiarze, to znaczy w całym regionie Azji Środkowej, dopóty świat nie będzie mógł się czuć bezpieczny.

Ostatnimi czasy wiele się mówiło o pogodzeniu z talibami i przywróceniu ich reprezentacji w rządzie. Za tymi działaniami stoi głównie społeczność międzynarodowa, której celem jest jak najszybsze wycofanie swoich wojsk z Afganistanu. Według mnie to byłby błąd, kolejny przykład działania na krótką metę, doraźny środek, który nie rozwiąże żadnego ze światowych problemów, a doprowadzi jedynie do ich nawarstwienia i pogorszenia sytuacji.

Talibowie będą bowiem utrzymywać, że ich konserwatywna odmiana islamu stanowi jedyną formę rządów, jakiej potrzebuje Afganistan, i że oni sami, bez niczyjej pomocy, zdołają zaprowadzić w kraju porządek. Jak mieliśmy okazję się przekonać, talibskie pojęcie edukacji i opieki zdrowotnej wyklucza z normalnego życia społecznego przynajmniej połowę społeczeństwa. Ich poglądy na kwestie bezpieczeństwa i sprawiedliwości nie mają z kolei nic wspólnego z oczekiwaniami i wyobrażeniami większości ludzi. Czy powinno się im zatem w ogóle udzielać politycznego głosu? W takim systemie demokratycznym, w który ja wierzę, każdy ma prawo do tego, by zabrać głos. W polityce chodzi o rozmawianie, argumentowanie i przekonywanie się nawzajem, tymczasem trudno uwierzyć, by talibowie kiedykolwiek zasiedli w jednym parlamencie razem z politykami płci żeńskiej.

Talibowie wielokrotnie próbowali mnie zamordować. Często dokonywali zamachów na życie intelektualistów, dziennikarzy, przeciwników politycznych czy osób manifestujących sympatię wobec Zachodu. Czy fundamentaliści kiedykolwiek zrozumieją, czym jest demokracja, i będą w stanie ją uszanować? Wątpię. Czy rzeczywiście będą skłonni dzielić się władzą z tymi, którzy nie podzielają ich poglądów? Czy są zdolni z nami dyskutować i dążyć do wypracowania kompromisu? Czy wesprą nowe projekty ustaw zgłaszanych przeze mnie lub inne parlamentarzystki? Odpowiedź jest jedna: nie. A społeczność międzynarodowa wykazuje się nie lada naiwnością, sądząc, że talibowie pogodzą się z faktem dopuszczenia kobiet do polityki. W ostatnich latach zrobiono przecież tyle dobrego dla poprawy losu Afganek. Jeśli talibowie wrócą do władzy, wszystko to pójdzie na marne.

Jadąc ulicami Kabulu, zawsze się uśmiecham na widok dziewczynek ubranych w szkolne stroje – czarne *szalwar kamiz* i białe chusty na głowę. W ubiegłej dekadzie setki tysięcy dziewcząt, a wśród nich moje córki, uzyskały dostęp do edukacji. To nie tylko zapewniło im możliwość rozwoju osobistego, lecz także stworzyło szanse na lepszą przyszłość ekonomiczną i większą świadomość medyczną w ich rodzinach. Dzięki temu z kolei nasz kraj staje się coraz mocniejszy. Jeśli wrócą talibowie, wszystkie te dziewczynki znów będą zmuszone siedzieć w domach lub chować się pod burkami, pozbawione głosu, skrępowane niezrozumiałymi przepisami, które przyznają kobietom mniej praw niż psom. Nasz kraj znów pogrąży się w ciemności. Pozwalając na to, dopuścimy się najwyższej zdrady.

W październiku 2010 roku zostałam wybrana do parlamentu na drugą kadencję. Nie zawiodłam wyborców i mimo oszustw, których dopuszczają się niektórzy kontrkandydaci, zdobyłam nawet więcej głosów niż za pierwszym razem.

Jeszcze bardziej ucieszyło mnie to, że do parlamentu wybrano również moją starszą siostrę Kandigul, na którą w rodzinie wszyscy mówią Mariam. To ona została pobita, gdy matka nie chciała zdradzić mudżahedinom kryjówki z bronią naszego ojca. Mariam nie potrafiła czytać ani pisać i jako dziecko nigdy nie chodziła do szkoły (byłam jedyną kobietą w naszej rodzinie, której na to pozwolono). Gdy jednak wyszła za mąż i wychowywała dzieci, przyglądała się temu, jak zdobywam wykształcenie. Zrozumiała, ile udało mi się dzięki temu osiągnąć, i również postanowiła służyć swojemu krajowi. Mariam zaczęła chodzić do szkoły wieczorowej na kursy komputerowe oraz lekcje czytania i pisania, a kilka lat później ukończyła uniwersytet. To jak na razie ostatnia z Koofich, która zajęła się polityką. Jestem z niej ogromnie dumna i nie mam wątpliwości, że sprosta czekającym na nią obowiązkom parlamentarzystki.

Podczas ostatniej kampanii wyborczej jeszcze częściej grożono mi śmiercią: uzbrojeni mężczyźni śledzili mój samochód, na trasie mojego przejazdu znajdowano przydrożne bomby-pułapki, dostawałam pogróżki, że zostanę uprowadzona. W dniu głosowania aresztowano dwoje ludzi, którzy przyznali się, że planowali mnie wywieźć do innego dystryktu, a następnie zabić. Mieli powiązania z pewnym lokalnym politykiem, co nie było zresztą trudne do ustalenia, gdyż jeden z aresztowanych był z nim spokrewniony. I dlatego też niebawem go uwolniono (choć jego wspólnik pozostał w areszcie). Nie mieści mi się w głowie, jak można go było wypuścić bez postawienia żadnych zarzutów, skoro wyjawił już swoje zamiary. Niestety, nie zawsze mogę polegać na afgańskich siłach bezpieczeństwa w takim stopniu, jak bym tego chciała. Nie wiem, kim są moi potencjalni mordercy, czy noszą cywilne ubrania – czy mundury. Niekiedy w samym Kabulu służby wywiadowcze zmuszały mój samochód do zjechania na pobocze, nigdy nie podając nawet przyczyny zatrzymania. Ostatnio to wręcz nagminne. Nie twierdzę, że się do tego przyzwyczaiłam – nikt chyba nie jest w stanie przyzwyczaić się do nieustannych gróźb – ale nauczyłam się z tym żyć.

Tak jak mój ojciec, mogę dziś z dumą powiedzieć, że dałam się poznać jako uczciwy polityk, który nie obawia się poruszać drażliwych kwestii. Dowiodłam, że potrafię dotrzymywać słowa i tak zarządzać funduszami, aby trafiały do najbardziej potrzebujących. Choć ludzie, których reprezentuję, wciąż należą do jednych z najbiedniejszych na świecie i czeka nas jeszcze wiele ciężkiej pracy, wiem, że udało mi się polepszyć ich życie dzięki budowie dróg, szkół, meczetów i otwarciu nowych miejsc pracy. Ostatnio uzyskałam poparcie dla projektu budowy meczetów dla kobiet w kilku bardzo konserwatywnych i odległych wioskach. Meczety to wszak miejsca modlitwy i żaden mężczyzna nie zabroni swojej żonie wyjścia z domu na jedną godzinę dziennie, aby mogła oddać cześć Bogu. Dla kobiet z prowincji to czasami jedyna okazja do opuszczenia domu. Mój projekt zakłada, że nowe budynki sakralne będą przy okazji świadczyć kobietom inne usługi: będzie tu można zasięgnąć porady w kwestiach żywienia i higieny albo wziąć udział w zajęciach z nauki pisania i czytania. Tylko jeden taki budynek w krótkim czasie może dokonać rewolucyjnych zmian w życiu całej wioski.

Obecnie jestem prawdopodobnie najbardziej znaną ze wszystkich kobiet zajmujących się w Afganistanie polityką i cieszę się olbrzymią popularnością w społeczeństwie – zarówno wśród mężczyzn, jak i kobiet. Afgańczycy najpierw widzą we mnie polityka, a dopiero potem kobietę. To osiągnięcie, z którego jestem szczególnie dumna.

Moi zwolennicy zasugerowali mi, bym ubiegała się o urząd prezydenta. Nie zamierzam okazywać fałszywej skromności i twierdzić, że rola przywódcy afgańskiego narodu mnie nie interesuje. Nie znam ani jednego poważnego polityka na świecie, który nie marzyłby o tym, aby zostać prezydentem swojego kraju. Poza tym wiem, że świetnie bym sobie poradziła, sprawując ten urząd. Ale sądzę też, że nie nadszedł na to jeszcze odpowiedni czas. Afganistan nie jest gotowy, aby zaakceptować kobietę w roli prezydenta. Mam jednak nadzieję, że pewnego dnia się to zmieni; do niedawna przecież nikomu nie przyszłoby do głowy, że prezydentem USA zostanie człowiek mający czarną skórę. Kobiety pełniły już zresztą funkcję głowy państwa w innych krajach islamskich. Megawati Sukarnoputri sprawowała urząd prezydenta Indonezji w latach 2001–2004, Begum Chaleda Zia była premierem Bangladeszu, a sąsiednim Pakistanem również jako premier rządziła Benazir Bhutto (kto wie, czy nie wybrano by jej na prezydenta, gdyby nie zginęła w zamachu). Wracam też myślą do politycznych bohaterek mojego dzieciństwa – Margaret Thatcher i Indiry Gandhi. Obie zapamiętano nie dlatego, że były kobietami, lecz ze względu na ich dokonania. Wierzę, że pewnego dnia kobiety będą mogły rządzić Afganistanem.

W naszym kraju bowiem zbyt długo uprawiano politykę przy użyciu karabinów. Liczyła się w niej przede wszystkim liczebność wojska oraz jakość czołgów, a nie strategie rozwoju, plany i reformy. To musi się zmienić. Zmiany wymagają jednak czasu. Gdy te idee zaczną wreszcie kiełkować i rosnąć, wraz z nimi rozwinie się także gospodarka. Stabilna sytuacja w Afganistanie zaowocuje nowymi możliwościami dla jego mieszkańców – czy to dla rolnika, który będzie mógł dojechać na targ lepszymi i bezpieczniejszymi drogami, czy to dla młodego przedsiębiorcy zakładającego spółkę handlową, czy też w końcu dla setek tysięcy Afgańczyków żyjących za granicą (wielu z nich ma wyższe wykształcenie i stanowi fundament, na którym można zbudować lepsze jutro).

Nie zamierzam bagatelizować wyzwań, które stoją przed naszym krajem. Musimy uporać się jeszcze z wieloma problemami. Afganistan zalewają fale korupcji, religijnego ekstremizmu i brudnych pieniędzy pochodzących z upraw opium oraz handlu tym narkotykiem. Mimo tylu nieszczęść, jakie przez pokolenia spadły na nasz kraj, żyjący tu ludzie nigdy nie dali się złamać. Wierzę, że nadchodzi taki czas dla wszystkich Afgańczyków, kiedy wreszcie odłożymy na bok historię i spojrzymy w przyszłość. Po tak wielu latach wojen i terroru zostaliśmy praktycznie z niczym. Nie mamy innego wyboru, jak tylko odbudować nasz kraj, i myślę, że tego właśnie pragnie większość moich rodaków. Potrzeba jedynie wyrazistych struktur państwowych oraz silnego i stanowczego przywódcy, który będzie umiał z tak różnorodnego narodu stworzyć jedną całość. Musimy mieć lidera, który zjednoczy nasz naród i poprowadzi go do sukcesu.

Moje kochane córeczki! Jeśli zdołamy to osiągnąć, wtedy być może dzieci waszych dzieci będą mogły żyć wolne w dumnej, odnoszącej sukcesy republice islamskiej, która zajmie należną sobie w świecie pozycję.

Oto cel, dla którego żyję i za który zapewne też zginę.

Jeśli tak się stanie, chcę, abyście – moje kochane – wiedziały, że każde słowo w tej książce zostało napisane dla was. Pragnę, byście i wy, i wszystkie inne afgańskie dzieci zrozumiały moją walkę i uczyły się z niej. W ten sposób moje marzenia przetrwają w was wszystkich.

A co, jeśli talibowie nie zdołają mnie zabić? Cóż, kochana Szuhro, wtedy spróbuję cię pokonać w wyborach i zostać pierwszą kobietą prezydentem w historii Afganistanu. A może

razem stworzymy nową dynastię potężnych islamskich przy-
wódczyń, których misją na tym świecie jest czynić dobro?

Kiedy piszę te ostatnie słowa, moja matka w niebie z pewnością się uśmiecha.

KLUCZOWE WYDARZENIA W DZIEJACH AFGANISTANU (1919–2010)

1919 r. wybucha trzecia wojna afgańsko-angielska o utrzymanie Afganistanu w brytyjskiej strefie wpływów; kraj odzyskuje niepodległość

1933 r. Zahir Szah zostaje królem, a Afganistan na czterdzieści lat staje się monarchią

1973 r. Mohammad Daud Chan dokonuje zamachu stanu i przejmuje władzę, doprowadzając do zmiany ustroju państwa (republika)

1978 r. Mohammad Daud Chan zostaje obalony i zastrzelony przez żołnierzy związanych z komunistyczną Ludowo-Demokratyczną Partią Afganistanu

1979 r. walka o władzę między komunistycznymi przywódcami w Kabulu kończy się śmiercią Nur Mohammada Tarakiego i zwycięstwem Hafizullaha Amina; na prowincji trwa rebelia, która doprowadza afgańską armię do upadku, a ZSRR wysyła do Afganistanu oddziały w celu usunięcia Amina (który ostatecznie zostaje zamordowany)

1980 r.   Babrak Karmal, lider frakcji „Parczam" Ludowo-Demokratycznej Partii Afganistanu, dzięki wsparciu sowieckich wojsk zostaje przywódcą Afganistanu; nasila się opór antyreżimowy, kolejne ugrupowania mudżahedinów stają do walki z Armią Czerwoną; USA, Pakistan, Chiny, Iran i Arabia Saudyjska pomagają bojownikom, wysyłając im broń i pieniądze

1985 r.   w Pakistanie dochodzi do zjednoczenia ugrupowań mudżahedinów, które zawiązują sojusz przeciwko siłom radzieckim (szacuje się, że do tej pory blisko połowa afgańskiej ludności straciła w wyniku wojny dach nad głową lub uciekła do Iranu i Pakistanu)

1986 r.   USA zaczynają zaopatrywać mudżahedinów w pociski Stinger pozwalające na zestrzeliwanie sowieckich śmigłowców bojowych; nowym prezydentem zostaje Mohammad Nadżibullah

1988 r.   Afganistan, ZSRR, USA i Pakistan podpisują porozumienie pokojowe, na mocy którego Sowieci zaczynają wycofywać swoje oddziały

1989 r.   ostatnie oddziały Armii Czerwonej opuszczają Afganistan, mudżahedini dążą do obalenia Nadżibullaha, wybucha wojna domowa

1991 r.   USA oraz ZSRR wspólnie postanawiają zerwać udzielaną przez siebie pomoc militarną obu stronom konfliktu

1992 r.   mudżahedini zdobywają Kabul, Nadżibullah zostaje obalony; rywalizujące ze sobą ugrupowania walczą o władzę

1993 r. frakcje mudżahedinów tworzą rząd; Burhanuddin Rabbani, Tadżyk z pochodzenia, zostaje ogłoszony prezydentem

1996 r. talibowie przejmują kontrolę nad Kabulem i wprowadzają w kraju ekstremistyczny model islamu; mułła Omar ogłasza się głową państwa; Rabbani ucieka i przyłącza się do antytalibskich sił Sojuszu Północnego

1997 r. rząd talibów zostaje uznany przez Pakistan i Arabię Saudyjską (pozostałe kraje za głowę państwa afgańskiego wciąż uważają Rabbaniego); talibowie kontrolują około dwóch trzecich terytorium kraju

2001 r. Ahmad Szah Masud, legendarny bojownik mudżahedinów i przywódca głównych sił oporu przeciwko talibom, zostaje zamordowany przez zamachowców podających się za dziennikarzy

7 X 2001 r. USA i Wielka Brytania rozpoczynają ataki lotnicze na Afganistan, po tym jak talibowie odmówili wydania Osamy bin Ladena, odpowiedzialnego za ataki na USA z 11 września

5 XII 2001 r. na mocy porozumienia zawartego w Bonn afgańskie ugrupowania zgadzają się na utworzenie rządu tymczasowego

7 XII 2001 r. talibowie poddają ostatnią twierdzę, Kandahar; mułła Omar wciąż pozostaje na wolności

22 XII 2001 r. Hamid Karzaj, pasztuński rojalista, staje na czele trzydziestoosobowego rządu tymczasowego

IV 2002 r. do kraju powraca były król Zahir Szah, nie zgłasza jednak żadnych roszczeń do tronu

V 2002 r.	Rada Bezpieczeństwa ONZ przedłuża mandat Międzynarodowych Sił Wsparcia Bezpieczeństwa (International Security Assistance Force) do grudnia 2002 roku; siły sojusznicze kontynuują militarną kampanię mającą na celu odnalezienie pozostałości oddziałów talibów oraz Al-Kaidy ukrywających się na południowym wschodzie kraju
VI 2001 r.	Loja Dżirga (wielka rada plemienna) wybiera na tymczasowego prezydenta Hamida Karzaja; nowy prezydent mianuje członków administracji, którzy będą sprawować władzę w kraju do 2004 roku
VIII 2003 r.	NATO przejmuje kontrolę nad bezpieczeństwem w Kabulu (to pierwsza w historii organizacji operacja poza Europą)
I 2004 r.	Loja Dżirga przyjmuje nową konstytucję, która wprowadza silne uprawnienia prezydenckie
X–XI 2004 r.	Hamid Karzaj zwycięża w wyborach prezydenckich, zdobywając pięćdziesiąt pięć procent głosów; uroczystość zaprzysiężenia odbywa się 7 grudnia przy zaostrzonych środkach bezpieczeństwa
IX 2005 r.	odbywają się pierwsze od czterdziestu lat wybory do parlamentu oraz władz prowincji
XII 2005 r.	trwa sesja inauguracyjna nowego parlamentu
X 2006 r.	NATO bierze na siebie odpowiedzialność za utrzymanie bezpieczeństwa w całym Afganistanie i przejmuje od Amerykanów dowództwo nad siłami koalicji na wschodzie kraju

XI 2008 r.   talibowie odrzucają wysuniętą przez prezydenta Karzaja propozycję rozmów pokojowych, twierdząc, że nie ma mowy o negocjacjach, póki w Afganistanie stacjonują obce wojska

X 2009 r.   Hamid Karzaj zostaje ogłoszony zwycięzcą sierpniowych wyborów prezydenckich, po tym jak Abdullah Abdullah wycofał się z drugiej tury, nie wierząc w uczciwość jej przebiegu (wstępne wyniki dały Karzajowi pięćdziesiąt pięć procent głosów, ale wiele kart do głosowania zostało sfałszowanych)

XI 2009 r.   prezydent Hamid Karzaj zostaje zaprzysiężony na drugą kadencję

VII 2010 r.   podczas międzynarodowej konferencji w Londynie prezydent Karzaj zatwierdza kalendarz, wedle którego afgańskie siły przejmą kontrolę nad Afganistanem do 2014 roku

PODZIĘKOWANIA

Pragnę podziękować następującym osobom:

– moim Córkom – za cierpliwość oraz czas, który poświęciłam nie im, lecz pisaniu;

– Nadene – za współpracę i pomoc w nadaniu tej książce literackiego kształtu;

– Elsie, która służyła mi wielkim wsparciem przy szlifowaniu opowieści, kierowała całym zespołem oraz cierpliwie i wytrwale redagowała książkę;

– mojemu Bratu, Ennajatowi – za to, przez cały tydzień podróżował z Nadene i ze mną po najbardziej odległych, górskich rejonach Badachszanu, pomagając mi przypomnieć sobie historie z dzieciństwa;

PODZIĘKOWANIA

– mieszkańcom dystryktu Koof odpowiedzialnym za zapewnienie nam bezpieczeństwa podczas wyprawy do mojej rodzinnej wioski;

– Kaka Jatimowi – odważnemu kierowcy, który przez dwie doby bez przerwy woził nas po najbardziej niebezpiecznych drogach w Afganistanie.

MAM NA IMIĘ VICTORIA
ZAGINIONE DZIECI ARGENTYNY
Victoria Donda | tłum.: Olga Zasępa-Bietti

Desaparecidos – to słowo kojarzy się dziś każdemu w Ameryce Łacińskiej z dyktaturami wojskowymi, jakie w latach siedemdziesiątych i osiemdziesiątych XX wieku panowały w Argentynie, Chile, Urugwaju czy Brazylii. *Desaparecidos* – czyli zaginieni, ci, którzy zniknęli bez śladu w wyniku prześladowań – to eufemizm. Bo w niemal wszystkich przypadkach rządząca junta torturowała i mordowała aresztowanych przeciwników reżimu lub podejrzanych o sympatie opozycyjne.

Oficjalne dokumenty mówią o co najmniej trzydziestu tysiącach ofiar w Argentynie. Więźniów politycznych za czasów „brudnej wojny" trzymano w obozach koncentracyjnych, między innymi w ESMA – dawnej szkole mechaników marynarki wojennej w Buenos Aires. Ruch w ESMA był nieustanny, szacuje się, że w ciągu trzech lat przez obóz przewinęło się około sześciu tysięcy osób, także kobiet w ciąży.

„Ze względów humanitarnych nie zabijaliśmy ciężarnych przed urodzeniem dziecka" – zeznał podczas procesu w Madrycie Adolfo Scilingo, jeden z dowódców w ESMA. Matki zabijano, akty urodzenia dzieci fałszowano, a niemowlęta oddawano anonimowo do adopcji rodzinom „dobrze widzianym politycznie".

Niektóre z nich dopiero dziś poznają prawdę o swoim pochodzeniu. Tak jak Victoria Donda...

Victoria Donda – najmłodsza członkini argentyńskiego parlamentu, mieszkanka Buenos Aires, energiczna przedstawicielka klasy średniej o zdecydowanych przekonaniach politycznych, która w wieku dwudziestu siedmiu lat dowiedziała się, że jest dzieckiem zaginionych, poznała swoje prawdziwe imię i pochodzenie.

OCALENI

WOJENNA TUŁACZKA KRESOWEJ RODZINY

Matthew Kelly | tłum.: Maciej Miłkowski

Brytyjczyk z polskimi korzeniami wyrusza w fascynującą podróż śladami swoich przodków, mieszkańców Kresów, którzy w 1939 roku zostali deportowani na Wschód. Tak rozpoczęła się ich tułaczka. Trafili najpierw do Kazachstanu, a dwa lata później, po zawarciu polsko-sowieckiego układu Sikorski–Majski w 1941 roku i ogłoszeniu amnestii dla polskich więźniów i zesłańców, rozpoczęli kolejny etap wędrówki: przez Persję i Indie Brytyjskie, aż do Wielkiej Brytanii – z kresowych Dzikich Pól dotarli do hrabstwa Devon, gdzie mieli rozpocząć nowe życie.

W XXI wieku młody potomek rodu Ryżewskich, urodzony już w nowej ojczyźnie, pieczołowicie rekonstruuje niesamowite dzieje rodziny. Z pożółkłych listów swojej babci Nany, zapomnianych dokumentów, wyblakłych fotografii, bezpośrednich świadectw i ze wzruszających wspomnień z tragicznych lat wojny składa w całość fragmentaryczne obrazy przeszłości – w ten sposób próbuje odnaleźć Polskę (jej prawdziwe oblicze sprzed wojny i po niej), a także zrozumieć Polaków: jak wyglądało ich życie w wielokulturowej przedwojennej Polsce, targanej konfliktami etnicznymi, skąd czerpali nadzieję, gdy wygnano ich z ukochanych Kresów i utracili wszystko, oraz jak radzili sobie w czasie tułaczki i w nowej powojennej rzeczywistości.

Matthew Kelly (ur. 1975 r. w Plymouth) – jest absolwentem oksfordzkiego Balliol College, gdzie w 2003 roku otrzymał tytuł doktora, specjalizuje się w historii Irlandii. Jego pierwsza książka *The Fenian Ideal and Irish Nationalism, 1882–1916* ukazała się w 2006 roku. Współpracuje z „London Review of Books" i wykłada historię na uniwersytecie w Southampton.

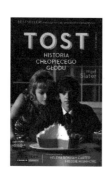

TOST

HISTORIA CHŁOPIĘCEGO GŁODU

Nigel Slater | tłum.: Ewa Kleszcz

Przepysznie sugestywna historia dzieciństwa i dorastania jednego z najbardziej uwielbianych i bestsellerowych pisarzy kulinarnych Wielkiej Brytanii, Nigela Slatera.

„To, co ludzie jedzą i gotują, pod wieloma względami składa się na ich autobiografię. Tost jest historią [...] bezwstydnie intymną, a miejscami nawet wulgarną. [...] Miejscami jest zabawna, a czasami rozdzierająco smutna. Pisanie jej wiązało się dla mnie z ogromnym bólem i niepokojem, ale też okazało się przeżyciem katarktycznym. Niech was nie zwiedzie zdjęcie małego chłopca na okładce. W tej książce nie ma niczego uroczego".

Nigel Slater

Autor zabiera Czytelników na wycieczkę po zawartości rodzinnej spiżarni i przenosi ich do świata, w którym królują pudding ryżowy, szynka w puszce, tarty z dżemem, tosty nagminnie przypalane przez matkę, budzący postrach gulasz z resztek świątecznego indyka przygotowywany przez ojca oraz smakołyki takie jak grillowany grejpfrut, którego spożywanie stanowiło symbol statusu społecznego...

Te opowieści tworzą fascynujące i zabawne tło dla niewiarygodnie poruszających i działających na wyobraźnię wspomnień o domu rodzinnym, relacjach z rodzicami i rówieśnikami oraz młodzieńczych inicjacjach.

Jeśli podobały Wam się książki Anthony'ego Bourdaina, musicie przeczytać *Tost*!

Nigel Slater (ur. 1958 r.) – jest autorem kilku klasycznych książek kucharskich oraz twórcą popularnego programu *Proste dania*. Został okrzyknięty przez brytyjskie media skarbem narodowym. Felietonista „Observera". Mieszka w Londynie.

„Nigel to geniusz".
Jamie Oliver

„Nigel w bezpretensjonalnym, przepysznym wydaniu".
Nigella Lawson